Italo Calvino

Cosmicomics

Récits anciens et nouveaux

Précédé d'une note de l'auteur

*Traduction de l'italien
par Jean Thibaudeau
(revue par Mario Fusco)
et Jean-Paul Manganaro*

Gallimard

La présente édition reproduit, à l'instar de l'édition
posthume italienne établie par Claudio Milanini
(*Tutte le cosmicomiche*, Oscar Grand Classici, Mondadori,
1997), les deux recueils *Cosmicomics* (1965)
et *Ti con zero* (1967) dans l'ordre original,
suivi des nouveaux récits publiés ultérieurement
dans *La memoria del mondo e altre storie cosmicomiche*
(1968) et *Comicomicomiche vecchie e nuove* (1984).

Titre original :

TUTTE LE COSMICOMICHE

Note de l'auteur[1]

Les récits que contient ce volume n'ont pas de thème « historique », dans le sens du moins où ce mot est utilisé habituellement, et on ne peut même pas dire qu'ils aient un décor « contemporain ». Mais ils sont, à la fois, tout ce que l'on peut imaginer de plus contemporain, et le résultat d'une perspective « historique » conduite à ses conséquences extrêmes.

Ce sont des récits nés de l'imagination libre d'un écrivain d'aujourd'hui, stimulée par des lectures scientifiques, surtout d'astronomie. Nous ne savons pas si Italo Calvino a regardé dans un télescope pour observer étoiles et planètes : ce qui le passionne, ce sont surtout les hypothèses théoriques avancées par la science contemporaine pour expli-

1. Ce texte écrit de la main d'Italo Calvino à la troisième personne a été publié comme postface à la deuxième édition italienne de *La memoria del mondo e altre storie cosmicomiche*, Turin, Einaudi, 1975, puis in *Opere*, vol. II, Milan, Mondadori, coll. « I Meridiani », 1992, p. 1304-1307. Il a été traduit par Jean-Paul Manganaro.

quer la forme et la structure des galaxies et de tout l'univers, les origines et le devenir des systèmes stellaires, de l'espace et du temps. Ces hypothèses ont derrière elles toute la physique théorique moderne, des calculs mathématiques sans fin, les explorations les plus avancées du ciel faites par les grands observatoires astronomiques ; mais ce que notre écrivain capte est en général une idée suggestive, une image synthétique ; et c'est sur cela qu'il construit un récit.

Il n'est pas nécessaire de rappeler combien les perspectives de la science et de la technologie — en particulier de l'astronomie et de l'exploration de l'espace — ont servi à alimenter la narration. Ce qu'on appelle en italien la *fantascienza* (en anglais, *science fiction* : les auteurs les plus célèbres sont anglais et américains) est un genre à part, qui peut être considéré (avec le roman policier) comme la forme la plus typique de « littérature populaire » de notre siècle ; ses meilleurs produits dénotent une intelligence stimulante dans ses inventions, dans la trouvaille qui nourrit le récit, mais en ce qui concerne l'art de l'écriture elle se tient à un niveau de bon artisanat traditionnel. On ne peut pas définir les récits d'Italo Calvino comme des récits de science-fiction (même si dans certains cas on trouve des ressemblances), non seulement parce que la science-fiction est habituellement un « récit d'anticipation », c'est-à-dire qu'elle se déroule dans un avenir proche ou lointain (alors que Calvino nous fait remonter à un passé pré-humain, et dans certains cas pré-terrestre), mais surtout parce que la forme littéraire et l'esprit qu'elle exprime sont différents.

« Cosmicomics » est le terme que l'auteur a forgé pour définir ces récits. « En combinant en un seul mot les deux adjectifs *cosmique* et *comique*, dit Calvino, j'ai essayé de rassembler différentes choses auxquelles je tiens. Dans l'élément *cosmique*, pour moi, il n'y a pas tant le rappel de l'actualité "spatiale" que la tentative de me remettre en rapport avec quelque chose de bien plus ancien. Chez l'homme primitif et chez les classiques, le sens cosmique était l'attitude la plus naturelle ; nous, au contraire, pour affronter les choses trop grandes et sublimes nous avons besoin d'un écran, d'un filtre, et c'est là la fonction du *comique*. » L'origine du monde et de la vie et les perspectives de leur fin possible — c'est ce que semble vouloir dire Calvino — sont des thèmes si importants que pour parvenir à y penser on doit faire semblant de plaisanter ; et même : atteindre une telle légèreté d'esprit que l'on réussisse à en plaisanter vraiment est l'unique façon de se rapprocher d'une pensée à échelle « cosmique ».

La cosmologie (l'étude de « modèles » possibles d'univers) et la cosmogonie (cette branche de la cosmologie qui étudie l'univers en devenir, son origine et son évolution, son histoire) sont des sciences tout à fait modernes, qui ont fait leurs premiers pas dans notre siècle, surtout à partir d'Einstein. Avant eux, nous ne trouvons que les mythologies primitives ou classiques, les grandes religions, les illuminations des mystiques et des visionnaires épars dans toutes les époques et les civilisations, qui ont proposé leurs cosmologies et leurs cosmogonies, leurs « modèles d'univers ». La cosmologie moderne, si on la compare à l'imagination des Anciens, est beaucoup plus abstraite : des concepts tels que l'« espace quadri-dimensionnel », l'« espace-temps », la « courbure de l'espace » échappent à toute visualisation, ne peuvent être conçus qu'à travers le calcul mathématique et la théorie.

Le pari d'Italo Calvino a été de faire jaillir de cet univers invisible et presque impensable des histoires capables d'évoquer des impressions élémentaires comme les mythes cosmogoniques des peuples de l'Antiquité. [...] Les Anciens partaient des mythes pour aborder et comprendre les phénomènes de la terre et du ciel ; l'écrivain contemporain part de la science actuelle pour retrouver le plaisir de raconter, et de *penser en racontant*.

Chaque récit « cosmicomique » s'ouvre sur un passage tiré d'un ouvrage scientifique, comme s'il était présenté par la voix *off* d'un savant conférencier. Mais, très vite, la conférence scientifique est interrompue par quelqu'un dans le public qui lance une exclamation comme : « C'est vrai ! », « J'y étais ! », « Je vous assure que ça c'est passé comme ça ! », et commence à raconter. Cette voix appartient à un personnage qui répond au nom imprononçable de Qfwfq (les noms des personnages des « cosmicomics » sont tous, plus ou moins, imprononçables et ressemblent davantage à des formules qu'à des noms), un personnage qui s'exprime et se comporte comme chacun de nous, mais qu'il est difficile de définir comme un être humain puisqu'« il était déjà là » quand le genre humain n'existait pas et même avant qu'il y eût la terre et la vie sur la terre. Il semble de toute façon qu'il ait pris successivement différentes formes, animales (mollusque, ou dinosaure) et ensuite humaines, et fini par être aujourd'hui un petit vieillard qui en a beaucoup vu, et qui a en plus l'habitude d'en raconter de belles. Les théories sur l'origine de la Lune, par exemple, sont différentes et en contradiction entre elles ; Qfwfq donne raison à chacune d'entre elles et apporte son témoignage en leur faveur, de même qu'il donne son opinion sur la formation de la terre, sur le destin du Soleil, sur l'évolution des espèces animales.

Ce livre contient des récits déjà rassemblés par Italo Calvino en deux volumes respectivement de 1965 et de 1967 : *Cosmicomics* et *Temps zéro* (la formule par laquelle on désigne le commencement du temps), et d'autres récits publiés dans des journaux et des revues. Le titre de l'un de ces derniers, « La mémoire du monde », définit bien l'esprit de toute la production « cosmicomique » de Calvino [...].

COSMICOMICS

*Traduction de l'italien
par Jean Thibaudeau
revue par Mario Fusco*

La distance de la Lune

Autrefois, selon sir George H. Darwin, la Lune était très proche de la Terre. Ce sont les marées qui, peu à peu, l'en éloignèrent : les marées que la Lune précisément détermine dans les eaux terrestres, et par lesquelles la Terre perd lentement son énergie.

Je le sais bien ! — *s'exclama le vieux Qfwfq* —, vous ne pouvez pas vous le rappeler, vous autres, tandis que moi je peux. Nous l'avions toujours sur le dos, la Lune, elle était énorme quand c'était la pleine Lune — des nuits claires comme le jour, mais avec une lumière de la couleur du beurre —, on aurait dit qu'elle allait s'écraser ; et quand c'était la nouvelle Lune elle roulait à travers le ciel à la façon d'un parapluie noir emporté par le vent ; et durant sa croissance, elle avançait avec la corne tellement basse que pour un peu elle avait l'air d'être sur le point d'embrocher la crête d'un promontoire, et d'y demeurer ancrée. Mais pendant tout cela, le cycle de ses métamorphoses ne se faisait pas comme au jour d'aujourd'hui : parce que les distances du Soleil étaient bien différentes, et les orbites, de même que l'inclinaison de je ne sais plus quoi ; et donc des éclipses, avec la Terre et la Lune ainsi collées l'une à l'autre, il y en avait à tout moment : allez donc essayer de comprendre comment ces deux monstres arrivaient à ne pas se porter continuellement et mutuellement ombrage.

L'orbite ? Elliptique, bien sûr, l'orbite était elliptique : elle s'aplatissait un peu sur nous, et puis elle prenait un peu de distance. Les marées, quand la Lune était au plus bas, étaient tellement hautes qu'il n'y avait plus personne pour les retenir. Et il y avait des nuits de pleine Lune, celle-ci extrêmement basse, et de marée, celle-là extrêmement haute, au point que si la Lune ne se baignait pas dans la mer, il s'en fallait d'un cheveu ; disons de quelques mètres. Est-ce que nous n'avons jamais essayé d'y monter ? Et comment donc ! Il suffisait d'y aller, en barque, jusque dessous, d'y appuyer une échelle et d'y monter.

L'endroit où la Lune passait au plus près se trouvait au large des Écueils de Zinc. Nous y allions dans ces petites barques avec des rames dont on se servait alors, rondes et plates, faites en liège. On y tenait à plusieurs : le capitaine Vhd Vhd, sa femme, mon cousin sourd, et moi-même, et aussi quelquefois la petite Xlthlx qui devait avoir à l'époque environ douze ans. Ces nuits-là, l'eau était parfaitement calme, et argentée, on aurait dit du mercure, et dedans les poissons étaient violets, et, ne pouvant résister à l'attraction de la Lune, ils venaient tous à la surface, ainsi que des poulpes et des méduses couleur safran. Il y avait toujours un nuage de menues bestioles — des petits crabes, des calmars, et aussi des algues légères et diaphanes et des petites branches de corail — qui se détachaient de la mer et finissaient dans la Lune, suspendues à ce plafond plâtreux, ou bien qui restaient en l'air à mi-chemin, comme un essaim phosphorescent, et que nous écartions en agitant des feuilles de bananier.

Notre travail consistait en ceci : nous apportions sur les barques une échelle ; l'un la tenait, l'autre y montait, tandis qu'un troisième, préposé aux rames, nous faisait avancer jusque sous la Lune. Il fallait donc qu'on soit un certain nombre (j'ai nommé seulement les principaux acteurs). Celui qui était en haut de l'échelle, quand la barque approchait de la Lune, criait épouvanté :

— Arrêtez ! Arrêtez ! Je vais me cogner la tête !

C'était l'impression qu'on avait en la voyant sur nous, tellement immense et tellement hérissée de piques coupantes et d'ourlets déchiquetés en dents de scie. Maintenant peut-être c'est autre chose, mais à cette époque la Lune, ou pour mieux dire le fond, ou le ventre de la Lune, en somme, la partie qui passait le plus près de la Terre, au point de traîner dessus, était recouverte d'une croûte d'écailles pointues. Elle en était arrivée à ressembler au ventre d'un poisson, et même quant à l'odeur, pour autant que je m'en souvienne, qui était sinon tout à fait l'odeur du poisson, celle, à peine moins forte, du saumon fumé.

En réalité, du haut de l'échelle on arrivait tout juste à la toucher en tendant les bras, et en se tenant bien droit en équilibre sur le dernier barreau. Nous avions pris les mesures exactes (nous ne soupçonnions pas encore qu'elle était en train de s'éloigner) ; l'unique chose à laquelle il fallait faire très attention, c'était où on mettait les mains. Je choisissais une écaille qui paraissait solide (on devait tous monter, à tour de rôle, en équipes de cinq ou six, je m'agrippais par une main, puis par l'autre, et immédiatement je sentais l'échelle et la barque qui se dérobaient en dessous de moi, et je sentais que la Lune m'arrachait à l'attraction terrestre). Oui, la Lune avait une force qui vous enlevait, on s'en apercevait bien au moment où l'on passait de l'une à l'autre : il fallait faire très vite, en une espèce de cabriole, et bien se tenir à une écaille, et lancer les deux jambes en l'air, pour se retrouver debout sur le sol lunaire. Vu de la Terre, tu avais l'air pendu la tête en bas, mais en fait tu te retrouvais dans ta position tout à fait habituelle, et la seule chose bizarre, c'était que, en levant les yeux, tu voyais au-dessus de toi la chape étincelante de la mer, avec la barque et les camarades eux-mêmes la tête en bas, qui se balançaient comme une grappe de raisin dans une vigne.

Celui qui déployait pour ce rétablissement un talent tout particulier, c'était mon cousin qui était sourd. Ses grosses mains, à peine touchaient-elles la surface de la Lune (il était toujours le premier à sauter de l'échelle), devenaient instantanément souples et très assurées. Elles trouvaient tout de suite la bonne prise pour se hisser, et même on aurait dit que par la seule pression de ses paumes il adhérait déjà à la croûte du satellite. Et une fois j'eus réellement le sentiment que la Lune, au moment où il étendait ses deux mains, venait à sa rencontre.

Il était tout aussi habile pour redescendre sur Terre, opération bien plus délicate encore. Pour nous autres, cela consistait à bondir en l'air, le plus en l'air qu'on pouvait, les bras levés (cela, vu de la Lune, parce que vu de la Terre, au contraire, c'était plutôt comme un plongeon, ou une baignade dans les profondeurs, les bras pendants), c'était en somme tout à fait la même chose, ou le même saut que nous avions fait de la Terre à la Lune, sauf que dans ce sens l'échelle manquait, parce que sur la Lune il n'y avait rien où s'appuyer. Mais mon cousin, au lieu de se jeter bras levés en avant, se penchait sur la surface lunaire la tête en bas comme pour une cabriole, et il se mettait à sauter en prenant appui sur ses mains. Nous, de la barque, on le voyait tout droit en l'air comme s'il soutenait l'énorme boule et la secouait en tapant dessus avec ses paumes jusqu'à ce que ses jambes fussent à notre portée, et nous réussissions à le saisir par les chevilles et à le descendre à bord.

Maintenant vous allez me demander ce que diable nous allions faire sur la Lune, et je m'en vais vous l'expliquer. Nous allions ramasser le lait, avec

une grande cuiller et un baquet. Le lait lunaire était
très épais, comme une espèce de fromage blanc. Il
se formait dans les interstices des écailles par la fermentation de divers corps et substances d'origine
terrestre, qui s'étaient envolés des prairies, forêts et
lagunes que le satellite survolait. Il était essentiellement composé de sucs végétaux, têtards de gre-
nouille, bitume, lentilles, miel d'abeilles, cristaux
d'amidon, œufs d'esturgeon, moisissures, pollens,
gélatines, vers, résines, poivre, sels minéraux, déchets
de combustible. Il suffisait de plonger la cuiller sous
les écailles qui couvraient le sol croûteux de la
Lune et on la ramenait toute pleine de la précieuse
bouillie. Pas à l'état pur, vous comprenez ; les scories ne manquaient pas : dans la fermentation générale (la Lune traversant des étendues d'air torride
sur les déserts) tous les corps ne se fondaient pas dans
l'ensemble ; certains y demeuraient plantés : ongles
et cartilages, clous, hippocampes, noyaux et pédon-
cules, débris de vaisselle, hameçons de pêcheurs, et
même quelquefois un peigne. Et donc, après avoir
recueilli cette purée, il fallait bien l'écrémer, en la
faisant passer dans une passoire. Mais la difficulté
n'était pas là : elle était de l'envoyer sur Terre. On
faisait ainsi : chaque cuillerée, on l'envoyait en
l'air, en manœuvrant la cuiller comme une catapulte,
des deux mains. Le fromage blanc s'envolait et si le
tir était assez puissant il allait s'écraser au plafond,
c'est-à-dire sur la surface de la mer. Une fois là, il
flottait, et ensuite il était facile de l'amener à soi,
depuis la barque. Pour ces tirs, mon cousin qui était

sourd déployait une fois de plus une ardeur toute
particulière ; il avait le coup de poignet, et le coup
d'œil ; en une fois, bien franchement, il réussissait à
centrer son tir sur un baquet que de la barque nous
lui tendions. Tandis que moi au contraire, je n'arrivais parfois à rien ; la cuillerée ne réussissait pas à
vaincre l'attraction lunaire, et elle me retombait sur
l'œil.

Je ne vous ai pas encore tout dit des opérations
où mon cousin excellait. Ce travail, qui consistait à
extraire des écailles le lait lunaire, c'était pour lui
une sorte de jeu d'enfant : au lieu de se servir de la
cuiller, il lui arrivait de fourrer sous les écailles sa
main nue, ou seulement un doigt. Et il ne procédait
pas systématiquement, mais par points isolés ; il
allait d'un point à un autre en sautant, comme s'il
avait voulu jouer des tours à la Lune, la surpren-
dre, ou même la chatouiller pour de bon. Et là où
il mettait la main, le lait jaillissait comme des
mamelles d'une chèvre. Si bien qu'il ne nous restait
plus, à nous, qu'à nous tenir derrière lui et recueillir
avec nos cuillers la substance qu'il faisait de la
sorte suinter ici et là ; mais toujours comme par
hasard, étant donné que les itinéraires du sourd ne
semblaient répondre à aucun programme clair et
pratique. Il y avait des endroits, par exemple, qu'il
touchait seulement pour le plaisir de les toucher :
interstices entre une écaille et une autre, plis nus et
tendres de la pulpe lunaire. À l'occasion, mon cousin y appuyait, non les doigts de la main, mais —
par un calcul savant des sauts qu'il faisait — le

gros orteil (il montait sur la Lune les pieds nus) et il semblait que ce fût là pour lui le comble du bonheur, à en juger par le glapissement que sa luette émettait, et par les sauts qui s'ensuivaient.

Le sol de la Lune n'était pas uniformément écailleux, mais il découvrait des zones nues, irrégulières, d'une argile glissante et pâle. Ces espaces très doux donnaient au sourd l'idée de cabrioles ou de vols quasiment d'oiseau, comme s'il avait voulu s'imprimer dans la pâte lunaire de toute sa personne. Et ainsi, à la fin, à un certain moment nous le perdions de vue. Sur la Lune s'étendaient des régions que, par défaut d'une bonne raison pour ce faire, ou de curiosité, nous n'avions jamais explorées, et c'était par là que mon cousin disparaissait ; et pour ma part j'en étais arrivé à penser que toutes ces cabrioles et ces pinçons auxquels il se laissait si joliment aller sous nos yeux n'étaient en fait qu'une préparation, un prélude à quelque chose de secret qui devait se passer dans les zones inconnues.

Nous étions dans un état d'esprit bien particulier durant ces nuits que nous passions au large des Écueils de Zinc ; un état d'esprit joyeux, mais un peu dérangé, comme si nous avions senti dans notre crâne, au lieu de la cervelle, un poisson, flottant, et attiré par la Lune. Et ainsi on naviguait en chantant, en jouant de la musique. La femme du capitaine jouait de la harpe ; elle avait de très longs bras qui étaient pendant ces nuits-là argentés comme des anguilles, et ses aisselles étaient sombres et mystérieuses comme des oursins ; et le son de la harpe était si doux et si acéré, tellement doux et acéré qu'on le supportait à peine, et nous étions obligés de lancer de grands cris, moins pour accompagner la musique que pour en protéger notre ouïe.

Des méduses transparentes affleuraient à la surface de la mer, elles vibraient un peu, et prenaient leur vol vers la Lune en ondulant. La petite Xlthlx s'amusait à les attraper en l'air, mais ce n'était pas facile. Une fois qu'elle tentait d'en saisir une avec ses petits bras, elle fit un petit saut et elle se trouva en suspension à son tour. Maigrichonne comme elle l'était, il lui manquait un peu de poids pour que la gravité, l'emportant sur l'attraction lunaire, la ramenât sur Terre : ainsi, elle volait parmi les méduses, au-dessus de la mer. Aussitôt elle prit peur, elle pleura, puis elle se mit à rire, puis à jouer en attrapant au vol les crustacés et les petits poissons, en en portant à la bouche quelques-uns et en les mordillant. Nous ramions de manière à rester derrière elle : la Lune s'en allait en suivant son ellipse, et traînant derrière elle cet essaim de faune marine à travers le ciel, et une ribambelle de longues algues qui faisaient des boucles, et la fillette se trouvait donc au beau milieu de tout ça, flottant dans l'air. Elle avait deux fines tresses, Xlthlx, dont il semblait qu'elles volaient pour leur compte, toutes tendues vers la Lune ; mais en même temps elle lançait des ruades, elle frappait l'air de ses tibias, comme si elle avait voulu combattre ce mouvement qui l'entraînait, et ses chaussettes — elle avait perdu ses sandales en s'envolant — ses chaussettes lui sortaient des pieds, et elles pendaient, attirées par la force de la Terre. Nous, sur l'échelle, nous cherchions à les saisir.

C'était une bonne idée de s'être mis à manger toutes les bestioles flottant dans l'air : plus Xlthlx prenait du poids, plus elle descendait vers la Terre ; et en outre, comme parmi tous ces corps en vol plané le sien était celui doté de la plus grande masse, les mollusques, les algues et le plancton commencèrent à graviter autour d'elle, et très vite la fillette fut recouverte de minuscules coquilles siliceuses, de cuirasses chitineuses, de carapaces, et de filaments d'herbes marines. Et plus elle se perdait dans ce fouillis, plus elle se libérait de l'influx lunaire, jusqu'au moment où elle eut effleuré la surface de la mer et où elle y plongea.

Vite, à force de rames, nous allâmes la recueillir et la secourir : son corps était toujours aimanté, et nous avions beaucoup à faire pour la dépouiller de tout ce qui s'était incrusté sur elle. Des coraux mous lui enveloppaient la tête, et chaque coup de peigne faisait pleuvoir de ses cheveux des anchois et des petites crevettes ; ses yeux étaient bouchés par des coquilles de patelles qui adhéraient aux paupières par leurs ventouses ; des tentacules de seiche s'étaient enroulés autour de ses bras et autour de son cou ; et sa petite robe ne semblait plus désormais tissée que d'algues et d'éponge. Nous la libérâmes du plus gros ; et ensuite, et durant des semaines, elle-même continua à se débarrasser des nageoires et des coquillages ; mais il lui resta pour toujours une peau toute piquetée de très menues diatomées, qui avaient l'air — aux yeux d'un observateur peu attentif — d'un poudroiement délicat de points de beauté.

Ainsi, voilà comme était contesté l'interstice entre la Terre et la Lune, par les influx contraires qui s'y équilibraient. Mais je dirai davantage : tout corps qui, du satellite, descendait sur la Terre, demeurait quelque temps encore tout chargé de la force lunaire, et il se refusait à l'attraction de notre monde. Et moi-même, bien que je fusse grand et gros, à chaque fois que j'avais été là-haut, je tardais à me réhabituer au dessus et au dessous terrestres, et mes compagnons devaient m'attraper par les bras et me retenir de force, tous attachés en grappe dans la barque qui se balançait, tandis que moi, la tête en bas, je continuais à allonger mes jambes vers le ciel.

— Tiens-toi ! Tiens-toi bien à nous ! me criaient-ils.

Et moi, en tâtonnant de la sorte, je finissais parfois par saisir un sein de Mme Vhd Vhd, qui avait la poitrine ronde et ferme, et la prise était bonne et sûre, elle exerçait une attraction égale ou supérieure à celle de la Lune, et notamment si, dans ma descente la tête la première, je réussissais, avec mon autre bras, à l'entourer aux hanches, et de cette façon alors je passais de nouveau en ce monde, et le capitaine Vhd Vhd, pour me ranimer, me jetait dessus un seau d'eau.

Et c'est ainsi que je tombai amoureux de la femme

du capitaine, et que commencèrent mes souffrances. Parce que je ne tardais pas à remarquer vers qui allaient les regards les plus insistants de la dame ; quand les mains de mon cousin se posaient avec assurance sur le satellite, je la regardais, elle, et dans son regard je lisais les pensées que cette connivence entre le sourd et la Lune suscitait en elle, et quand il disparaissait pour ses mystérieuses explorations lunaires, je la voyais qui s'inquiétait, qui était sur des charbons ardents, pour ainsi dire, et dès lors j'y voyais clair, je comprenais que Mme Vhd Vhd était en train de devenir jalouse de la Lune, et moi de mon cousin. Elle avait des yeux de diamant, Mme Vhd Vhd ; ils lançaient des flammes quand elle regardait la Lune, presque en la défiant ; elle semblait dire : « Tu ne l'auras pas ! » Et moi je me sentais exclu.

De tout cela, celui qui s'en occupait le moins, c'était le sourd. Quand on l'aidait dans sa descente en le tirant — comme je vous l'ai expliqué — par les jambes, Mme Vhd Vhd perdait toute retenue, se prodiguant pour peser sur lui de tout son poids, l'enveloppant dans ses longs bras argentés ; moi, j'en éprouvais une douleur aiguë au cœur (les fois où je m'agrippais à elle, son corps était docile et charmant, mais pas du tout jeté en avant comme avec mon cousin), alors que lui-même restait indifférent, perdu encore dans son extase lunaire.

Je regardais le capitaine, me demandant si lui aussi notait le comportement de son épouse ; mais jamais aucune expression ne passait sur ce visage rongé par l'air salin, sillonné de rides goudronnées. Le sourd étant toujours le dernier à se détacher de la Lune, sa descente était le signe du départ dans les barques. Alors, d'un geste d'une inhabituelle gentillesse, Vhd Vhd prenait la harpe dans le fond de la barque et il la portait à sa femme. Elle était obligée de la prendre et d'en tirer quelques notes. Rien ne pouvait mieux la détacher du sourd que le son de la harpe. Moi, j'entonnais cette chanson mélancolique, qui dit : « Tout le poisson brillant est sur le flot / Est sur le flot / Et tout le poisson obscur est tout au fond / Est tout au fond… » et tous, excepté le cousin, me répondaient en chœur.

Chaque mois, à peine le satellite était-il parti plus loin, le sourd revenait à son mépris solitaire pour les choses de ce monde ; seule l'approche de la pleine Lune le réveillait. Cette fois-là, j'avais fait en sorte de n'être pas désigné pour la Lune, afin de rester dans la barque près de la femme du capitaine. Et voilà, à peine mon cousin y était-il monté par l'échelle, que Mme Vhd Vhd dit :

— Aujourd'hui, moi aussi je veux y aller, là-haut !

Il n'était jamais arrivé que la femme du capitaine montât sur la Lune. Mais Vhd Vhd ne s'y opposa pas, et même il la souleva à bout de bras et il la mit sur l'échelle en s'écriant : « Vas-y ! », et tous alors nous nous mîmes à l'aider, et moi-même je la soutenais par-derrière, et je la sentais, dans mes bras, bien ronde et toute douce, et pour la soutenir j'appuyais sur elle mes paumes et mon visage, et quand je la sentis qui s'élevait dans la sphère de la

Lune je fus pris de langueur à cause de ce contact
perdu, si bien que je voulus m'élancer derrière elle,
disant :

— J'y monte un peu moi aussi pour donner un
coup de main !

Je fus retenu comme par un étau.

— Tu restes ici parce que tu as affaire ici, m'or-
donna sans élever la voix le capitaine Vhd Vhd.

Dès ce moment-là les intentions de chacun étaient
claires. Et pourtant je ne m'y retrouvais pas, et
même aujourd'hui encore je ne suis pas sûr d'avoir
tout interprété convenablement. Sans doute la femme
du capitaine avait-elle longuement couvé son désir
de s'isoler là-haut avec mon cousin (ou tout au
moins de ne pas permettre qu'il s'isolât tout seul
avec la Lune) ; mais, très probablement, son plan
avait un objectif plus ambitieux, peut-être même
l'avait-elle monté d'intelligence avec le sourd ; se
cacher ensemble là-haut et rester sur la Lune tout un
mois. Mais il se peut bien que mon cousin, sourd
comme il l'était, n'eût rien compris de ce qu'elle
avait cherché à lui expliquer, ou tout bonnement il
ne s'était pas même rendu compte qu'il était l'objet
de la concupiscence de la dame. Et le capitaine ? Il
n'attendait rien d'autre que de se libérer de son
épouse, et c'est si vrai qu'à peine se retrouva-t-elle
là-haut, nous le vîmes s'abandonner à ses inclina-
tions et s'enfoncer dans le vice, et nous comprîmes
alors pourquoi il n'avait rien fait pour la retenir.
Mais savait-il bien déjà depuis le début, le savait-il,
que l'orbite de la Lune allait en s'élargissant ?

Aucun d'entre nous ne pouvait le soupçonner. Le sourd, lui, peut-être, et lui seul : de la manière fantomatique avec laquelle il savait les choses, il avait pressenti que, cette nuit-là, il lui fallait faire ses adieux à la Lune. Pour cette raison il se cacha dans ses endroits secrets, et il ne reparut que pour retourner à bord. Et la femme du capitaine eut beau se lancer à sa recherche : nous la vîmes plusieurs fois traverser l'étendue écailleuse, en long et en large, et tout d'un coup elle s'arrêta et nous regarda, nous qui étions restés dans la barque, quasiment sur le point de nous demander si nous l'avions vu.

Vraiment, il y avait quelque chose d'insolite cette nuit-là. La surface de la mer, quoique tendue comme toujours quand c'était la pleine Lune, et même pour un peu arquée vers le ciel, semblait maintenant, pourtant, détendue et molle, comme si l'aimant de la Lune avait cessé d'exercer toute sa force. Et puis, on aurait dit de la lumière que ce n'était pas celle des autres pleines Lunes, il y avait comme un épaississement des ténèbres nocturnes. Et les compagnons eux-mêmes, qui étaient là-haut, durent se rendre compte que quelque chose était en train d'arriver, puisqu'ils tournèrent vers nous des yeux épouvantés. Et de leurs bouches, et des nôtres, au même moment jaillit un cri :

— La Lune s'en va !

Ce cri ne s'était pas éteint que, sur la Lune, apparut mon cousin, qui courait. Il n'avait pas l'air effrayé, ni même surpris ; il mit ses mains sur le sol

en faisant sa cabriole de toujours, mais cette fois
après s'être lancé en l'air il y resta suspendu, comme
il était déjà arrivé à la petite Xlthlx, et il voltigea
un bon moment entre la Lune et la Terre, il se renversa, puis à force de bras, comme qui en nageant
doit vaincre un courant, il se dirigea, avec une lenteur insolite, vers notre planète.

Dans la Lune, les autres marins se hâtèrent de
suivre son exemple. Personne ne pensait à envoyer
dans les barques le lait lunaire qui avait été récolté,
et le capitaine lui-même négligeait la question. Nous
avions déjà trop attendu, la distance était désormais difficile à franchir ; cependant ils tentèrent
d'imiter le vol, ou la nage de mon cousin, et ils res-
tèrent à gesticuler, en suspension au milieu du ciel.

— Ensemble ! Idiots ! Ensemble ! hurla le capitaine.

À cet ordre, les marins tentèrent de se regrouper,
de faire masse, afin de se lancer tous ensemble
jusqu'à rejoindre la zone d'attraction terrestre : si
bien que tout d'un coup une cascade de corps se
précipita dans la mer avec un bruit sourd.

Les barques maintenant ramaient pour aller les
recueillir.

— Attendez ! Il manque la dame ! criai-je.

La femme du capitaine avait essayé elle aussi de
sauter, mais elle était restée en l'air à quelques mètres
de la Lune et elle remuait mollement ses longs bras
argentés. Je grimpai sur la petite échelle et, dans le
vain espoir de lui offrir un point d'appui, je tendais
la harpe dans sa direction. « C'est impossible ! Il

faut aller la prendre ! » et je fis le geste de m'élancer en brandissant la harpe. Au-dessus de moi,
l'énorme disque lunaire semblait n'être plus le même
qu'avant, tellement il avait diminué, et même, voilà
qu'il ne cessait pas de se resserrer toujours davantage, comme si mon regard l'envoyait au loin, et le
ciel vide s'ouvrait tout grand comme un abîme au
fond duquel les étoiles ne cessaient pas de se multiplier, et la nuit renversait sur moi un fleuve de
vide, elle me submergeait de vertige et de désarroi.

« J'ai peur ! pensai-je. J'ai trop peur pour y
aller ! Je suis un lâche ! » et à ce moment je m'élançai. Je nageais furieusement à travers le ciel, et je
tendais la harpe vers elle, et au lieu de venir à ma
rencontre elle tournait sur elle-même et me montrait tantôt un visage impassible, tantôt son dos.

— Unissons-nous ! criai-je.

Et déjà je la rejoignais, et je l'empoignais par la
taille, et j'enlaçais mes membres aux siens. « Unissons-nous et descendons ensemble ! » et je rassemblais toutes mes forces pour me confondre plus
étroitement avec elle, et rassemblais toutes mes sensations pour goûter la complétude de cette étreinte.
Si bien que je tardai à me rendre compte que
l'arrachant en effet à son état d'apesanteur, c'était
sur la Lune que je la faisais retomber. Je ne m'en
rendis pas compte. Ou bien au contraire n'avait-ce
pas été là et depuis le début mon intention ? Je
n'avais pas encore réussi à formuler une pensée, et
déjà un cri sortait de ma gorge : « Ce sera moi qui
resterai avec toi un mois ! » et même : « Sur toi !

criai-je dans mon excitation. Moi sur toi tout un mois ! », et à ce moment-là la chute sur le sol lunaire avait défait notre étreinte, et nous avait envoyés rouler qui deçà qui delà, parmi ces froides écailles.

Je levais les yeux comme je le faisais chaque fois que je touchais la croûte de la Lune, bien sûr de retrouver au-dessus de moi la mer natale comme un plafond immense, et je la vis, oui, cette fois-là je la vis, mais tellement plus haute, et limitée de façon tellement étroite par ses contours de côtes, d'écueils et de promontoires : que les barques paraissaient petites et que les visages de nos compagnons étaient méconnaissables et faibles leurs cris ! Un bruit tout proche me parvint : Mme Vhd Vhd avait retrouvé sa harpe, et elle la caressait, ébauchant un accord triste comme un sanglot.

Un long mois commença. La Lune lentement tournait tout autour de la Terre. Sur le globe comme suspendu, nous voyions non plus notre rive familière mais le cours d'océans profonds comme des abîmes, et des déserts de lapilli incandescents, et des continents de glace, et des forêts grouillantes de reptiles, et les murailles rocheuses, des chaînes de montagnes taillées par la lame des fleuves impétueux, et des villes lacustres, et des nécropoles de tuf, et des empires d'argile et de boue. L'éloignement recouvrait toutes choses d'une même couleur : les perspectives étranges rendaient étrange toute image ; des troupes d'éléphants et des nuages de sauterelles parcouraient les plaines, si pareillement étendus, denses et épais, qu'on ne pouvait les distinguer les uns des autres.

J'aurais dû être heureux ; comme dans mes rêves, j'étais seul avec elle ; l'intimité avec la Lune, tant de fois enviée à mon cousin, et celle de Mme Vhd Vhd étaient à présent mon exclusif apanage, un mois ininterrompu de jours et de nuits lunaires s'étendait devant nous, la croûte du satellite nous nourrissait avec son lait à la saveur acide et familière ; notre regard s'élevait là-haut, vers le monde où nous étions nés, enfin vu dans toute son étendue multiforme, exploré dans ses paysages jamais vus par aucun terrien, ou bien tout au contraire contemplait les étoiles de l'au-delà de la Lune, grosses comme des fruits de lumières mûrs sur les branches recourbées du ciel, et tout dépassait les espérances les plus lumineuses, et pourtant, pourtant, et pourtant oui, c'était l'exil.

Je ne pensais qu'à la Terre. C'était la Terre qui faisait que chacun était quelqu'un, et non les autres ; ici, arrachés à la Terre, c'était comme si moi-même je n'étais plus moi, comme si elle n'était plus elle. J'étais anxieux de retourner sur la Terre, et dans ma crainte de l'avoir perdue je tremblais. L'accomplissement de mon rêve d'amour avait duré seulement l'instant où nous étions enlacés, roulant entre Terre et Lune ; privé du sol terrestre, mon sentiment amoureux ne connaissait plus que nostalgie déchirante pour ce qui me manquait : où, autour, avant, après.

Cela, c'était ce que j'éprouvais. Mais elle ? Me

posant la question, j'étais partagé dans mes crain-
tes. Parce que, si elle comme moi ne pensait qu'à la
Terre, ce pouvait être bon signe, le signe d'une
entente enfin assurée, mais ce pouvait aussi vouloir
dire que tout avait été inutile, et que c'était encore
vers le sourd qu'allaient tous ses désirs. Mais non,
rien. Elle ne levait jamais les yeux vers la vieille
planète ; pâle, elle s'en allait à travers ces landes,
murmurant ses lamentations et caressant la harpe,
comme s'identifiant à sa provisoire (du moins, je la
croyais telle) condition lunaire. Était-ce signe que
je l'avais emporté sur mon rival ? Non ; j'avais
perdu ; une défaite sans espoir. Parce qu'elle avait
bien compris que l'amour de mon cousin n'allait
qu'à la Lune, et tout ce que désormais elle voulait
c'était devenir Lune, s'assimiler à l'objet de cet
amour extra-humain.

Une fois que la Lune eut accompli son tour de la
planète, voilà que nous nous retrouvâmes de nouveau au-dessus des Écueils de Zinc. Ce fut avec un
saisissement que je les reconnus : pas même dans
mes prévisions les plus noires, je ne m'étais attendu
à les voir ainsi miniaturisés par l'éloignement. Dans
cette flaque d'eau de mer, nos compagnons étaient
revenus naviguer, mais sans les échelles désormais
inutiles ; en revanche, il s'éleva des barques comme
une forêt de longues lances ; chacun d'eux en bran-
dissait une, garnie au bout d'un harpon ou crochet,
peut-être dans l'espoir de racler encore un peu du
dernier lait lunaire, ou encore peut-être bien pour
nous porter à nous, malheureux là-haut, une aide

quelconque. Mais bientôt il fut clair qu'il n'y avait pas la longueur de perche suffisante pour toucher la Lune ; et elles retombèrent, ridiculement courtes, dérisoires, et se balancèrent sur la mer ; et quelques barques dans cette confusion en furent déséquilibrées et retournées. Mais juste alors, d'une autre embarcation commença à se lever une perche plus longue, qui avait été traînée jusque-là à la surface de l'eau : elle devait être de bambou, de tiges de bambou très nombreuses mises l'une dans l'autre, et pour la lever il fallait aller doucement afin que — mince comme elle l'était — les oscillations ne la brisent pas, et il fallait la manœuvrer en déployant une grande force et beaucoup d'habileté, pour que son poids tout vertical ne fasse pas basculer la barque.

Et voilà : il était clair que la pointe de cette lance toucherait la Lune, et nous la vîmes effleurer et presser le sol écailleux, s'y appuyer un moment, donner pour ainsi dire un petit coup, et puis même un grand coup qui la faisait s'éloigner de nouveau, et puis revenir pour piquer à cet endroit comme en rebondissant, et de nouveau s'éloigner. Et alors je le reconnus ; et même, tous les deux — la dame et moi — nous le reconnûmes : mon cousin, ce ne pouvait être que lui, c'était lui, qui jouait à son dernier jeu avec la Lune, un stratagème à lui, avec la Lune sur la pointe de sa canne comme s'il l'avait tenue en équilibre. Et nous vîmes bien que sa tentative n'avait aucun but, ne cherchait à obtenir aucun résultat pratique, on aurait plutôt dit qu'il était en train de la repousser, la Lune, c'est-à-dire de favoriser son départ, et qu'il voulait l'accompagner sur son orbite agrandie. Et cela aussi était bien de lui : de lui qui ne savait concevoir de désirs en opposition avec la nature de la Lune, son cours et son destin ; et si maintenant la Lune tendait à s'éloigner de lui, eh bien lui jouissait de cet éloignement comme il avait jusqu'alors joui de sa proximité.

Dans ces conditions, que devait faire Mme Vhd Vhd ? Ce n'est qu'à ce moment qu'elle montra jusqu'à quel point son amour pour le sourd n'avait pas été caprice frivole, mais un vœu sans appel. Si ce que mon cousin aimait maintenant était la Lune lointaine, elle demeurerait au loin, sur la Lune. Je le compris en voyant qu'elle ne faisait aucun pas vers le bambou, mais que seulement elle tendait sa harpe vers la Terre, haut dans le ciel, en pinçant les cordes. Je dis que je la vis, mais en réalité ce fut seulement du coin de l'œil que je captai son image, parce que, à peine la lance avait-elle touché la croûte lunaire que j'avais bondi pour m'y agripper, et maintenant, rapide comme un serpent, je grimpais grâce aux nœuds du bambou, je montais par saccades avec les bras et les genoux, léger dans l'air raréfié, poussé comme par une force naturelle qui m'ordonnait de retourner sur Terre, oubliant la raison qui m'avait amené là-haut, ou peut-être plus conscient que jamais de la raison en question, et de l'issue malheureuse de l'affaire, et déjà j'avais monté à cette perche qui se balançait jusqu'au point où je ne devais plus faire aucun effort, mais seulement me laisser glisser la tête la première, attiré par la Terre, cela jusqu'au moment où, dans cette course, la canne se rompit en mille morceaux, et où je tombai dans la mer, entre les barques.

Il était doux, ce retour, la patrie retrouvée ; mais ma seule pensée, douloureuse, était pour celle que j'avais perdue, et mes yeux se fixaient sur la Lune à jamais inaccessible, la recherchant. Et je la vis. Elle était là où je l'avais laissée, étendue sur une plage très précisément située au-dessus de nos têtes, et elle ne disait rien. Elle était de la couleur de la Lune ; elle tenait la harpe sur sa hanche, et elle remuait une main pour produire des arpèges lents et rares. On distinguait bien la forme de la poitrine, des bras, des flancs, et c'est ainsi que je me la rappelle encore, aujourd'hui que la Lune est devenue ce petit cercle plat et lointain ; je suis toujours en train de la chercher du regard, elle, tout aussitôt que dans le ciel se montre le premier croissant, et plus il grandit, plus je m'imagine que je la vois, elle, ou quelque chose d'elle, mais rien d'autre qu'elle, avec cent, avec mille aspects différents, elle qui rend Lune la Lune et qui, à chaque pleine Lune, pousse toute la nuit les chiens à hurler, et moi avec eux.

Au point du jour

Les planètes du Système solaire, explique G. P. Kuiper, commencèrent à se solidifier dans les ténèbres par la condensation d'une nébuleuse fluide et informe. Tout était froid et noir. Plus tard, le Soleil se mit à se concentrer, jusqu'à se réduire quasiment aux dimensions actuelles, et de cette façon, sa température monta, monta jusqu'à des milliers de degrés, et il commença à émettre des radiations dans l'espace.

C'était drôlement noir, oui — *confirma le vieux Qfwfq* —, moi j'étais encore un enfant à l'époque, c'est à peine si je m'en souviens. Nous nous tenions là, d'habitude, avec papa et maman, la grand-mère Bb'b, des oncles venus en visite, M. Hnw, qui par la suite est devenu un cheval, et nous autres, plus petits. Sur les nuées, il me semble que je l'ai déjà raconté plusieurs fois, on était comme qui dirait étendus, en somme aplatis, tout à fait immobiles, et nous nous laissions aller du côté où ça tournait.

Nous ne nous couchions pas sur l'extérieur, com-
prenez-vous ? sur la surface de la nuée ; non, il y
faisait trop froid ; on était dessous, comme bordé
dans son lit, à l'intérieur d'une couche de matière
fluide et granuleuse. Il n'y avait pas moyen de calculer le temps ; toutes les fois que nous nous met-
tions à compter les tours de la nuée, naissaient des
contestations, étant donné que dans le noir nous
manquions de points de référence ; et nous finissions par nous quereller. Aussi préférions-nous laisser passer les siècles comme si c'étaient des minutes ;
il n'y avait qu'à attendre, rester couverts autant
qu'on le pouvait, sommeiller, s'appeler de temps à
autre pour être sûrs que nous étions tous toujours
là ; et — naturellement — se gratter ; parce que, on
a beau dire, tout ce remous de particules n'avait pas
d'autre effet que de provoquer un fastidieux prurit.

Ce que nous attendions, personne n'aurait su le
dire ; sans doute la grand-mère Bb'b se souvenait-
elle encore de quand la matière était dispersée uniformément dans l'espace, comme la lumière, et la
chaleur ; malgré toutes les exagérations qu'il devait
y avoir dans ces récits des vieillards, les temps avaient
tout de même été de quelque manière meilleurs, ou
en tout cas différents ; et pour nous, il s'agissait de
laisser s'écouler cette énorme nuit.

Mieux que quiconque se trouvait ma sœur
$G'd(w)^n$, à cause de son caractère introverti : c'était
une enfant renfermée, elle aimait le noir. Pour séjourner, $G'd(w)^n$ choisissait les endroits un peu écartés,
sur la lisière de la nuée, et elle contemplait le noir,

et elle laissait filer en petites cascades les grains de fine poussière, et elle se parlait toute seule, avec de petits rires qui étaient comme de petites cascades de poussière et elle chantonnait, et — endormie ou bien éveillée — elle s'abandonnait aux songes. Ce n'étaient pas des rêves comme les nôtres — dans cette obscurité, nous ne rêvions pas d'autre chose parce que rien d'autre ne nous venait à l'esprit ; elle rêvait — pour autant que nous comprenions son délire — d'une obscurité cent fois plus profonde, diverse et veloutée.

Ce fut mon père qui le premier s'aperçut que quelque chose était en train de changer. Moi-même j'étais assoupi, quand son cri me réveilla :

— Attention ! Ici on a pied !

En dessous de nous, la matière de la nuée, de fluide qu'elle avait toujours été, commençait à se condenser.

En vérité, ma mère depuis déjà quelques heures s'était mise à se tourner et se retourner d'un côté et de l'autre, et à dire : « Ah, je ne sais pas comment me mettre ! » En somme, si nous l'avions comprise, elle aurait perçu un changement dans l'endroit où elle était couchée : la fine poussière n'était plus celle d'avant, moelleuse, élastique, uniforme, telle qu'on pouvait y musarder quand on voulait sans laisser de traces, mais il était en train de se former comme un affaissement ou une dépression, tout spécialement là où d'habitude elle s'appuyait de tout son poids. Et elle avait l'impression de tâter là-dessous comme une quantité de grains ou d'épaisseurs ou de grumeaux, qui peut-être d'ailleurs se trouvaient ensevelis à des centaines de kilomètres plus bas, et se faisaient sentir tout au travers de ces couches de fine poussière douce. Et d'habitude, nous ne prêtions pas une grande attention à ces prémonitions de ma mère : la pauvre, une hypersensible comme elle, et qui n'était pas de la première jeunesse, la façon d'être d'alors n'était pas la plus indiquée pour ses nerfs.

Et puis ce fut à mon frère Rwzfs, à cette époque un enfant, qu'à un certain moment, l'entendant, comment dire ? taper, creuser, en somme s'agiter, je demandai :

— Mais que fais-tu ?

Et il me dit :

— Je joue.

— Tu joues ? Et avec quoi ?

— Avec une chose, dit-il.

Vous comprenez ? C'était la première fois. Des choses avec quoi jouer, il n'y en avait jamais eu. Et comment voudriez-vous que nous jouions ? Jouer avec cette bouillie de matière gazeuse ? Belle distraction : c'était quelque chose qui ne convenait bien qu'à ma sœur G'd(w)^n. Si Rwzfs jouait, cela voulait dire qu'il avait trouvé quelque chose de nouveau ; si bien que par la suite il dit, exagérant la chose comme à son habitude, qu'il avait trouvé un caillou. Un caillou, non, impossible, mais sans doute un ensemble de matière plus solide, ou — si vous voulez — moins gazeuse. Il ne fut jamais sur ce point très précis, et même il raconta des histoires,

comme elles lui venaient ; et quand ce fut le temps
de la formation du nickel, et qu'on ne parlait que
de nickel, il dit : « Voilà : c'était du nickel, je jouais
avec du nickel ! », d'où lui resta son surnom « Rwzfs
de nickel ». (Et ce n'est pas, comme certains le
disent aujourd'hui, parce qu'il était devenu nickel,
puisqu'il ne réussit pas, attardé comme il l'était, à
dépasser le stade du minéral ; les choses se passè-
rent autrement, je le dis par amour de la vérité et
non parce qu'il s'agit de mon frère : il était un peu
en retard, oui, mais pas du type métallique, plutôt
colloïdal ; si bien que, encore très jeune, il épousa
une algue, l'une des toutes premières, et on n'en
entendit plus parler.)

En somme, il semblait que tous avaient senti
quelque chose ; sauf moi. Sans doute suis-je distrait. J'entendis — je ne me rappelle plus si ce fut
dans mon sommeil ou bien quand j'étais déjà réveillé
— l'exclamation de notre père :

— On touche ! On a pied !

Une expression sans signification (étant donné
qu'avant ce jour rien n'avait jamais touché quoi
que ce fût, on peut en être certain), mais qui acquit
une signification dans l'instant même où elle fut dite,
c'est-à-dire qu'elle signifia la sensation que nous com-
mencions à éprouver, légèrement écœurante, comme
une couche de boue qui passait au-dessous de nous,
à plat, et sur laquelle il semblait que nous rebon-
dissions. Et moi je dis, sur le ton du reproche :

— Oh ! grand-mère !

Je me suis souvent demandé, par la suite, pourquoi ma première réaction avait été de m'en prendre à notre grand-mère. La grand-mère Bb'b, du fait qu'elle avait conservé ses habitudes d'un autre temps, faisait souvent des choses hors de propos ; elle continuait à croire que la matière était en expansion uniforme et, par exemple, qu'il suffisait de jeter les ordures comme ça venait pour les voir se raréfier et disparaître au loin. Car le processus de condensation avait commencé depuis un bon bout de temps, c'est-à-dire que la saleté s'épaississait sur les particules de telle sorte qu'on ne réussissait plus à l'enlever, et la grand-mère ne pouvait s'entrer cela dans la tête. Ainsi, inconsciemment, j'associai ce fait nouveau du « On a pied ! » à quelque bourde qu'avait pu commettre ma grand-mère, et je lançai cette exclamation.

Et alors la grand-mère Bb'b :

— Qu'y a-t-il ? Tu as retrouvé la couronne ?

Cette couronne était un petit ellipsoïde en matière galaxique, que la grand-mère avait découvert Dieu sait où dans les premiers cataclysmes de l'univers, et qu'elle avait toujours emporté avec elle, pour s'y asseoir. À un certain moment, dans la grande nuit, la couronne s'était perdue, et ma grand-mère m'accusait de la lui avoir cachée. Et sans doute il était bien vrai que j'avais toujours détesté cette couronne, tant elle paraissait absurde et déplacée sur notre nuée, mais ce qu'on pouvait me reprocher c'était tout au plus de ne l'avoir pas constamment gardée, comme la grand-mère en avait la prétention.

Même mon père, qui avec elle se montrait tou-

jours tout à fait respectueux, ne put se retenir de lui
faire observer :

— Mais rendez-vous compte, maman, qu'il y a
quelque chose qui est en train de se passer, et vous,
voilà que vous ramenez cette couronne !

— Ah, je le disais bien que je ne pouvais pas
dormir ! fit ma mère (et c'était, là aussi, une répar-
tie mal appropriée à la situation).

Sur quoi nous entendîmes un grand « Pouah !
Ouah ! Sgrr ! » et nous comprîmes qu'il avait dû
arriver quelque chose à M. Hnw : il éructait et crachait sans aucune retenue.

— M. Hnw ! M. Hnw ! Redressez-vous ! Mais où
a-t-il passé, à la fin ? commença à dire mon père.

Et dans ces ténèbres toujours sans la moindre
lueur, à tâtons, nous réussîmes à l'attraper et à le hisser sur la surface de la nuée pour qu'il reprît souffle. Nous l'étendîmes sur cette couche externe qui
était alors en train de prendre une consistance caillée
et glissante.

— Ouah ! Elle se referme sur toi, c'te chose ! cherchait à dire M. Hnw (qui pour ce qui est de la faculté
de s'exprimer n'avait jamais été très doué). On descend, on descend, et on avale ! Scrrach !

Et il crachait.

La nouveauté consistait en ceci que maintenant,
dans la nuée, si on ne faisait pas attention on s'enfonçait. Ma mère, avec l'instinct des mères, fut la première à le comprendre. Et elle cria :

— Les enfants, vous êtes tous là ? Où êtes-vous ?

En vérité, nous nous étions un peu distraits, et

tandis que d'abord, quand tout se trouvait là bien régulièrement pour des siècles, on se préoccupait toujours de ne pas se disperser, maintenant cela nous était sorti de l'esprit.

— Du calme, du calme. Que personne ne s'éloigne, fit mon père. — G'd(w)^n ! Où es-tu ? Et les jumeaux ? Que celui qui a vu les jumeaux le dise !

Personne ne répondit.

— Oh ! Ils se sont perdus ! cria notre mère.

Mes petits frères n'étaient encore pas en âge de transmettre aucun message, c'est pour cela qu'ils se perdaient facilement et qu'ils étaient surveillés continuellement.

— Je vais les chercher ! fis-je.

— Oui, vas-y, c'est bien, Qfwfq ! firent papa et maman.

Et puis, se reprenant tout aussitôt :

— Mais si tu t'éloignes, tu vas te perdre toi aussi ! Reste ici !... Bon, vas-y, mais fais savoir où tu es : siffle !

Je commençai à marcher dans le noir, dans le bourbier de cette condensation de la nuée, émettant un sifflement continu. Je dis : marcher, c'est-à-dire une façon de bouger à la surface, chose inimaginable quelques minutes plus tôt, et qui maintenant était tout ce qu'on pouvait essayer de faire, parce que la matière opposait si peu de résistance que si l'on ne faisait pas attention, au lieu de progresser sur la surface on s'enfonçait obliquement, ou bien même perpendiculairement, et on se trouvait enseveli. Mais quelle que fût la direction choisie, et à quelque niveau que ce fût, les chances de retrouver mes petits frères étaient les mêmes : Dieu sait où ils s'étaient faufilés, ces deux-là.

Tout d'un coup, je dégringolai ; comme si l'on m'avait fait — dirait-on aujourd'hui — un croche-pied. C'était la première fois que je tombais, je ne savais pas même ce que ça pouvait être que « tomber » ; mais nous étions encore sur quelque chose de doux et je ne me fis rien.

— Ne marche pas là, dit une voix. Qfwfq, je ne le veux pas.

C'était la voix de ma sœur $G'd(w)^n$.

— Pourquoi ? Qu'est-ce qu'il y a, là ?

— J'ai fait des choses avec les choses…, dit-elle.

Il me fallut un petit moment pour me rendre compte, à tâtons, que ma sœur, en triturant cette espèce de boue, en avait tiré une petite montagne pleine de clochetons, de crénelures et de flèches.

— Mais qu'est-ce que tu fais ?

$G'd(w)^n$ donnait toujours des réponses sans queue ni tête :

— Un dehors avec dedans un dedans. Tzlll, tzlll, tzlll…

Je poursuivais mon chemin entrecoupé de culbutes.

Je butai cette fois sur le sempiternel M. Hnw, qui était retourné à la fin dans la matière en condensation, la tête la première.

— Allons, monsieur Hnw, monsieur Hnw ! Est-il possible que vous n'arriviez pas à vous tenir debout !

Et je me mis de nouveau à l'aider à s'en sortir

par une grosse bourrade de temps à autre, de dessous vers le haut, parce que moi-même j'étais entièrement immergé.

M. Hnw, toussant, soufflant et éternuant (il faisait un froid comme on n'en avait jamais vu),
déboucha à la surface précisément à l'endroit où la
grand-mère Bb'b était assise. La grand-mère vola
en l'air, et tout aussitôt elle s'émut :

— Les petits-fils ! Ils sont revenus, les petits-fils !

— Mais non, maman, voyez, c'est M. Hnw !
Elle n'y comprenait plus rien.

— Et les petits-fils ?

— Ils sont là ! criai-je. Et il y a aussi la couronne !

Les jumeaux, depuis longtemps, avaient dû se faire
leur cachette secrète, dans l'épaisseur de la nuée, et
c'étaient eux qui avaient été cacher la couronne là-
dessous, pour jouer avec. Tant que la matière était
restée fluide, là tout au milieu et en état d'apesanteur, ils pouvaient même faire des sauts périlleux à
travers la couronne mais, cette fois, ils s'étaient
retrouvés prisonniers d'une espèce de fromage blanc
spongieux : le trou de la couronne était bouché, et
eux-mêmes se sentaient écrasés de partout.

— Tenez-vous bien à la couronne, cherchai-je à
leur faire comprendre, que je vous tire de là, petits
crétins !

Je tirai, je tirai, et à un certain moment, avant
même qu'ils ne s'en fussent aperçus, ils faisaient
déjà des cabrioles à la surface, qui était maintenant
recouverte d'une pellicule croûteuse comme du blanc
d'œuf. La couronne, au contraire, à peine fut-elle

apparue que déjà elle s'était dissoute. Allez savoir quelles espèces de phénomènes se produisaient alors ; et allez donc l'expliquer à grand-mère Bb'b.

Juste à ce moment, comme s'ils n'avaient pu en choisir un meilleur, les oncles se levèrent lentement et dirent :

— Bon, il se fait tard, Dieu sait ce que font nos enfants, nous sommes un peu inquiets, ça a été un plaisir de vous revoir, mais il est temps que nous nous en allions.

On ne peut pas dire qu'ils avaient tort ; et même, il y avait de quoi s'alarmer et partir au galop depuis déjà pas mal de temps ; mais ces oncles, peut-être à cause de l'endroit très à l'écart qu'ils habitaient d'habitude, étaient un peu du genre embarrassé. Et donc jusqu'alors ils avaient bien pu être sur des charbons ardents, mais sans oser le dire.

Mon père fait :

— Si vous voulez vous en aller, je ne vous retiens pas ; seulement, réfléchissez bien s'il n'est pas plus convenable d'attendre que la situation s'éclaircisse un peu parce que, pour le moment, on ne sait pas quels dangers peuvent se présenter.

En somme, un discours plein de bon sens.

Mais eux :

— Non, non, merci pour ce que vous avez dit, c'était vraiment très bien, mais nous, maintenant, nous vous avons suffisamment dérangés…

Et autres sottises. En somme, ce n'est pas que nous autres, nous y comprenions grand-chose ; mais eux ne se rendaient compte de rien.

Ces oncles étaient au nombre de trois : une tante et deux oncles, pour être précis, tous les trois très longs et presque identiques ; on n'a jamais bien compris lequel des trois était le mari ou le frère de qui, ni même ce qu'était au juste leur rapport de parenté avec nous en ces temps-là, il y avait bien des choses qui restaient dans le vague.

Ils commencèrent à partir l'un après l'autre, les oncles, chacun dans une direction, vers le ciel noir, et de temps en temps, comme pour garder le contact, ils faisaient : « Oh ! Oh ! » Ils faisaient tout de cette manière : ils n'étaient pas capables de faire quoi que ce fût avec un minimum de méthode.

À peine étaient-ils partis tous les trois, que leurs « Oh ! Oh ! » s'entendaient déjà depuis des endroits fort lointains, alors qu'ils auraient dû être encore à quelques pas. Et on entendait aussi leurs exclamations, dont nous ne comprenions pas ce qu'elles voulaient dire : « Mais ici c'est le vide ! » « Mais ici on ne peut passer ! » « Et pourquoi ne viens-tu ici ? » « Et où es-tu ? » « Mais saute donc ! » « Et sauter quoi, oui ! » « Mais ici on revient en arrière ! » En somme, on n'y comprenait rien, sinon qu'entre nous et ces oncles se creusaient peu à peu d'énormes distances.

Ce fut la tante qui, partie la dernière, vociféra un discours mieux articulé : « Et moi, maintenant, je reste seule au sommet d'un morceau de cette chose ici qui s'est détachée... »

Et les voix des deux oncles, toutes faibles maintenant à cause de l'éloignement, répétaient : « Idiote... Idiote... Idiote... »

Nous étions occupés à scruter cette obscurité traversée par des voix, quand advint le changement : le seul vrai grand changement auquel il m'ait été donné d'assister, et par rapport à lui tout le reste n'est rien. En somme, cette chose qui commença à l'horizon, cette vibration qui ne ressemblait pas à celles qu'alors nous appelions des sons, ni non plus à celles qui venaient d'être dites dans ce cri « On a pied ! », ni à aucune autre ; une espèce d'ébullition certainement lointaine et qui, dans le même temps, s'approchait, c'est-à-dire qu'elle était pour bientôt ; en somme, à un moment, l'obscurité fut obscure par contraste avec autre chose qui ne l'était pas, c'est-à-dire la lumière. À peine si l'on put faire une analyse plus attentive de l'état des choses ; il en résulta qu'il y avait : primo, le ciel noir comme toujours, mais qui commençait à ne plus être tel ; secundo, la surface sur laquelle nous nous tenions, toute bosselée et croûteuse, faite d'une glace sale à faire fuir, et qui se défaisait rapidement parce que la température montait à toute allure ; et, tertio, ce que plus tard nous appellerions une source de lumière, c'est-à-dire une masse qui devenait incandescente et qui était séparée de nous par un vide énorme, et qui semblait essayer une à une toutes les couleurs, avec des tressaillements changeants. Et puis encore : là au milieu du ciel, entre nous et la masse incandescente, quelques îlots illuminés et vagabonds, qui tournaient dans le ciel avec dessus nos oncles ou d'autres personnes réduites à des ombres lointaines qui lançaient une sorte de glapissement.

Le plus dur était donc fait : le cœur de la nébuleuse, en se contractant, avait développé chaleur et lumière, et maintenant il y avait le Soleil. Tout le reste continuait à tourner là autour, partagé et aggloméré en divers morceaux ; Mercure, Vénus, la Terre, quelques autres plus loin, et tout et tout. Et en plus de tout ça, il faisait une chaleur à crever.

Nous, là, la bouche ouverte, levés tout droit, sauf M. Hnw qui était toujours à quatre pattes, par prudence. Et ma grand-mère, là-bas, à rire. Je l'ai dit : grand-mère Bb'b était de l'époque de la luminosité diffuse, et pendant tout ce temps d'obscurité elle avait continué à parler comme si d'un moment à l'autre les choses devaient revenir comme avant. Maintenant, ce moment lui semblait arrivé ; d'abord, elle avait voulu jouer les indifférentes, la personne pour qui tout ce qui arrive est tout à fait naturel ; puis, vu qu'on ne faisait pas attention à elle, elle s'était mise à rire et à nous apostropher :

— Ignorants… bougres d'ignorants…

Pourtant, sa bonne foi n'était pas entière ; ou peut-être sa mémoire ne la servait plus aussi bien. Mon père, pour autant qu'il comprenait, lui dit, avec circonspection toujours :

— Maman, je sais ce que vous voulez dire, pourtant, peut-être, il me semble qu'en réalité c'est un phénomène différent…

Et montrant le sol, il s'exclama :

— Regardez à vos pieds !

Nous abaissâmes nos regards. La Terre qui nous soutenait était encore un amas gélatineux, diaphane, qui ne cessait de devenir plus dur et plus opaque, à commencer par le centre où une espèce de jaune d'œuf était en train de s'accumuler ; mais nos yeux réussissaient encore à la traverser de part en part, illuminée comme elle l'était par ce premier Soleil. Et au milieu de cette espèce de bulle transparente, nous voyions une ombre qui bougeait, comme si elle avait nagé ou volé. Et notre mère dit :

— Ma fille !

Tous nous reconnûmes G'd(w)^n : effrayée peut-être par l'incendie du Soleil, sur un coup de tête de son âme renfermée, elle s'était enfoncée dans la matière terrestre en condensation, et maintenant elle cherchait à s'ouvrir un passage dans les profondeurs de la planète, et elle semblait un papillon d'or et d'argent quand elle passait dans une zone encore éclairée et diaphane, et puis elle disparaissait dans la sphère d'ombre qui sans cesse grandissait.

— G'd(w)^n ! G'd(w)^n ! criions-nous.

Et nous nous jetions à terre en essayant d'ouvrir un chemin nous aussi, pour la rejoindre. Mais la surface terrestre désormais se figeait toujours davantage pour faire une écorce poreuse, et mon frère Rwzfs, qui avait réussi à fourrer sa tête dans une lézarde, faillit se retrouver étranglé.

Ensuite, on ne la vit plus : la zone solide occupait désormais toute la partie centrale de la planète. Ma sœur était demeurée de l'autre côté, et je ne sus jamais plus rien d'elle, si elle est restée ensevelie dans les profondeurs ou bien si elle avait pu s'en réchapper par l'autre côté, jusqu'au jour cependant où je la rencontrai, mais bien plus tard, à Canberra, en 1912, mariée à un certain Sullivan, un retraité des chemins de fer, et changée à tel point que je ne la reconnus quasiment pas.

Nous nous levâmes. M. Hnw et la grand-mère étaient devant, et ils étaient entourés par des flammes azurées et dorées.

— Rwzfs ! Pourquoi as-tu mis le feu à la grand-mère ? s'écriait déjà notre père.

Mais se tournant vers mon frère, il le vit entouré lui aussi par les flammes. Et aussi mon père et ma mère et moi-même, nous tous nous brûlions dans le feu. Ou plutôt : nous ne brûlions pas, nous étions plongés comme dans une forêt aveuglante, les flammes s'élevaient très haut sur toute la surface de la planète, il y avait une atmosphère de feu dans laquelle nous pouvions courir et planer et voler, si bien que nous fûmes pris comme d'une nouvelle allégresse.

Les radiations du Soleil étaient en train de brûler les enveloppes des planètes, qui étaient faites d'hélium et d'hydrogène : dans le ciel, là où devaient être nos oncles, roulaient des globes en feu qui traînaient derrière eux de longues barbes d'or et de turquoise, comme le fait de sa queue une comète.

L'obscurité revint. Et alors nous pensions que tout ce qui pouvait arriver était arrivé, et : « C'est bien la fin maintenant, dit la grand-mère, il faut croire les anciens. »

Au contraire, la Terre avait tout juste fait l'un de ses tours quotidiens. C'était la nuit. Tout ne faisait que commencer.

Un signe dans l'espace

Le Soleil est situé dans la zone externe de la Voie lactée, et il faut deux cents millions d'années environ pour qu'il accomplisse une révolution complète de la Galaxie.

Exact, c'est ce qu'il lui faut, pas moins — *dit Qfwfq* —, moi, une fois, en passant, je fis un signe en un point de l'espace, tout exprès afin de pouvoir le retrouver deux cents millions d'années plus tard, quand nous serions repassés par là au tour suivant. Un signe comment ? C'est difficile à dire parce que si je vous dis un signe, vous pensez aussitôt à quelque chose qui se distinguerait de quelque chose, et en la circonstance, il n'y avait rien qui pût se distinguer de quoi que ce fût ; vous pensez aussitôt à un signe marqué à l'aide d'un outil quelconque ou même avec les mains, et on enlève l'outil ou bien les mains tandis que le signe au contraire demeure, mais en ce temps-là il n'y avait pas encore d'outils, ni même de mains, il n'y avait pas non plus de dents, ni de nez, toutes choses qui vinrent par la suite, mais bien plus tard. Pour ce qui est de la forme à donner à un signe, vous dites que ce n'est pas un problème, parce que, quelque forme qu'il ait, il suffit qu'un signe serve de signe, c'est-à-dire qu'il soit différent d'autres signes ou qu'il leur soit semblable : là encore vous parlez un peu vite, car moi à cette époque je n'avais pas d'exemples auxquels me référer pour dire : je le fais semblable, ou différent, parce qu'il n'y avait rien qu'on pût copier, pas même une ligne, droite ou courbe, au choix, on ne savait pas ce que c'était, ou un point, ou une saillie ou son contraire. J'avais l'intention de faire un signe, oui, bien sûr, ou si vous voulez j'avais l'intention de considérer comme un signe n'importe quoi qu'il me viendrait à l'esprit de faire ; d'où il résulte que moi, ayant en un point quelconque de l'espace, et non en un autre, fait quelque chose, avec l'intention de faire un signe, il s'ensuivit que j'y avais fait un signe pour de bon.

En somme, pour être le premier signe qu'on faisait dans l'univers, ou tout au moins sur le circuit de la Voie lactée, je devais me dire que ça n'était pas mal. Visible ? Oui, vraiment et qui donc avait des yeux pour voir, en ces temps-là ? Rien n'avait jamais été vu par rien, la question ne se posait même pas. Mais qu'il fût reconnaissable sans le moindre risque d'erreur, cela, oui : parce que tous les autres points de l'espace étaient pareils et impossibles à distinguer tandis qu'au contraire celui-là avait le signe.

Ainsi les planètes poursuivant leur course, et le Système solaire la sienne, je laissai bien vite le signe derrière moi, séparé de lui par d'interminables étendues d'espace. Et déjà je ne pouvais m'empêcher de penser à quand je reviendrais pour le retrouver, et à comment je le reconnaîtrais, et au plaisir que cela me ferait, dans cette immensité anonyme, après cent mille années-lumière passées sans rien rencontrer qui me fût familier, rien, pendant des centaines de siècles, pendant des milliers de millénaires, de revenir, et il serait là, à sa place, tel que je l'avais laissé, nu et cru, mais avec cette empreinte — disons — reconnaissable entre tout, que je lui avais donnée.

Lentement, la Voie lactée tournait sur elle-même avec ses franges de constellations, de planètes et de nuages, et le Soleil aussi, vers le bord, avec le reste. Dans tout ce carrousel, seul le signe demeurait immobile, en un point quelconque, à l'abri de toutes les orbites (pour le faire, je m'étais un peu penché au-delà des bords de la Galaxie, afin qu'il reste au large et que le trafic de tous ces mondes n'arrive pas sur lui), en un point quelconque qui n'était plus quelconque du moment qu'il était le seul et unique point dont on fût sûr qu'il était là, et celui par rapport auquel on pouvait définir tous les autres points.

J'y pensais jour et nuit ; même, je ne pouvais penser à rien d'autre ; ou si vous voulez, c'était là la première occasion que j'avais de penser quelque chose ; ou mieux, penser quelque chose n'avait jamais été possible, d'abord parce que les choses à quoi penser manquaient, et deuxièmement parce que manquaient les signes pour y penser ; mais du moment qu'il y avait ce signe, il en découlait que qui penserait, penserait un signe, et vice versa, en ce sens que le signe était la chose à quoi on pouvait penser et aussi le signe de la chose qu'on pouvait penser ; c'est-à-dire de lui-même.

Donc, la situation était celle-ci : le signe servait à marquer un point, mais dans le même temps il signifiait que là était un signe, ce qui était encore plus important, parce qu'il y avait autant de points qu'on en voulait, alors que ce signe était le seul qu'il y eût, et en même temps ce signe était mon signe, le signe de moi-même, parce qu'il était le seul et unique signe que j'avais jamais fait, et que moi-même j'étais le seul qui eût jamais fait un signe. C'était comme un nom, le nom de ce point en particulier, et aussi mon propre nom, que j'avais marqué sur ce point ; en somme c'était le seul et unique nom disponible pour tout ce qui réclamait un nom.

Transporté par les flancs de la Galaxie, notre monde naviguait au-delà d'espaces très lointains, et le signe était là où je l'avais laissé et il marquait ce point, et en même temps il me désignait, je le portais derrière moi, il m'habitait, il me possédait entièrement, il s'entremettait entre moi et toutes les choses avec lesquelles je pouvais tenter d'entrer en rapport. En attendant de revenir pour le retrouver, je pouvais essayer d'en déduire d'autres signes et des combinaisons de signes, des séries de signes égaux et des contre-séries de signes différents. Mais déjà

étaient passées des dizaines et des dizaines de milliers de millénaires depuis le moment où je l'avais
tracé (même depuis les quelques secondes où je
l'avais esquissé, dans le continuel mouvement de la
Voie lactée), et juste maintenant que j'avais besoin
de bien le posséder, dans toute sa particularité
(la plus petite incertitude sur sa complexion rendait incertaines les distinctions possibles au regard
d'autres signes éventuels), je me rendis compte de
ceci : encore que je l'eusse en tête dans ses contours
sommaires, dans son apparence générale, quelque
chose cependant m'échappait, en somme, lorsque
j'essayais de le décomposer en ses divers éléments,
je ne me rappelais plus si d'un élément à un autre
c'était ainsi ou autrement. J'aurais dû l'avoir là
devant moi, l'étudier, le consulter, et tout au contraire j'en étais loin pour encore je ne savais combien de temps, parce que je l'avais fait précisément
pour savoir le temps qu'il me faudrait pour le retrouver, et tant que je ne le retrouvais pas je ne pouvais
pas le savoir. Maintenant d'ailleurs, ce n'était pas
la raison pour laquelle je l'avais fait qui m'importait, mais bien comment il était fait ; et je me mis à
faire des hypothèses sur ce comment, et des théories selon lesquelles un signe donné devait être nécessairement d'une forme donnée ; ou bien, procédant
par exclusions, je voulais éliminer tous les types de
signes les moins probables pour arriver enfin au
signe juste, mais tous ces signes imaginaires s'éva-
nouissaient avec une facilité irrépressible ; parce qu'il
n'y avait pas ce premier signe qui aurait pu me servir

de terme de comparaison. Dans ce labeur enrageant (tandis que la Galaxie insomniaque continuait à se retourner dans son lit de vacuité douce, comme démangée par le prurit de tous les mondes et des atomes qui s'allumaient et irradiaient), je compris que désormais j'avais aussi perdu jusqu'à cette notion confuse de mon signe, et je n'arrivais plus à concevoir que des fragments de signes interchangeables entre eux, c'est-à-dire des signes intérieurs au signe, et chaque changement de ces signes à l'intérieur du signe changeait le signe en un autre signe complètement différent, ou si vous voulez j'avais bel et bien oublié comment mon signe était fait, et il n'y avait pas moyen de me le remettre en mémoire.

Je me désespérais ? Non, l'oubli était fâcheux, mais pas irrémédiable. Quoi qu'il pût arriver, je savais que le signe était là-bas à m'attendre, immobile et silencieux. J'y arriverais, je le retrouverais, et pourrais reprendre le fil de mes raisonnements. À vue de nez, nous devions être arrivés déjà à mi-parcours de notre révolution galaxique : il fallait être patient, la seconde moitié donne toujours l'impression de passer plus vite. Maintenant, je ne devais plus penser à rien d'autre qu'à ceci : le signe existait, et j'y repasserais.

Un jour suivant l'autre, je devais désormais en être tout près. Je frémissais d'impatience parce que je pouvais à tout instant tomber sur le signe. Il était là, non, un peu plus par là, et maintenant je compte jusqu'à cent… Et s'il n'y était plus ? Est-ce que je l'avais déjà passé ? Rien. Mon signe était resté Dieu sait où, en arrière, complètement à l'écart de l'orbite de révolution de notre Système. Je n'avais pas compté avec les oscillations auxquelles, en ces temps-là tout spécialement, étaient sujettes les forces de gravité des corps célestes, et qui portaient ces derniers à dessiner des orbites irrégulières découpées comme des fleurs de dahlia. Pendant une centaine de millénaires, je m'escrimai à refaire mes calculs, il en résultait que notre parcours touchait ce point non pas chaque année galaxique, mais seulement une sur trois, c'est-à-dire tous les six cents millions d'années solaires. Qui a attendu deux cents millions d'années peut bien aussi en attendre six cents ; et donc, j'attendis ; la route était longue mais enfin je n'avais pas à la faire à pied ; assis en croupe sur la Galaxie, je parcourais les années-lumière en caracolant sur les orbites planétaires et stellaires comme sur la selle d'un cheval aux sabots lançant des étincelles ; j'étais dans un état d'exaltation sans cesse croissant ; il me semblait que j'avançais à la conquête de ce qui seul comptait pour moi : le signe, le règne, le nom…

Je fis le second tour, le troisième. J'y étais. Je poussai un cri. En un point qui devait être précisément ce point, à l'endroit de mon signe, il y avait un frottis informe, une abrasion de l'espace, délabrée, broyée. J'avais tout perdu : le signe, le point, et ce qui faisait que — étant l'auteur de ce signe en ce point — j'étais moi-même. L'espace, sans signe, était redevenu un gouffre vide, sans commencement ni fin, écœurant, où tout — moi compris — se perdait. (Et qu'on ne vienne pas me dire que,

pour marquer un point, mon signe ou bien la rature
de mon signe, cela revenait exactement au même :
la rature était la négation du signe, et donc elle ne
marquait ni ne signalait rien ; c'est-à-dire qu'elle ne
servait pas à distinguer un point des points précédents ou suivants.)

Je fus pris de découragement et, des années-
lumière durant, je me laissai aller, comme privé de
mes sens. Quand finalement je levai les yeux (entre-
temps, la vue de notre monde avait commencé, et la
vie, par voie de conséquence, aussi), quand je levai les
yeux, je vis là-haut ce que jamais je ne me serais
attendu à voir. Je le vis, le signe, mais pas lui vraiment ; en fait, un signe pareil, un signe sans aucun
doute copié d'après le mien, mais dont on comprenait tout de suite que ce ne pouvait être le mien,
lourd comme il l'était, imprécis, et absurdement pré-
tentieux, une contrefaçon affreuse de ce que moi
j'avais entendu tracer par mon signe, dont je réussissais seulement, par contraste, à évoquer l'indicible
pureté. Qui m'avait joué ce tour ? Je ne réussissais
pas à me l'expliquer. Finalement, une chaîne d'induc-
tions de quelques milliers d'années me conduisit à la
solution : sur un autre système planétaire, qui accom-
plissait sa révolution galaxique devant nous, demeurait un certain Kgwgk (le nom en fut déduit par la
suite, à l'époque plus tardive des noms), personnage
désagréable et dévoré d'envie, qui, sous le coup d'une
impulsion digne d'un vandale, avait raturé mon
signe et puis avait entrepris par un artifice grossier
d'essayer d'en marquer un autre à la place.

Il était clair que ce signe n'avait rien à signifier sinon l'intention de Kgwgk d'imiter mon propre signe, auquel on ne pouvait même pas le comparer. Mais à ce moment-là le désir de ne pas m'avouer vaincu par mon rival fut en moi plus fort que toute autre considération : tout aussitôt, je voulus tracer un nouveau signe dans l'espace, qui fût un signe véritable, et fît mourir Kgwgk de dépit. Il y avait quasiment sept cents millions d'années que je ne m'étais plus exercé à faire un signe, depuis ce premier que j'avais fait ; je m'y remis de bon cœur. Mais maintenant les choses n'étaient plus pareilles, parce que le monde, comme je vous l'ai indiqué, commençait à donner une image de lui-même, et pour chaque chose une forme commençait à répondre à la fonction, et on croyait alors que ces formes avaient un long avenir devant elles (c'était tout le contraire ; voyez — pour prendre un cas relativement récent — les Dinosaures), et donc en ce signe nouveau que je fis était sensible l'influence de cette nouvelle vision des choses, disons : le style, pour cette façon particulière qu'avait chaque chose de se tenir là d'une certaine façon. Je dois dire d'ailleurs que vraiment j'en fus content, et je n'avais plus l'idée de regretter ce premier signe raturé, parce que celui-ci, maintenant, me semblait plus beau, énormément.

Mais déjà au cours de cette année galaxique, on commença à comprendre que les formes du monde avaient jusqu'alors été provisoires et qu'elles se modifieraient l'une après l'autre. Et cette conscience s'accompagna d'une telle désaffection pour les vieilles images, qu'on ne pouvait pas même en supporter le souvenir. Et je commençai à être tourmenté par une pensée : j'avais laissé ce signe dans l'espace, ce signe qui m'était apparu si beau et si original, et si bien adapté à sa fonction, et maintenant dans ma mémoire il m'apparaissait dans toute sa prétention déplacée, comme le signe avant tout d'un mode ancien de concevoir les signes, et de ma sotte complicité avec un ordre de choses dont j'aurais dû savoir me détacher à temps. En somme, j'avais honte de ce signe qui continuait à travers les siècles d'être côtoyé par les mondes en leur course, donnant un ridicule spectacle de lui-même et de moi, et de cette façon de voir provisoire qui avait été la nôtre. Des bouffées de honte me faisaient rougir quand je me le rappelais (et je me le rappelais continuellement) ; et cela dura des ères géologiques entières ; pour cacher cette honte, je m'enfouissais dans les cratères des volcans, et, de remords, j'enfonçais mes dents dans les calottes glaciaires qui recouvraient les continents. J'étais assailli par l'idée que Kgwgk, me précédant toujours dans le périple de la Voie lactée, verrait mon signe avant que j'eusse pu le raturer, et comme un rustre qu'il était me tournerait en dérision et me ferait des grimaces, répétant pour le déprécier mon signe en caricatures grossières, dans tous les coins de la sphère circum-galaxique.

Au contraire, pour cette fois, la délicate horlogerie astrale me fut favorable. La constellation de Kgwgk ne rencontra pas le signe, alors que notre système solaire revint là ponctuellement, au terme

du premier tour, si près que j'eus la possibilité de
tout effacer avec le plus grand soin.

Maintenant, il n'y avait plus un seul de mes signes
dans l'espace. Je pouvais me mettre à en tracer un
autre ; mais je savais désormais que les signes servent aussi à juger qui les trace, et que, dans l'espace
d'une année galaxique, les goûts et les idées ont le
temps de changer et que la façon de regarder ce qui
vient avant dépend de ce qui vient après ; en somme,
j'avais peur que ce qui pouvait sur le moment me
paraître un signe parfait me donnât, d'ici deux ou
six cents millions d'années, une figure détestable.
Au contraire, pour mon plus grand regret, le premier signe, vandaliquement raturé par Kgwgk, restait insensible à la mutation des temps puisqu'il
était celui qui était né avant tout commencement
des formes, et qu'il devait contenir quelque chose
qui survivrait à toutes les formes, c'est-à-dire le fait
qu'il était un signe et rien d'autre.

Faire des signes qui ne fussent pas ce signe
n'avait plus d'intérêt pour moi, et ce signe je l'avais
désormais oublié depuis des milliards d'années. Ainsi,
ne pouvant faire des signes véritables mais voulant
de quelque manière décourager Kgwgk, je me mis
à faire des signes feints, des encoches dans l'espace,
des trous, des taches, des petites astuces que seul un
incapable comme Kgwgk pouvait prendre pour des
signes. Et il s'acharnait à les faire disparaître sous
ses ratures (comme je le constatais aux tours suivants), avec une opiniâtreté qui devait lui coûter
bien du mal. (Moi, à présent, je semais l'espace de

ces signes fictifs pour voir jusqu'où pouvait aller sa naïveté).

Maintenant, observant ces ratures tour après tour (les révolutions de la Galaxie étaient désormais devenues pour moi une navigation paresseuse et ennuyeuse, sans événements ni espoirs), je me rendis compte d'une chose ; avec le passage des années galactiques les ratures tendaient à se faner dans l'espace, cependant que par-dessous refleurissait ce que j'avais moi-même tracé en ce point, mon pseudosigne, comme je disais. Cette découverte, loin de me déplaire, me remplit d'espérance. Si les ratures de Kgwgk s'effaçaient, la première qu'il avait faite, en ce fameux point, devait avoir désormais disparu, et mon signe devait être revenu à sa primitive évidence !

Ainsi l'attente recommença à angoisser mes jours. La Galaxie se retournait comme une omelette dans sa poêle embrasée, elle-même poêle grésillante et omelette dorée, et moi comme elle je grillais d'impatience.

Mais avec les années, l'espace n'était plus cette étendue uniformément morne et blafarde. L'idée de marquer avec des signes les points où l'on passait, de même qu'elle nous était venue à moi et à Kgwgk, tant d'autres l'avaient eue, dispersés sur les milliards de planètes d'autres systèmes solaires, et continuellement je tombais sur une de ces choses, ou deux, ou tout à la fois une douzaine, simples griffonnages bidimensionnels, ou bien solides à trois dimensions (par exemple des polyèdres), ou encore quelque chose de beaucoup plus habile, avec la quatrième dimension et tout. Le fait est que j'arrive au point de mon signe, et que j'y en trouve cinq, tous ensemble. Et je ne suis pas en mesure d'y reconnaître le mien. C'est celui-ci, non celui-là, mais non, il a l'air trop moderne, et pourtant il pourrait aussi bien être le plus ancien, là je ne reconnais pas ma main, est-ce que vous croyez que j'aurais eu l'idée de le faire ainsi... Et pendant ce temps la Galaxie courait dans l'espace et en laissait en arrière les vieux signes et les signes nouveaux et moi je n'avais pas retrouvé le mien.

Je n'exagère pas si je dis que les années galaxiques qui suivirent furent les pires que j'eusse jamais vécues. J'avançais en cherchant, et dans l'espace s'accumulaient les signes, depuis tous les mondes possibles, quiconque en avait la possibilité ne manquait pas désormais de marquer sa trace dans l'espace d'une manière ou d'une autre, et notre monde, chaque fois que je me retournais, je le trouvais plus rempli, si bien que le monde et l'espace semblaient être le miroir l'un de l'autre, l'un et l'autre minutieusement historiés de hiéroglyphes et d'idéogrammes, et chacun d'eux pouvait aussi bien être ou ne pas être un signe ; une concrétion calcaire sur du basalte, une crête soulevée par le vent sur le sable coagulé du désert, la disposition des yeux dans les plumes du paon (tout doucement, la vie au milieu des signes avait conduit à voir comme autant de signes les choses innombrables qui d'abord se trouvaient là sans signaler autre chose que leur propre

présence, elle les avait transformées en signes d'elles-
mêmes, et les avait ajoutées à la série des signes faits
exprès par qui voulait faire un signe), les stries du
feu contre une paroi de roche schisteuse, la quatre
cent vingt-septième cannelure — un peu de travers
— de la corniche du fronton d'un mausolée, une
séquence de stries sur un écran vidéo durant une
tempête magnétique (la série des signes se multi-
pliait dans la série des signes de signes, de signes
répétés un nombre innombrable de fois, toujours
pareils et toujours de quelque façon différente, parce
qu'au signe fait exprès s'ajoutait le signe tombé là
par hasard), le jambage mal encré de la lettre R qui,
dans un exemplaire d'un journal du soir, se rencontrait avec une paille filamenteuse du papier, une
éraflure entre huit cent mille sur le mur goudronné
dans l'intervalle entre deux docks de Melbourne,
la courbe d'une statistique, un coup de frein sur
l'asphalte, un chromosome... De temps en temps,
un sursaut : le voilà ! Et pendant une seconde j'étais
sûr d'avoir retrouvé mon signe, sur la terre ou dans
l'espace, il n'y avait pas de différence, parce que
s'était établie entre les signes une continuité où l'on
ne trouvait plus de frontières bien nettes.

Il n'y avait plus désormais dans l'univers un contenant et un contenu, mais seulement une épaisseur
générale de signes superposés et agglutinés, qui occupait tout le volume de l'espace, c'était une bigarrure
continue, extrêmement minutieuse, un réseau de
lignes, de griffes, de reliefs et d'incisions, l'univers
était barbouillé partout, dans toutes ses dimensions.

Il n'y avait plus moyen de fixer un point de référence : la Galaxie continuait à tourner, mais moi je
ne réussissais plus à compter les tours, n'importe
quel point pouvait être celui du départ, n'importe
quel signe enchevêtré avec les autres pouvait être le
mien, mais il ne m'aurait servi à rien de le découvrir, tellement il était clair qu'indépendamment des
signes l'espace n'existait pas, et que peut-être même
il n'avait jamais existé.

Tout en un point

À partir des calculs initiaux d'Edwin P. Hubble sur la vitesse avec laquelle s'éloignent les galaxies, on peut établir le moment où toute la matière de l'univers était encore concentrée en un seul point, avant qu'elle ne commençât à se répandre dans l'espace. La « grande explosion » (big bang) d'où l'univers tire son origine se serait produite voici quinze ou vingt milliards d'années.

Vous comprendrez qu'on était tous là — *fit le vieux Qfwfq* —, et où donc, autrement ? Personne ne savait encore que l'espace pouvait exister. Et pour le temps, idem : qu'auriez-vous voulu qu'on fasse du temps, dans notre position, serrés comme des sardines ?

J'ai dit « serrés comme des sardines » pour user en somme d'une image littéraire : en réalité, il n'y avait même pas d'espace pour nous y serrer. Chaque point de chacun de nous coïncidait avec chaque point de chacun des autres en un point unique qui était celui-là où nous nous trouvions tous. En somme, nous ne nous gênions même pas, sauf pour les caractères, parce que quand il n'y a pas d'espace, avoir toujours entre les pattes quelqu'un d'aussi antipathique que M. Pber^t Pber^d est la chose la plus désagréable qui soit.

Combien nous étions ? Eh ! je n'ai jamais pu m'en rendre compte, même approximativement. Pour se compter, il faut être quand même un peu séparés les uns des autres, tandis qu'au contraire nous occupions tous ce même point. À l'inverse de ce qu'il peut en sembler, ce n'était pas une situation qui favorisait la vie de société ; je sais par exemple qu'en d'autres époques on se fréquente entre voisins ; là au contraire, par le fait même que nous étions tous voisins, on ne se disait même pas bonjour ni bonsoir.

Chacun finissait par n'avoir des rapports qu'avec un nombre restreint de connaissances. Ceux que je me rappelle, ce sont avant tout Mme Ph(i)Nk$_0$, son ami De XuaeauX, une famille d'immigrés, les Z'zu, et ce M. Pber^t Pber^d, déjà nommé. Il y avait aussi la femme de ménage — « préposée à la manutention », ainsi l'appelait-on —, une seule pour tout l'univers, étant donné la petitesse du milieu. À vrai dire elle n'avait rien à faire de tout le jour, même pas ôter la poussière — il ne peut pas entrer ne serait-ce qu'un grain de poussière en un point —, alors elle s'épanchait en continuels commérages et lamentations.

Rien qu'avec ces gens dont je vous ai parlé, on aurait été en surnombre ; ajoutez-y tout ce que nous devions y garder en dépôt : tout le matériel qui devait servir par la suite à former l'univers, démonté et concentré de telle manière qu'on ne pouvait réussir à reconnaître ce qui, par la suite, devait faire partie de l'astronomie (comme la nébuleuse d'Andromède) de ce qui était destiné à la géographie (par exemple les Vosges) ou à la chimie (comme certains isotopes de béryl). En plus de ça, on se cognait toujours dans les meubles de la famille Z'zu, dans ses lits de camp, ses matelas et ses paniers ; ces Z'zu, si on n'y prêtait pas attention, sous le prétexte qu'ils étaient une famille nombreuse, ils faisaient comme s'ils avaient été seuls au monde : ils prétendaient même mettre des cordes à travers le point pour étendre leur lessive.

Les autres aussi avaient d'ailleurs des torts envers les Z'zu, à commencer par cette appellation d'« immigrés », basée sur le motif spécieux que, tandis que les autres étaient là depuis le début, eux n'y étaient arrivés qu'après. Il me paraît bien clair que c'était là un préjugé sans fondement, étant donné qu'il n'existait ni un avant ni un après ni un ailleurs d'où l'on aurait pu immigrer, mais d'aucuns soutenaient que le concept d'« immigrés » pouvait être entendu dans son acception pure, c'est-à-dire indépendamment de l'espace et du temps.

Nous avions alors, disons-le, une mentalité étroite, mesquine. C'était la faute du milieu où nous nous étions formés. Une mentalité qui est demeurée au fond de nous tous, remarquez-le : elle continue à se manifester aujourd'hui encore, si par hasard deux d'entre nous se rencontrent — à l'arrêt de l'autobus, dans un cinéma, ou dans un congrès international de dentistes — et ils se mettent à se rappeler cette époque. Nous nous saluons — tantôt c'est quelqu'un qui me reconnaît, tantôt c'est moi qui reconnais quelqu'un —, et aussitôt nous nous mettons à nous demander des nouvelles de l'un ou de l'autre (même si chacun se rappelle seulement certains de ceux dont les autres se souviennent), et ainsi on se rattache aux querelles d'un autre temps, à ses méchancetés et à ses dénigrements. Tant qu'on n'a pas nommé Mme $Ph(i)Nk_0$ — tous les discours en finissent toujours là —, et alors, tout d'un coup, toutes les choses mesquines sont abandonnées, et on se sent soulevés comme par une commotion heureuse et généreuse. Mme $Ph(i)Nk_0$, la seule qu'aucun de nous n'a oubliée, et celle que tous nous regrettons. Où a-t-elle fini ? Depuis longtemps j'ai cessé de la rechercher : Mme $Ph(i)Nk_0$, ses seins, ses hanches, son peignoir orange, nous ne la rencontrerons plus, ni dans ce système de galaxies ni dans un autre.

Qu'il soit bien clair que la théorie selon laquelle l'univers, après avoir atteint un degré d'extrême raréfaction, recommencera à se condenser, et qu'à partir de là nous nous retrouverons en ce point unique pour ensuite tout recommencer encore, cette théorie ne m'a jamais convaincu. Et cependant, tant d'entre nous ne comptent que là-dessus, ils continuent à faire des projets pour le moment où on sera de nouveau tous là. Le mois dernier, j'entre dans un café, là, à l'angle, et qui je vois ? M. Pber[t] Pber[d].

— Que faites-vous de beau ? Quel bon vent vous amène ?

J'apprends qu'il est représentant de matières plastiques, à Pavie. Il est resté tel qu'il était, avec sa dent en argent et ses bretelles à fleurs.

— Quand on y retournera, me dit-il à voix basse, il faudra faire attention à une chose, c'est que cette fois certaines gens restent à la porte...

Nous nous sommes compris : ces Z'zu...

J'aurais voulu lui répondre que ce discours, je l'avais déjà entendu de la bouche de plus d'un des nôtres, avec ce commentaire : « Nous nous sommes compris... M. Pber[t] Pber[d]... »

Pour ne pas me laisser aller sur cette pente, je me dépêchai de lui dire :

— Et Mme Ph(i)Nk$_0$ vous croyez que nous la retrouverons ?

— Ah, oui... Oui, elle..., fait-il en rougissant.

Pour nous tous, l'espoir de retourner dans le point, c'est avant tout l'espoir de s'y retrouver encore ensemble avec Mme Ph(i)Nk$_0$. (Et même pour moi, qui n'y crois pas.) Et dans ce café, comme il arrive toujours, nous nous mîmes à l'évoquer, tout émus, et même le caractère antipathique de M. Pber[t] Pber[d] s'effaçait devant ce souvenir.

Le grand secret de Mme Ph(i)Nk$_0$, c'est qu'elle n'a jamais provoqué de jalousie entre nous. Et même pas des commérages. Il était notoire qu'elle couchait avec son ami, M. De XuaeauX. Mais, dans un point, s'il y a un lit, il occupe tout le point, et par conséquent il s'agit non pas d'*aller* au lit, mais d'*être*, parce que quiconque est dans le point est aussi dans le lit. En conséquence, il était inévitable qu'elle couchât aussi avec chacun de nous. Si ç'avait été une autre personne, Dieu sait tout ce qu'on aurait dit derrière son dos. La femme de ménage était toujours celle qui donnait libre cours aux médisances, et les autres ne se faisaient pas prier pour l'imiter. Sur les Z'zu, pour changer, que de choses horribles on entendait dire : père, filles, frères, sœurs, mère, tantes, pas un n'échappait aux insinuations louches. Avec elle au contraire c'était tout différent : la félicité qui me venait d'elle était à la fois celle qu'il y avait à me dissimuler, moi punctiforme, en elle, et celle qu'il y avait à la protéger, elle punctiforme, en moi-même, c'était une contemplation vicieuse (étant donné la promiscuité convergente et punctiforme de tous en elle) et à la fois chaste (étant donné son impénétrabilité punctiforme à elle). En somme, que pouvais-je demander de plus ?

Et tout cela, qui était vrai pour moi, valait en même temps pour chacun des autres. Et pour elle : elle contenait et elle était contenue avec une joie égale, et elle nous accueillait, nous aimait et nous habitait également.

On était bien ainsi, tous ensemble, de cette façon ; mais il fallait que quelque chose d'extraordinaire arrivât. Il aura suffi qu'à un certain moment elle dise : « Mes enfants, si j'avais un peu de place, comme il me serait agréable de vous faire des tagliatelles. » À

cet instant même, nous pensâmes tous à l'espace
qu'occuperaient ses bras ronds en allant d'avant en
arrière avec le rouleau sur la feuille de pâte, sa poitrine descendant sur le grand tas de farine et d'œufs
qui encombraient le vaste plan de travail, cependant que ses bras la pétriraient toujours et encore,
blancs et pommadés d'huile jusqu'au-dessus du
coude ; nous pensâmes à l'espace qu'occuperaient
la farine, et le blé pour faire la farine, et les champs
pour cultiver le blé, et les montagnes d'où descen-
drait l'eau pour irriguer les champs, et les pâtura-
ges pour les troupeaux de veaux qui fourniraient la
viande pour la sauce ; à l'espace qu'il faudrait pour
que le Soleil arrive à faire mûrir le blé ; à l'espace
pour qu'à partir des nuages de gaz stellaires, le
Soleil se condense et s'enflamme ; à la quantité
d'étoiles et de galaxies et d'ensembles galaxiques en
fuite dans l'espace qu'il faudrait pour maintenir à
sa place chaque galaxie, chaque nébuleuse, chaque
soleil, chaque planète ; et dans le temps même où
nous y pensions, cet espace, inépuisablement, se formait ; dans le temps même où Mme $Ph(i)Nk_0$ pro-
nonçait ces paroles : « Des tagliatelles, hein, mes
enfants ! », le point qui la contenait, elle et nous tous,
ce point se dilatait en rayonnant sur des distances
d'années-lumière et de siècles-lumière et de milliards
de millénaires-lumière, et nous voilà envoyés aux
quatre coins de l'univers (M. Pber[t] Pber[d] jusqu'à
Pavie), et elle-même dissoute en je ne sais quelle
espèce d'énergie lumineuse et chaleureuse, Mme
$Ph(i)Nk_0$, celle qui, au milieu de notre petit monde

clos et mesquin, avait été capable d'un élan généreux, le premier de tous — « Mes enfants, quelles
tagliatelles je vous ferais manger ! » —, un véritable
élan d'amour général, donnant au même instant
naissance au concept d'espace, et à l'espace proprement dit, et au temps, et à la gravitation univer-
selle, et à l'univers gravitant, rendant possibles des
milliards et des milliards de soleils, de planètes, de
champs de blé ; et de madames $Ph(i)Nk_0$ dispersées
à travers les continents des planètes, et qui pétris-
sent la pâte de leurs bras huilés, généreux et enfari-
nés, tandis qu'elle depuis ce moment-là est perdue,
et que nous tous la regrettons.

Sans les couleurs

Avant de former son atmosphère et ses océans, la Terre devait avoir l'aspect d'une boule grise roulant dans l'espace. Comme maintenant la Lune : là où les rayons ultraviolets, irradiés par le Soleil, arrivent sans avoir à traverser aucun écran, les couleurs manquent ; c'est pour cette raison que les roches de la surface de la Lune, au lieu qu'elles soient colorées comme les roches terrestres, sont d'un gris mort et uniforme. Si la Terre montre un visage multicolore, c'est grâce à l'atmosphère, qui filtre cette lumière néfaste.

Un peu monotone — *confirma Qfwfq* —, mais reposant. J'avançais sur des milles et des milles avec une grande rapidité, comme il arrive quand il n'y a pas d'air, et je ne voyais que gris sur gris. Pas de contrastes nets : le blanc tout à fait blanc, s'il y en avait, se trouvait au centre du Soleil, et on ne pouvait seulement pas en approcher le regard ; et de noir tout à fait noir, il n'y en avait pas non plus,

pas même le noir de la nuit, étant donné le grand
nombre d'étoiles toujours visibles. Et devant moi
s'ouvraient des horizons non interrompus par les
chaînes montueuses qui commençaient tout juste à
pointer, grises, autour des plaines de pierres grises ;
et j'avais beau traverser un continent après l'autre,
je n'arrivais jamais à aucune rive, parce que les
océans, les lacs et les fleuves s'étendaient qui sait où
sous la terre.

Les rencontres, en ces temps-là, étaient rares : nous
étions si peu nombreux ! Avec l'ultraviolet, pour
tenir bon, il fallait savoir se contenter de peu. Surtout, le manque d'atmosphère se faisait sentir de bien
des façons ; voyez par exemple les météores : ils tombaient en grêle de tous les points de l'espace, parce
qu'il manquait la stratosphère sur laquelle maintenant ils tapent comme sur une verrière, avant de se
désintégrer. Puis, le silence : vous pouviez bien crier !
Sans l'air pour les vibrations, nous étions tous sourds
et muets. Et la température ? Il n'y avait rien, nulle
part, pour conserver la chaleur du Soleil : avec la nuit
venait un froid à durcir à jamais. Par chance, la
croûte terrestre se réchauffait de l'intérieur, avec tous
ces minéraux en fusion qui se comprimaient dans les
viscères des planètes ; les nuits étaient courtes
(comme les jours : la Terre tournait sur elle-même
beaucoup plus vite) ; moi je dormais enlacé à une
roche très chaude ; le froid sec tout autour était un
plaisir. En somme, quant au climat, pour être sin-
cère, moi, personnellement, je ne me trouvais pas trop
mal.

Parmi tant de choses indispensables qui nous manquaient, vous comprendrez que l'absence des couleurs était un problème mineur : même si nous avions su qu'elles existaient, nous les aurions considérées comme un luxe hors de propos. Unique inconvénient, l'effort qu'il fallait faire pour voir, quand il y avait à chercher quelqu'un ou quelque chose, parce que tout étant également incolore, il n'y avait pas une forme qui se distinguât clairement de ce qui se trouvait derrière elle ou autour. À grand-peine, on réussissait à isoler ce qui bougeait : un fragment de météorite qui roulait quelque part, un gouffre sismique s'ouvrant et serpentant, ou un jaillissement de lapilli.

Ce jour-là, je courais à travers un amphithéâtre de roches poreuses comme de l'éponge, tout percé d'arcs derrière lesquels s'ouvraient d'autres arcs : en somme, un lieu accidenté où l'absence de couleurs se nuançait des teintes d'ombres concaves. Et entre les piliers de ces arcs incolores, je vis comme un éclair incolore qui courait très vite et qui disparaissait et reparaissait plus loin : deux lueurs vives accouplées qui apparaissaient et disparaissaient d'un coup ; je ne m'étais pas encore rendu compte de ce que c'était que, déjà amoureux, je courais à la poursuite des yeux de Ayl.

Je m'engageai dans un désert de sable : j'avançai en m'enfonçant entre les dunes toujours de quelque façon différentes et pourtant quasiment pareilles. Selon le point d'où on les regardait, les crêtes des dunes semblaient être les saillies de corps étendus.

Là semblait se modeler un bras replié sur une tendre poitrine, avec la paume tendue sous une joue inclinée ; plus loin, un jeune pied semblait s'avancer, avec son mince orteil. Je m'arrêtai pour observer toutes ces possibles analogies, je laissai passer une grande minute avant de me rendre compte que sous mes yeux j'avais non pas une ligne de sable, mais l'objet de ma poursuite.

Elle était là, couchée, incolore, vaincue par le sommeil sur le sable incolore. Je m'assis à côté. C'était la saison — maintenant je le sais — où l'ère ultraviolette touchait à sa fin pour notre planète ; une façon d'être qui allait finir déployait la pointe extrême de sa beauté. Rien jamais n'avait couru la Terre, rien d'aussi beau que l'être que j'avais sous mes yeux.

Ayl ouvrit les yeux. Elle me vit. Je crois que d'abord elle ne me distingua pas — comme il m'était arrivé à moi-même pour elle — du reste de ce monde sableux ; puis qu'elle reconnut en moi la présence inconnue qui l'avait suivie, et qu'elle en éprouva de la peur. Mais à la fin elle sembla se rendre compte de notre communauté de substance, et elle eut, entre la timidité et le rire, un battement du regard qui me fit de bonheur lancer un hurlement plaintif et silencieux.

Je me mis à converser, tout par gestes.

— Sable. Pas sable, dis-je, montrant d'abord notre environnement et nous deux ensuite.

Elle fit signe que oui, qu'elle avait compris.

— Roche. Pas roche, fis-je, ne fût-ce que pour continuer à développer ce thème.

C'était une époque où nous ne disposions pas de très nombreux concepts : et par exemple ce n'était pas une entreprise facile que de désigner ce que nous étions, en ce que nous avions, nous deux, qui nous était à la fois commun et différent.

— Moi. Toi pas moi, réussis-je à lui expliquer par gestes.

Elle en fut contrariée.

— Oui. Toi comme moi, mais comme çi comme ça, corrigeai-je.

Elle était un peu rassurée, mais elle se méfiait encore.

— Moi, toi, ensemble, cours, cours, réussis-je à dire.

Elle éclata de rire et se sauva.

Nous courions sur la crête des volcans. Dans la grisaille de midi, le mouvement des cheveux de Ayl et les langues de feu qui s'élevaient des cratères se confondaient en un battement d'ailes pâle et identique.

— Feu. Cheveux, lui dis-je. Feu égale cheveux.

— Elle semblait convaincue.

— N'est-ce pas que c'est beau ? demandai-je.

— Beau, répondit-elle.

Déjà le Soleil déclinait en un crépuscule blanchâtre. Sur un escarpement, les rayons frappant de biais faisaient briller quelques pierres opaques.

— Pierres là pas pareilles. N'est-ce pas que c'est beau ? dis-je.

— Non, répondit-elle.

Et elle détourna son regard.

— Pierres là, n'est-ce pas que c'est beau ? insistai-je, montrant le gris brillant des pierres.

— Non.

Elle se refusait à regarder.

— À toi, moi, pierres là ! lui offris-je.

— Non, pierres ici ! répondit Ayl.

Et elle saisit une poignée de ces pierres opaques. Mais j'avais déjà couru devant.

Je revins avec les pierres brillantes que j'avais ramassées ; mais je dus la forcer pour qu'elle les prît.

— Beau ! cherchais-je à la convaincre.

— Non ! protestait-elle.

Mais ensuite elle les regarda ; éloignées maintenant du reflet du soleil, c'étaient des pierres opaques comme les autres ; et seulement alors elle dit :

— Beau !

Vint la nuit, la première que je passais enlacé autrement qu'à un rocher, et pour cette raison peut-être elle me parut cruellement plus courte. Si la lumière à tout moment tendait à effacer Ayl et à faire douter de sa présence, l'obscurité me rendait la certitude qu'elle était bien là.

Le jour revint, la Terre fut de nouveau grise ; et je regardai tout autour de moi, et je ne la voyais pas. Je lançai un cri muet : « Ayl ! Pourquoi t'es-tu sauvée ? » Mais elle était devant moi, et elle aussi de son côté me cherchait, et silencieusement elle cria ; « Qfwfq ! Où es-tu ? » Jusqu'à ce que notre regard se fût réhabitué à sonder cette luminosité caligineuse et à reconnaître la ligne d'un sourcil, d'un coude, ou d'une hanche.

Alors, j'aurais voulu combler Ayl de cadeaux, mais rien ne me paraissait digne d'elle. Je recherchais tout ce qui se distinguait de quelque façon à la surface uniforme du monde, tout ce qui y faisait une tache ou une bigarrure. Mais bien vite je dus me rendre à cette évidence que, Ayl et moi, nous n'avions pas les mêmes goûts, si même ils n'étaient exactement opposés : tandis que je cherchais un autre monde, par-delà cette patine blafarde qui tenait prisonnières les choses, et que j'en guettais le plus petit signe, ou l'ouverture la plus minime (en vérité quelque chose commençait à changer ; en certains points l'absence de couleurs semblait parcourue de lueurs changeantes), Ayl, au contraire, était l'habitante heureuse de ce silence qui règne là d'où est exclue toute vibration ; pour elle, tout ce qui si peu que ce fût venait rompre une neutralité visuelle absolue était une fausse note stridente ; pour elle, la beauté commençait là ou le gris avait tué en lui-même toute velléité d'être quelque chose d'autre que du gris.

Comment pouvions-nous nous entendre ? Rien dans le monde comme il se présentait à nos regards n'était en mesure d'exprimer ce que nous ressentions l'un pour l'autre ; et cependant que moi-même je brûlais de tirer des choses des vibrations inconnues, elle voulait réduire chaque chose à l'en-deçà incolore de leur substance ultime.

Une météorite traversa le ciel, selon une trajectoire qui la fit passer devant le Soleil ; son enveloppe fluide et enflammée, un instant, filtra les

rayons solaires, et d'un coup le monde fut plongé
dans une lumière jamais vue. Des abîmes violets
s'ouvraient au pied des roches orangées, et mes
mains devenues mauves montraient le bolide vert,
flamboyant, tandis qu'une pensée pour laquelle
aucune parabole n'existait encore voulait éclater
dans ma gorge :

— Ça pour toi ! De moi, ça pour toi, maintenant, oui c'est beau !

Et en même temps je me retournai, très désireux
de voir de quelle manière Ayl resplendissait dans la
transfiguration générale ; mais je ne la vis pas,
comme si, avec la fracture soudaine du vernis incolore, elle avait trouvé la façon de se dissimuler et
de s'échapper par les craquelures de la mosaïque.

— Ayl ! N'aie pas peur, Ayl ! Montre-toi et
regarde !

Mais déjà l'arc de la météorite s'était éloigné du
Soleil, et la Terre était reconquise par le gris de toujours, encore plus gris à mes yeux éblouis, et indistinct, opaque, et Ayl n'y était pas.

Elle avait vraiment disparu. Je la cherchai pendant une longue alternance de jours et de nuits.
C'était l'époque où le monde essayait les formes
qu'il prendrait par la suite : il les essayait avec la
matière disponible ; même si elle n'était tout à fait
indiquée, et il était bien entendu qu'il n'y avait là
rien de définitif. Des arbres de lave couleur de fumée
étendaient leurs ramifications compliquées d'où
pendaient de minces feuilles d'ardoise. Des papillons
de cendre, survolant les prés d'argile, se balançaient

au-dessus de marguerites de cristal opaque. Ayl pouvait être aussi bien l'ombre incolore, qui se balançait d'une branche de la forêt incolore, ou qui se
penchait pour cueillir sous un buisson gris des champignons gris. Cent fois je crus l'avoir découverte,
cent fois l'avoir perdue. Je passai des landes désertiques aux régions habitées. En ce temps, en prévision des mutations à venir, d'obscurs constructeurs
modelaient les images prématurées d'un futur éventuel très lointain. Je traversai une métropole de
nuraghes ; je passai une montagne percée de galeries comme une thébaïde ; j'arrivai à un port qui
s'ouvrait sur un océan de boue ; j'entrai dans un jardin où sur des plates-bandes de sable s'élevaient, très
haut dans le ciel, des menhirs.

La pierre grise des menhirs était parcourue par un
réseau de veinules grises à peine dessinées. Je m'arrêtai. Au milieu de ce parc, Ayl jouait avec ses compagnes. Elles lançaient en l'air une boule de quartz
et elles la rattrapaient au vol.

La boule, lancée trop fort, vola jusqu'à portée
de mes mains, et je m'en emparai. Les compagnes
s'égaillèrent à sa recherche ; moi, quand je vis que
Ayl était seule, je lançai la boule en l'air et je la rat-
trapai au vol. Ayl accourut ; moi, en me dissimulant, je lançai la boule de quartz, et ainsi j'attirai
Ayl vers des endroits toujours plus à l'écart. Puis je
me montrai ; elle me gronda ; puis elle rit ; et ainsi,
en jouant, nous traversions des pays inconnus.

En ce temps-là, les stratifications de la planète
recherchaient laborieusement un équilibre à coups

de tremblement de terre. Une secousse parfois soulevait le sol, et entre Ayl et moi des crevasses par-
dessus lesquelles nous continuions à lancer la boule
de quartz. Par ces gouffres, les éléments comprimés
au cœur de la Terre trouvaient le chemin de leur
libération, et alors nous en voyions sortir tantôt des
éclats de roches, tantôt des nuages fluides qui se
répandaient, et tantôt le jaillissement d'éléments en
ébullition.

Jouant toujours avec Ayl, je m'aperçus qu'une
couche gazeuse s'étendait et s'épaississait sur la
croûte terrestre, comme un brouillard bas qui montait peu à peu. Juste auparavant, il nous arrivait aux
chevilles, et maintenant nous étions déjà jusqu'aux
genoux ; et bientôt jusqu'aux hanches... Devant ce
phénomène grandissait dans les yeux de Ayl une
ombre d'incertitude et de peur ; moi je ne voulais
pas l'alarmer, et donc je continuais le jeu comme si
de rien n'avait été, mais j'étais moi aussi plongé
dans l'anxiété.

C'était une histoire qu'on n'avait jamais vue :
une immense bulle fluide se gonflait autour de la
Terre et l'enveloppait entièrement ; bientôt elle nous
couvrirait de la tête aux pieds, avec qui sait quelles
conséquences.

Je lançai la boule à Ayl, par-dessus une fente qui
s'ouvrait dans le sol ; mais le tir fut, inexplicable-
ment, plus court qu'il n'était dans mes intentions,
et la balle tomba dans le gouffre ; voilà : elle était
devenue tout d'un coup très pesante, ou bien non :
c'était l'abîme qui s'était énormément élargi, et main-

tenant Ayl était très loin, par-delà une étendue
liquide et ondoyante qui s'était ouverte entre nous
et qui écumait contre la côte rocheuse, et moi je me
tenais sur cette côte en criant : « Ayl ! Ayl ! », et
ma voix, le son, précisément le son de ma voix, se
propageait, très fort, comme jamais je ne l'avais
imaginé possible, et les vagues faisaient un bruit
qui cependant couvrait ma voix. En somme : on ne
comprenait plus rien à rien.

Je portai mes mains à mes oreilles assourdies, et
en même temps j'éprouvai le besoin de me boucher
le nez et la bouche, pour ne pas aspirer le fort
mélange d'oxygène et d'azote qui m'entourait, mais
l'instinct le plus fort fut de me couvrir les yeux dont
il me semblait qu'ils éclataient.

La masse liquide qui s'étendait à mes pieds était
brusquement devenue d'une couleur nouvelle, qui
m'aveuglait, et j'explosai, en un hurlement inarticulé
qui d'ici peu allait assumer une signification bien précise :

— Ayl ! La mer est bleue !

Le grand changement, depuis si longtemps attendu, était advenu. Sur la Terre, il y avait maintenant l'air et l'eau. Et sur cette mer bleue tout juste
venue au monde, le Soleil se couchait, plein de couleur lui aussi, et d'une couleur tout à fait différente,
et encore plus violente. Si bien que j'éprouvai le
besoin de continuer à pousser mes cris inarticulés,
du genre :

— Comme le Soleil est rouge ! Ayl ! Ayl ! Quel
rouge !

La nuit tomba. L'obscurité aussi était différente.
Je courais, je cherchais Ayl, émettant des sons qui
n'avaient ni queue ni tête, pour exprimer ce que je
voyais :

— Les étoiles sont jaunes ! Ayl ! Ayl !

Je ne la retrouvai ni cette nuit-là ni dans les jours
et les nuits qui suivirent. Autour de moi, le monde
étalait toujours de nouvelles couleurs, des nuages
roses se condensaient en cumuli violets qui lançaient des éclairs dorés ; après les orages, de longs
arcs-en-ciel annonçaient des teintes qui ne s'étaient
encore jamais vues, avec toutes les possibilités de
combinaison. Et déjà la chlorophylle se mettait en
marche : les mousses et les fougères verdoyaient dans
les allées traversées de torrents. C'était en somme
le décor qui convenait à la beauté de Ayl ; mais elle
n'était pas là ! Et sans elle, tout ce luxe multicolore
me semblait inutile, comme un gaspillage.

De nouveau je parcourais la Terre, je revoyais les
choses que j'avais connues grises, chaque fois ahuri
de voir que le feu était rouge, la glace blanche, le
ciel bleu, la terre brune, et que les rubis avaient la
couleur du rubis, et les topazes celles de la topaze,
et les émeraudes la couleur émeraude. Et Ayl ? J'avais
beau fantasmer autant que j'en étais capable, je ne
pouvais arriver à imaginer comment elle se serait
offerte à mon regard.

Je retrouvai le jardin des menhirs, désormais
tout verdoyant avec ses arbres et sa pelouse. Dans
les vasques avec les jets d'eau, nageaient les poissons rouges, jaunes et bleus. Les compagnes de Ayl

sautaient toujours sur les prés en se lançant leur boule iridescente ; mais comme elles avaient changé ! L'une était blonde, avec la peau blanche ; une autre brune et de peau olivâtre ; une autre, châtain, et la peau rose ; une autre, un peu rousse, et la peau toute mouchetée d'innombrables et ravissantes taches de rousseur.

— Et Ayl ? criai-je. Et Ayl ? Où est-elle ? Comment est-elle ? Pourquoi n'est-elle pas avec vous ?

Leurs lèvres étaient rouges, et blanches leurs dents, et roses leurs langues et leurs gencives. Et roses, encore, les pointes de leurs seins. Les yeux étaient bleu aigue-marine, noir griotte, noisette et amarante.

— Mais… Ayl… répondaient-elles. Elle n'est plus là… On ne sait pas…

Et elles recommençaient à jouer.

J'essayais d'imaginer la chevelure et la peau de Ayl, avec toutes les couleurs possibles et imaginables, et je n'y arrivais pas, et ainsi, lancé à sa recherche, j'explorais la surface du globe.

« Si elle n'est pas là-dessus, pensai-je, cela veut dire qu'elle est dessous ! » Et au premier tremblement de terre que je rencontrai, je m'élançai dans un gouffre, jusqu'au fond, jusque dans les entrailles de la Terre.

— Ayl ! Ayl ! appelai-je dans le noir. Ayl ! Viens voir comme c'est beau dehors !

Épuisé, sans voix, je me tus. Et c'est alors que me répondit la voix de Ayl, très basse, calme :

— Ssst. Je suis ici. Pourquoi cries-tu comme ça ? Que veux-tu ?

On n'y voyait rien.

— Ayl ! Sors avec moi ! Si tu savais : dehors...

— Ça ne me plaît pas, dehors.

— Mais toi-même, avant...

— Avant, c'était avant. Maintenant, c'est diffé-rent. Avec tout ce remue-ménage...

Je mentis :

— Mais non, il y a eu un changement de lumière provisoire. Comme la fois des météorites ! Mainte-nant, c'est fini. Tout est redevenu comme avant. Viens, n'aie pas peur. « Si elle sort, pensai-je, passé le premier moment de confusion, elle s'habituera aux couleurs, elle sera contente, et elle comprendra que j'avais menti pour son bien. »

— Tu dis la vérité ?

— Pourquoi te raconterais-je des histoires ? Viens, laisse-moi t'emporter dehors.

— Non. Toi, va devant. Je te suis.

— Mais je suis impatient de te revoir.

— Tu me reverras quand je le voudrai bien. Va devant, et ne te retourne pas.

Les secousses telluriques nous ouvraient le che-min. Les couches rocheuses s'écartaient en éventail, et nous avancions dans les interstices. J'entendais dans mon dos le pas léger de Ayl. Encore un trem-blement de terre et nous étions dehors. Je courais entre les degrés de basalte et de granit qui se tour-naient comme les pages d'un livre : déjà s'entrou-vrait au fond la brèche par où nous devions revenir à l'air libre, déjà au-delà de l'ouverture apparais-sait la croûte terrestre, ensoleillée et verte, déjà la

lumière se frayait un passage à notre rencontre.
Oui, maintenant je pouvais voir s'allumer les couleurs sur le visage de Ayl... Je me retournai pour la
regarder.

Je l'entendis crier, tandis qu'elle se renfonçait
dans l'obscurité ; mes yeux encore éblouis un peu
par la lumière ne distinguaient rien ; puis le grondement du tremblement de terre domina tout, et
une muraille rocheuse se dressa tout d'un coup, verticale, et nous sépara.

— Ayl ! Où es-tu ? Essaie de passer par là, vite,
avant que la roche ne se tasse.

Et je courais le long de la muraille, cherchant un
passage ; mais la surface lisse et grise s'étendait
indéfiniment, compacte, sans une fissure.

Une énorme chaîne de montagnes s'était formée
à cet endroit. Et tandis que moi-même j'avais été
projeté au-dehors, à l'air libre, Ayl était restée derrière la muraille rocheuse, enfermée dans les entrailles
de la Terre.

— Ayl ! Où es-tu, Ayl ? Pourquoi n'es-tu pas là ?

Et je promenai mon regard sur le paysage qui
s'étendait à mes pieds. Alors, d'un coup, ces prés
vert petit pois sur lesquels étaient en train d'éclore
les premiers coquelicots écarlates, ces champs jaune
canari qui découpaient les collines fauves dégrin-
golant vers une mer pleine de scintillements bleus,
tout cela m'apparut tellement insipide, tellement
banal, tellement faux, tellement opposé à la personne
de Ayl, au monde de Ayl, à l'idée de la beauté de
Ayl, que je compris à quel point sa place n'aurait

plus jamais pu être *de ce côté-ci*. Et je me rendis compte avec effroi et douleur que moi j'étais resté *de ce côté-ci*, que jamais je ne pourrais fuir ces miroitements dorés et argentés, ces petits nuages qui passaient du bleu au rose, ces feuilles qui jaunissaient chaque automne, et que le monde parfait de Ayl était perdu pour toujours, au point que je ne pouvais plus seulement l'imaginer, et qu'il ne restait plus rien pour me le rappeler, même de loin, rien sinon cette froide muraille de pierre grise.

Jeux sans fin

Les galaxies s'éloignant, la raréfaction de l'univers est compensée par la formation de nouvelles galaxies, composées de matière qui se crée ex novo. *Pour conserver de façon stable la densité moyenne de l'univers, il suffit que se crée un atome d'hydrogène tous les deux cent cinquante millions d'années pour quarante centimètres cubes d'espace en expansion. (Cette théorie, dite de « l'état stationnaire », a été opposée à l'autre hypothèse, selon laquelle l'univers aurait eu son origine en un moment précis, à la suite d'une explosion gigantesque.)*

J'étais encore un enfant que déjà je m'en étais aperçu — *raconta Qfwfq.* Les atomes d'hydrogène, je les connaissais un par un, et quand il en venait au monde un nouveau, je m'en apercevais aussitôt. Au temps de mon enfance, pour jouer, nous n'avions dans tout l'univers que les atomes d'hydrogène, et moi et un autre enfant de mon âge qui

s'appelait Pfwfp, nous n'arrêtions pas de jouer
avec.

Comment était notre jeu ? C'est bien simple.
L'espace étant courbe, nous faisions courir les atomes sur sa courbure, comme des billes, et celui qui
envoyait son atome le plus loin avait gagné. Pour
lancer l'atome, il fallait bien calculer les effets, les trajectoires, il fallait savoir exploiter les champs magnétiques et les champs de gravitation, autrement la
petite bille finissait en dehors de la piste et elle était
éliminée de la partie.

C'étaient les règles habituelles : avec un atome,
on pouvait en toucher un autre à soi, et le pousser
en avant, ou bien au contraire faire sortir l'un des
atomes ennemis. Naturellement, on faisait attention à ne pas taper trop fort, parce qu'avec le choc
de deux atomes d'hydrogène, tic ! on pouvait en former un de deutérium, ou même d'hélium, et alors
ils étaient perdus pour la partie ; et non seulement
cela, mais si un des deux appartenait à l'adversaire,
il fallait encore le lui rembourser.

Vous savez comment est faite la courbure de
l'espace : une petite bille tourne, elle tourne, et à un
moment elle s'emballe sur la pente, elle s'éloigne, et
il n'est plus question de l'attraper. Ainsi, à mesure
qu'on jouait, le nombre des atomes mis en jeu diminuait continuellement, et le premier de nous deux
qui n'en avait plus avait perdu la partie.

Et voilà que, juste au moment décisif, de nouveaux
atomes commençaient à apparaître. On sait qu'il y
a une sensible différence entre l'atome neuf et l'atome

usagé : les neufs étaient lustrés, clairs, tout frais, humides comme de rosée. Nous établîmes de nouvelles règles : qu'un des neufs valait autant que trois des vieux ; et que les neufs, à peine se formaient-ils, devaient être répartis également entre nous deux.

De cette façon, notre jeu ne finissait jamais, et on ne s'ennuyait même pas, parce qu'à chaque fois que nous nous retrouvions avec des atomes neufs, il nous semblait que le jeu, lui aussi, était neuf et que c'était notre première partie.

Puis avec le temps, à force, le jeu se fit plus mou. On ne voyait plus d'atomes neufs : les atomes perdus n'étaient plus remplacés, nos tirs devenaient faibles, hésitants, car nous avions peur de perdre les quelques pièces qui restaient en jeu, dans cet espace lisse et morne.

Pfwfp lui-même avait changé : il était distrait, il faisait un tour, il n'était pas là quand c'était à lui de tirer, je l'appelais et il ne répondait pas, il reparaissait au bout d'une demi-heure.

— Alors, c'est à toi, qu'est-ce que tu fais, tu ne joues plus ?

— Si, je joue, ne me casse pas les pieds, maintenant je tire.

— Oui, si tu t'en vas tout seul, on arrête la partie !

— La barbe ! tu fais des histoires parce que tu perds.

C'était vrai, je n'avais plus d'atomes, tandis que Pfwfp, qui sait comment ? en avait toujours un en réserve. S'il n'apparaissait pas de nouveaux atomes que nous nous partagerions, je n'avais plus aucune chance de reprendre jamais l'avantage.

À peine Pfwfp se fut-il éloigné de nouveau, je le suivis sur la pointe des pieds. Tant qu'il était en ma présence, il semblait flâner au hasard, en sifflotant, mais une fois hors de mon rayon, il se mettait à trotter dans l'espace avec une démarche très attentive, comme quelqu'un qui a en tête un programme bien précis. Et ce qu'était son programme — sa fourberie, comme vous allez le voir —, je ne tardais pas à le découvrir : Pfwfp connaissait tous les endroits où se formaient des atomes neufs, et de temps en temps il y faisait un tour et puis il les cueillait là, à l'endroit même, à peine servis, et puis il les cachait. Si bien que les atomes à jouer ne lui manquaient pas !

Mais avant de les mettre en jeu, en tricheur convaincu qu'il était, il les maquillait en vieux atomes, frottant un peu la pellicule des électrons jusqu'à la rendre tout usée et opaque, pour me faire croire qu'il s'agissait d'un de ses atomes du début, retrouvé dans sa poche par hasard.

Et ce n'était pas tout ; j'avais rapidement calculé le nombre d'atomes déjà joués et je m'étais rendu compte de ce qu'ils ne constituaient qu'une petite partie de tous ceux qu'il dérobait et cachait. Il était en train de se mettre de côté un dépôt d'hydrogène ! Pour quoi en faire ? Qu'avait-il en tête ? Un soupçon me vint : Pfwfp voulait se construire un univers pour lui-même, flambant neuf.

À partir de ce moment, je n'eus plus de paix : je devais lui rendre la monnaie de sa pièce. J'aurais pu l'imiter ; maintenant que je connaissais les endroits, j'aurais pu y arriver avec quelques minutes d'avance et m'emparer des atomes tout juste nés, avant qu'il n'y eût touché ! Mais cela aurait été trop simple. Je voulais lui tendre un piège digne de sa perfidie. D'abord, je me mis à fabriquer de faux atomes ; tandis qu'il s'occupait à ses expéditions malhonnêtes, moi, dans ma cachette secrète, je malaxais, dosais et agglutinais tout le matériel que je pouvais, trouver. En vérité, c'était bien peu de chose : des radiations photoélectriques, de la limaille de champ magnétique, quelque misérable neutrino égaré ; mais à force de rouler ces choses en boule et de les humecter de salive, je réussis à faire tenir tout ensemble. En somme, je préparais des sortes de corpuscules dont il était clair, si on les observait attentivement, qu'ils n'étaient pas à proprement parler de l'hydrogène ni aucun élément qu'on pût nommer ; mais aux yeux de quelqu'un qui passait en vitesse comme Pfwfp pour les attraper et les fourrer dans sa poche d'un mouvement furtif, ils pouvaient avoir l'air d'hydrogène véritable et tout neuf.

Aussi, alors qu'il ne suspectait encore rien, je le précédai dans son tour. J'avais bien noté les endroits dans mon esprit.

L'espace est courbe partout, mais il y a des points où il est plus courbe qu'ailleurs : des espèces de poches ou d'étranglements ou de niches, où le vide se roule sur lui-même. C'est dans ces niches que, avec un tintement léger, tous les deux cent cinquante millions d'années, se forme, comme la perle

entre les valves de l'huître, un brillant atome d'hydrogène. Je passais, j'empochais l'atome, et à sa place
j'en déposais un faux. Pfwfp ne s'apercevait de rien :
rapace, glouton, il se remplissait les poches de ces
balayures, tandis que, de mon côté, j'accumulais tous
les trésors que l'univers au fil des temps couvait
dans son sein.

Le destin de nos parties changea ; j'avais toujours des atomes neufs à faire courir, alors que
ceux de Pfwfp faisaient long feu. Par trois fois il
tenta de tirer, et par trois fois l'atome s'effrita
comme s'il s'écrasait dans l'espace. Maintenant,
Pfwfp cherchait toutes les excuses pour saboter la
partie.

— Allons ! (Je le harcelais.) Si tu ne tires pas, la
partie est pour moi.

Et lui :

— Ça ne compte pas ; quand un atome s'abîme,
la partie est nulle et on recommence tout.

C'était une règle inventée par lui, pour l'occasion.

Je ne lui laissais pas de répit, je dansais autour
de lui, je sautais à cheval sur ses épaules et je chan-
tais :

> *Tiretiretiretire*
> *Si tu ne tires pas*
> *tu te retires*
> *autant de tirs que tu ne tires pas*
> *autant de tirs je tirerai.*

— Assez, dit Pfwfp, changeons de jeu.

— Oui ! dis-je moi-même. Et si on jouait à faire voler des galaxies ?

— Des galaxies ? (Aussitôt Pfwfp resplendit de joie.) Ça me va ! Mais toi... toi tu n'as pas de galaxie !

— Moi si.

— Moi aussi.

— Bien ! À qui la fait voler le plus haut !

Et je lançai dans l'espace tous les atomes neufs que je tenais cachés. Pour commencer ils semblèrent se disperser, puis ils se condensèrent comme en un léger nuage, et le nuage grandit, grandit, et en son cœur se formèrent des condensations incandescentes qui roulaient et roulaient sur elles-mêmes et enfin elles se mirent en spirale, une spirale de constellations jamais vues qui se balançait en s'ouvrant en jet d'eau, et qui s'en allait, s'en allait, et moi, en courant, je la tenais par la queue. Mais désormais ce n'était plus moi qui faisais voler la galaxie, c'était la galaxie qui me faisait voler, j'étais accroché à sa queue, ou, si vous voulez, il n'y avait plus ni haut ni bas, mais seulement l'espace qui se dilatait, et la galaxie au milieu qui se dilatait elle aussi, et moi accroché en train de faire des grimaces en direction de Pfwfp, distant déjà de milliers d'années-lumière.

Pfwfp, à mon premier mouvement, s'était dépêché de sortir tout son butin et de le lancer, accompagnant son geste de ce mouvement balancé qu'on a quand on s'attend à voir s'ouvrir dans le ciel les enroulements d'une galaxie infinie. Au lieu de cela, rien. Il y eut une friture de radiations, un scintillement désordonné, et tout de suite cela s'éteignit.

— C'est tout ? criai-je quant à moi à Pfwfp, qui m'invectivait par-derrière, vert de rage.

— Tu me le paieras, chien de Qfwfq, je te le dis !

Mais ma galaxie et moi, pendant ce temps, nous volions entre des milliers de galaxies, et la mienne était la plus neuve, le firmament entier en était jaloux, brûlante comme elle l'était de jeune hydrogène et de très jeune béryl et de carbone enfant. Les galaxies anciennes, dévorées d'envie, nous fuyaient, et nous, piaffants et hautains, nous les fuyions aussi, en les voyant si démodées et si pesantes. Dans cette fuite réciproque, nous finissions par traverser des espaces toujours plus raréfiés et vides : et voilà que je revoyais, au milieu du vide, pointer çà et là comme d'incertaines éclaboussures de lumière. C'étaient toutes les nouvelles galaxies, formées de matière tout juste née, des galaxies déjà plus jeunes que la mienne. Très vite l'espace redevenait touffu et plein comme une vigne avant la vendange, et on volait en se fuyant les uns les autres, ma galaxie fuyant les plus jeunes comme les anciennes, les jeunes et les anciennes nous fuyant. Et dans notre vol nous traversâmes des cieux vides, et ces cieux à leur tour se peuplaient de nouveau, et ainsi de suite.

Au cours d'un de ces repeuplements, voilà que j'entends : « Qfwfq, maintenant tu me le paies, traître ! » et je vois une galaxie absolument neuve voler sur nos traces, et debout à l'extrême pointe de la spirale, en train de brailler des menaces et des insultes, mon vieux compagnon de jeux, Pfwfp.

La poursuite commença. Où l'espace remontait, la galaxie de Pfwfp, jeune et agile, gagnait du terrain ; mais où l'espace redescendait, la mienne, parce qu'elle était plus lourde, reprenait l'avantage.

On connaît le secret des courses : tout vient de la manière de prendre les virages. La galaxie de Pfwfp tendait à les prendre serrés, et la mienne, au contraire, larges. Mais à force de les prendre larges, voilà que nous finissons par être projetés en dehors du bord de l'espace, avec Pfwfp derrière. Nous continuons notre course comme on fait en pareil cas, c'est-à-dire en créant l'espace devant soi au fur et à mesure qu'on avance.

Ainsi, devant moi j'avais le néant, et dans mon dos j'avais cette sale tête de Pfwfp qui me suivait : des deux côtés, le spectacle était antipathique. Et donc, je préférais regarder devant moi ; et qu'est-ce que je vois ? Pfwfp, que mon regard venait à peine de laisser derrière moi, courait sur sa galaxie, droit devant moi :

— Ah ! criai-je. Maintenant, c'est à moi de te poursuivre !

— Comment ? fit Pfwfp, de derrière moi ou de devant, je ne sais trop, puisque c'est moi qui te poursuis !

Je me retournai : Pfwfp était toujours sur mes talons. Je me retournai encore et regardai devant moi : il y était, et s'enfuyait en me tournant le dos. Mais en regardant mieux, je vis que devant cette

galaxie où il était, qui me précédait, il y en avait
une autre, et que cette autre c'était la mienne, si
bien que j'étais moi-même dessus, sans équivoque
possible, encore que vu de dos. Et je me retournai
vers le Pfwfp qui me poursuivait et, regardant mieux,
je vis que sa galaxie était suivie par une autre galaxie,
la mienne, avec moi à son sommet, moi-même, et
précisément j'étais en train de me retourner pour
regarder en arrière.

Et ainsi derrière chaque Qfwfq il y avait un
Pfwfp, et derrière chaque Pfwfp un Qfwfq, et chaque Pfwfp poursuivait un Qfwfq et il en était poursuivi, et vice versa. Les distances entre nous tantôt
diminuaient un peu, tantôt grandissaient légèrement,
mais désormais il était clair que l'un ne rattraperait
jamais l'autre, ni celui-ci le premier. Nous avions
tout à fait perdu le goût de jouer à nous pourchas-
ser ; et d'ailleurs nous n'étions plus des enfants ;
mais désormais, il ne nous restait plus rien d'autre
à faire.

L'oncle aquatique

*Les premiers vertébrés qui, au cours du Carboni-
fère, abandonnèrent la vie aquatique pour la vie terrestre, dérivaient de poissons osseux à poumons, dont
les nageoires pouvaient se rouler sous le corps et servir de pattes sur terre.*

Désormais il était clair que les temps aquatiques
étaient finis — *se rappela le vieux Qfwfq* —, ceux
qui se décidaient à sauter le grand pas étaient chaque jour plus nombreux, il n'y avait pas une
famille qui n'eût l'un de ses chers membres au sec,
tout le monde racontait des choses extraordinaires
sur ce qu'on pouvait faire sur la terre ferme, et on
y appelait les parents. Désormais plus personne ne
pouvait retenir les jeunes poissons, ils agitaient leurs
nageoires sur les rives boueuses, pour voir si elles
fonctionnaient en tant que pattes, ce que les plus
doués avaient réussi. Mais précisément, à cette époque, les différences entre nous s'accentuaient : il y

avait la famille qui vivait sur terre depuis plusieurs générations, et dont les plus jeunes rejetons exhibaient des manières qui n'étaient même plus d'amphibies, mais déjà quasiment de reptiles ; et il y avait celui qui s'attardait encore à faire le poisson et qui, de ce fait, devenait plus poisson qu'on ne l'avait jamais été autrefois.

Notre famille, je dois le dire, grands-parents en tête, gambillait sur la plage, au complet, comme si nous n'avions jamais connu d'autre vocation. N'eût été l'obstination du grand-oncle N'ba N'ga, tout contact avec le monde aquatique aurait été perdu depuis longtemps.

Oui, nous avions un grand-oncle poisson, et plus précisément du côté de ma grand-mère paternelle, née Cœlacanthe du Dévonien (de la branche d'eau douce — qui serait en fait cousine de l'autre — mais je ne veux pas m'étendre sur le degré de parenté, d'autant plus que d'habitude personne ne réussit à les suivre). Donc, ce grand-oncle habitait dans certaines eaux basses et bourbeuses, entre des racines de proto-conifères, dans ce bras de lagune où étaient venus au monde tous nos ancêtres. Il ne bougeait jamais de là : quelle que fût la saison, il suffisait de s'avancer sur les couches de végétation les plus molles, aussi longtemps qu'on ne risquait pas de s'enfoncer dans l'eau, et là-dessous, à quelques pieds du bord, nous voyions la colonne montante de petites bulles qu'il dégageait en soufflant, comme font les gens d'un certain âge, ou encore le petit nuage de boue qu'il soulevait quand il grattait avec son museau pointu, toujours à fouiller bien plus par habitude que dans l'espoir de trouver quelque chose.

— Oncle N'ba N'ga ! Nous sommes venus vous voir ! Vous nous attendiez ? criions-nous, pataugeant dans l'eau avec nos pattes et nos queues pour attirer son attention. Nous vous avons apporté des nouveaux insectes qui poussent vers chez nous ! Oncle N'ba N'ga ! Avez-vous déjà vu des blattes aussi grosses ? Goûtez donc si cela vous plaît…

— Vous feriez mieux de vous enlever toutes ces sales verrues que vous avez partout, avec vos blattes puantes !

La réponse du grand-oncle était toujours une phrase de ce genre, ou même quelque chose d'encore plus grossier : c'est de cette façon qu'à chaque fois il nous accueillait ; mais nous n'y prenions pas garde, parce que nous savions que bien vite il finissait par se radoucir, qu'il accepterait les cadeaux et qu'il parlerait sur un ton plus civil.

— Mais quelles verrues, oncle N'ba N'ga ? Quand est-ce que tu nous as vu des verrues ?

Cette affaire de verrues, c'était un préjugé des vieux poissons croyant qu'à vivre au sec, il nous venait des tas de verrues sur tout le corps, d'où suintait une matière liquide ; ce qui n'était pas faux, en effet, mais pour les crapauds seulement, qui n'avaient rien à voir avec nous ; tout au contraire, notre peau était lisse et glissante, comme nul poisson n'en avait jamais eu ; et le grand-oncle le savait bien, mais il ne pouvait renoncer à enfiler dans ses discours toutes les calomnies et toutes les préventions au milieu desquelles il avait grandi.

Nous allions rendre visite au grand-oncle une fois l'an, toute la famille au complet. C'était aussi une occasion pour nous retrouver, les uns et les autres, éparpillés comme nous l'étions sur le continent, et nous échangions des nouvelles et des insectes comestibles, et nous discutions les vieux problèmes d'intérêts demeurés en suspens.

Le grand-oncle prenait part à des conversations dont les objets se trouvaient à des kilomètres et des kilomètres de terre ferme, comme par exemple le partage des zones de chasse aux libellules, et il donnait raison aux uns ou aux autres selon ses propres critères, qui étaient toujours aquatiques.

— Mais tu ne sais pas que celui qui chasse sur le fond a toujours un avantage sur celui qui chasse à la surface ? Pourquoi te fais-tu du souci, dans ces conditions ?

— Mais, mon oncle, voyez-vous, il ne s'agit pas de surface ou de fond ; moi, je suis au pied de la colline, lui, à mi-côte... Les collines, voyez-vous, mon oncle...

Et lui :

— C'est au pied des rochers qu'il y a toujours les meilleures écrevisses.

Il n'y avait pas à lui faire admettre une réalité différente de la sienne.

Et cependant, son jugement continuait à faire autorité pour nous tous : nous finissions par lui demander conseil en des matières où il ne connaissait rien, quand bien même nous savions qu'il pouvait se tromper du tout au tout. Peut-être son autorité lui venait-elle précisément de ce qu'il était un vestige du passé, et de ses façons de parler très anciennes du type : « Baisse un peu tes nageoires, c'est bon ! » dont on ne saisissait plus bien la signification.

Plusieurs fois, nous avions essayé de l'amener à terre avec nous, et nous continuions à essayer ; et même sur ce point les rivalités entre les différents rameaux de la famille ne s'étaient jamais apaisées, parce que celui qui aurait réussi à emmener le grand-oncle chez lui se serait trouvé dans une position disons de supériorité par rapport à toute la parenté. Mais c'était une rivalité inutile : le grand-oncle n'envisageait nullement de quitter la lagune.

— Mon oncle, à l'âge où vous êtes arrivé, si vous saviez combien il nous déplaît de vous laisser ainsi toujours seul, en pleine humidité… Il nous est venu, savez-vous, une idée…, commencions-nous à dire.

— Je m'attendais à ce que vous ayez compris, interrompait le vieux poisson, voilà que vous avez perdu le goût de patauger au sec, il est bien temps que vous recommenciez à vivre comme des êtres normaux. Ici il y a de l'eau pour tout le monde, et pour ce qui est de manger, la saison des lombrics n'a jamais été aussi bonne. Allez, venez dans l'eau tout de suite et n'en parlons plus.

— Mais non, oncle N'ba N'ga, qu'avez-vous donc compris ? Nous voulions vous emmener habiter avec

nous, dans un beau petit pré… Vous verrez qu'on s'y
trouve bien, nous vous creuserons un petit fossé
bien humide et bien frais, vous pourrez vous y
retourner comme vous aimez exactement comme
ici ; vous pourrez aussi essayer de faire quelques pas
aux environs, vous verrez que vous réussirez. Et
puis à votre âge le climat de la terre est plus indiqué. Donc, oncle N'ba N'ga, vous ne vous faites
plus prier ; vous venez ?

— Non !

C'était la sèche réponse du grand-oncle ; et, plon-
geant dans l'eau, il disparaissait de notre vue.

— Mais pourquoi donc, mon oncle, qu'avez-vous
contre, nous ne comprenons pas, vous qui avez des
idées si larges, ces préjugés…

S'ébrouant à fleur d'eau, avant de plonger d'un
coup de queue avec encore bien de l'agilité, le grand-
oncle lançait son ultime réplique : « Il nage à plat
ventre dans la boue, celui qui a des puces entre les
écailles ! » Ce qui devait être une expression de son
temps (du genre de notre nouveau proverbe, bien
plus rapide : « Qui ça démange se gratte »), avec
cette expression, « boue », dont il continuait à se servir partout où nous-mêmes disions « terre ».

Ce fut à cette époque que je tombai amoureux.
Je passais mes journées avec Lll ; nous nous pour-
chassions ; d'agile comme elle, on n'en avait jamais
vu ; les fougères, qui en ce temps étaient hautes
comme des arbres, elle y montait jusqu'au faîte d'un
seul élan, et les faîtes des fougères s'inclinaient quasiment jusqu'au sol, et elle sautait à terre et repre-

nait sa course ; moi, avec des mouvements un peu plus lents et gauches, je la suivais. Nous nous engagions dans des territoires de l'intérieur où aucune empreinte n'avait jamais marqué le sol sec et croûteux ; parfois, je m'arrêtais, épouvanté de m'être tellement éloigné de la région des lagunes. Mais personne ne paraissait plus éloigné de la vie aquatique qu'elle, Lll : les déserts de sable et de pierre, les prairies, l'épaisseur des forêts, les saillies rocheuses, les montagnes de quartz, cela c'était son monde ; un monde qui semblait fait tout exprès pour être regardé par ses yeux oblongs et parcouru par son pas rapide. Et quand on la regardait, belle, lisse, il semblait que jamais n'avaient existé écailles ni squames.

Les parents de Lll me faisaient un peu peur ; ils étaient d'une de ces familles qui, pour s'être établies à terre à une époque plus ancienne, avaient fini par se convaincre qu'elles s'y trouvaient depuis toujours ; une de ces familles où désormais même les œufs étaient déposés au sec, protégés qu'ils étaient par une coquille résistante ; et Lll, à la regarder quand elle sautait ou partait comme une flèche, on comprenait qu'elle était née telle qu'elle était maintenant, d'un de ces œufs chauffés dans le sable sous le soleil, sautant à pieds joints par-dessus la phase flottante et dandinante du têtard, encore de rigueur dans nos familles moins évoluées.

Le moment était venu que Lll fasse connaissance avec les miens ; et le plus ancien et considérable membre de la famille étant le grand-oncle N'ba N'ga, je ne pouvais éviter de lui faire une visite pour lui présenter ma fiancée. Mais toutes les fois qu'il y avait une occasion, je demeurais plein d'embarras : connaissant les préjugés dans lesquels elle avait été élevée, je n'avais pas encore osé dire à Lll que mon grand-oncle était un poisson.

Un jour, nous nous étions engagés sur un de ces promontoires détrempés qui entourent la lagune, où le sol plutôt que de sable est fait d'un enchevêtrement de racines et de végétations pourries. Et Lll me proposa un de ses habituels défis ou épreuves de courage :

— Qfwfq, jusqu'où es-tu capable de garder ton équilibre ? Jouons à celui qui court le plus près du bord !

Et elle se lança en avant, sautant comme sur la terre ferme, mais avec un peu d'hésitation dans ses gestes.

Cette fois je me sentais à même non seulement de l'égaler, mais de la vaincre, parce que sur l'humide mes pattes avaient plus de prise que les siennes.

— Jusque sur le bord autant que tu veux ! m'exclamai-je. Et même plus loin si tu veux !

— Ne dis pas de sottises ! fit-elle. Plus loin, comment peut-on courir ? C'est de l'eau !

Peut-être était-ce le moment favorable pour amener le discours sur le grand-oncle.

— Eh bien ? lui dis-je. Il y en a qui courent de ce côté du bord, et d'autres de l'autre.

— Tu dis des choses sans queue ni tête !

— Je dis que mon grand-oncle N'ba N'ga est dans l'eau comme nous sur la terre, et il n'en est jamais sorti !

— Ah bon ! Je voudrais vraiment le connaître, ce N'ba N'ga !

Elle n'avait pas fini de parler que la surface trouble de la lagune bouillonna de petites bulles, tourbillonna un peu et laissa affleurer un museau tout recouvert d'écailles épineuses.

— Bon, c'est moi, qu'y a-t-il ? dit le grand-oncle, fixant Lll de ses yeux ronds et inexpressifs comme des pierres, et faisant remuer ses branchies de part et d'autre de son énorme gueule.

Jamais le grand-oncle ne m'était apparu aussi différent de nous autres : bel et bien un monstre.

— Mon oncle, si vous le permettez, voici… j'aimerais avoir le plaisir justement de vous présenter… celle qui doit devenir mon épouse, Lll.

Et je montrai ma fiancée, qui s'inclina parce qu'elle s'était mise droite sur ses pattes de derrière, une de ses attitudes les plus recherchées, et certainement de celles que le vieux rustre pouvait le moins apprécier.

— Et comme ça, mademoiselle, vous êtes venue vous tremper un peu la queue ? fit le grand-oncle, une sortie qui dans son temps aurait peut-être bien pu être une galanterie, mais qui à nos oreilles sonnait tout à fait comme une indécence.

Je regardai Lll, sûr de la voir se retourner et s'enfuir avec un glapissement scandalisé. Mais j'avais mal mesuré la profondeur d'une éducation qui lui faisait ignorer toutes les vulgarités du monde environnant.

— Voyez-vous, ces petites plantes, là, fait-elle,

désinvolte (et elle montre des joncacées gigantes-
ques qui poussaient au milieu de la lagune), les
racines, dites-moi, où vont-elles se plonger ?

Une de ces questions comme on en pose, juste
pour entretenir la conversation ; figurez-vous comme
cela lui importait, à elle, les joncacées ! Mais le grand-
oncle apparemment n'attendait pas autre chose
pour se mettre à expliquer le pourquoi et le comment des racines des arbres flottants et de quelle
façon on pouvait nager au milieu ; les endroits les
plus indiqués pour la chasse se trouvaient même là-
dessous.

Il n'en finissait pas. Moi je n'en pouvais plus, je
cherchais à l'interrompre. Mais cette impertinente,
au contraire, que fait-elle ? Ne lui tient-elle pas
l'échelle ?

— Ah oui, vous allez à la chasse entre les racines flottantes ? Intéressant !

Je m'effondrai de honte.

Et lui :

— Pas d'histoires, les lombrics qu'on y trouve,
c'est un festin !

Sans attendre, il plonge. Un plongeon agile comme
jamais je ne lui en avais vu faire ; et même, avec un
saut en l'air : il bondit hors de l'eau, se découvrant
de tout son long, avec ses écailles toutes maculées de
boue, déployant les éventails épineux de ses nageoires ; puis après avoir décrit dans l'air un beau demi-
cercle, il retombe dans l'eau la tête la première, et il
disparaît avec une espèce de mouvement en vrille
de sa queue en forme de croissant.

À ce spectacle, le petit discours que je m'étais préparé pour me justifier en hâte auprès de Lll dès que le grand-oncle se serait éloigné : « Tu sais, il faut le comprendre, avec cette idée fixe qu'il a de vivre comme un poisson, il a fini par ressembler vraiment à un poisson... », me resta dans la gorge. Moi-même, je ne m'étais jamais rendu compte jusqu'à ce moment-là à quel point était poisson le frère de ma grand-mère. Tout juste si je pus dire : « Lll, il est tard, partons... », et déjà le grand-oncle revenait à la surface tenant entre ses lèvres de squale un feston de lombrics et d'algues fangeuses.

Je n'y croyais plus, quand nous prîmes congé ; mais trottant silencieux derrière Lll, je pensais qu'elle allait commencer à faire ses commentaires, c'est-à-dire que pour moi le pire était encore à venir. Et voilà que Lll, sans s'arrêter, se retourne à peine vers moi, et :

— Quand même, sympathique, ton oncle !

Elle dit cela, et rien d'autre. Devant son ironie, plus d'une fois déjà je m'étais trouvé désarmé ; mais le froid qui me saisit à cette sortie fut tel que j'aurais préféré ne plus la revoir plutôt que de devoir affronter de nouveau ce sujet.

Au contraire, nous continuâmes à nous voir, à sortir ensemble, et on ne parla plus de l'épisode de la lagune. Mais je n'étais pas vraiment rassuré : j'avais beau tout faire pour me convaincre qu'elle l'avait oublié, de temps à autre je me prenais à soupçonner qu'elle se taisait afin de me faire honte de quelque façon spectaculaire, devant les siens, ou

encore — et c'était là une hypothèse encore plus
sombre — que par pure compassion elle s'efforçait
de parler d'autre chose. Jusqu'à ce que, de but en
blanc, un beau matin, elle dit :

— Mais dis donc, tu ne m'emmènes plus chez
ton oncle ?

Avec un filet de voix, je demandai :

— … Tu plaisantes ?

Eh non : elle parlait sérieusement, elle avait hâte
de retourner tailler une bavette avec le vieux N'ba
N'ga. Je n'y comprenais plus rien.

Cette fois, la visite dans la lagune fut plus longue. Nous étions étendus sur une berge en pente,
tous les trois : le grand-oncle plutôt du côté de
l'eau, mais nous-mêmes à moitié dans l'eau, si bien
qu'en nous voyant de loin, allongés tout à côté les
uns des autres, on n'aurait pas pu dire qui était terrestre et qui était aquatique.

Le poisson attaqua un de ses grands airs favoris ;
la supériorité de la respiration à eau sur celle à air,
avec tout le répertoire de ses dénigrements. « Maintenant, voilà que Lll va se cabrer et lui donner la réplique ! » pensai-je. Mais non, ce jour-là Lll employait
une autre tactique : elle discutait avec ardeur, défendant nos propres points de vue, mais comme si elle
prenait très au sérieux ceux du vieux N'ba N'ga.

Les terres émergées, selon le grand-oncle, constituaient un phénomène limité ; elles allaient disparaître comme elles étaient apparues, ou, en tout cas,
elles seraient sujettes à de continuels changements :
volcans, glaciations, tremblements de terre, fronce-

ments de terrain, mutations de climat et de végétation. Et notre vie, là-dedans, aurait à affronter ces transformations continuelles, au travers desquelles des populations entières disparaîtraient, et ne pourrait survivre que celui-là seulement qui serait disposé à changer tellement les bases de sa propre existence, que les raisons pour lesquelles il avait été un temps beau de vivre en auraient été complètement bouleversées et oubliées.

C'était là une perspective qui heurtait l'optimisme dans lequel nous autres, fils de la côte, avions été élevés ; et à laquelle je répondais par des protestations scandalisées. Mais pour moi, la vraie, la vivante réfutation de tous ces arguments, c'était Lll : je voyais en elle la forme parfaite définitive, née de la conquête des territoires émergés, la somme des capacités nouvelles et illimitées qui s'ouvraient à nous. Comment pouvait-il, le grand-oncle, prétendre nier la réalité incarnée en Lll ? Je flambais de passion polémique, et il me semblait que ma compagne se montrait bien trop patiente et compréhensive avec notre contradicteur.

Bien sûr, même pour moi — habitué comme je l'étais à n'entendre de la bouche du grand-oncle que des grognements et des invectives — cette argumentation ainsi poursuivie sonnait comme une nouveauté, encore qu'assaisonnée d'expressions archaïques et d'emphase, et rendue comique par sa cadence caractéristique. Il était étonnant aussi de l'entendre témoigner d'une compétence minutieuse — quoique tout extérieure — quant aux terres continentales.

Mais Lll, avec ses questions, cherchait à le faire parler le plus possible de la vie sous-marine ; et sans doute c'était là le thème sur quoi le discours du grand-oncle se faisait le plus fourni, et par moments émouvant. Au regard des incertitudes de la terre et de l'air, les lagunes, les mers et les océans représentaient un avenir de sécurité. Là, les changements devaient être minimes, l'espace et les provisions sans limites, et la température trouverait pour toujours son équilibre, en somme la vie devait se perpétuer comme elle s'était déroulée jusque-là, dans ses formes pleines et parfaites, sans métamorphoses ou additions d'issue douteuse, et chacun pourrait y approfondir sa propre nature et arriver à l'essence de soi et de toute chose. Le grand-oncle parlait de l'avenir aquatique sans embellissements et sans illusions, il ne se cachait pas les problèmes quelquefois graves qui risquaient de se présenter (le plus préoccupant de tous était l'aggravation de la salinité) ; mais c'étaient des problèmes qui ne devaient pas bouleverser les valeurs ou les proportions auxquelles lui-même croyait.

— Mais nous maintenant nous galopons par monts et par vaux, mon oncle ! m'exclamai-je, en mon nom propre mais surtout en celui de Lll, qui au contraire demeurait muette.

— Bah, têtard, il suffit que tu reviennes à l'eau, tu reviens chez toi ! m'apostropha-t-il, reprenant le ton que je lui avais toujours entendu employer avec nous.

— Ne croyez-vous pas, mon oncle, que nous maintenant si nous voulions apprendre à respirer

sous l'eau, ce serait trop tard ? demanda Lll sérieusement.

Et moi je ne savais pas si je devais me flatter de
ce qu'elle eût appelé son oncle mon vieux parent,
ou être tout désorienté parce que certaines questions (du moins, du point de vue auquel je m'étais
habitué) ne se posaient même pas.

— Si tu y tiens, ma belle, fit le poisson, je te
l'apprends tout de suite !

Lll partit d'un rire étrange, et finalement elle se
mit à courir, à courir si bien qu'on ne pouvait pas la
suivre.

Je la cherchai dans les plaines et sur les collines,
j'atteignis le sommet d'un éperon basaltique qui
dominait tout le paysage de déserts et de forêts
qu'entouraient les mers. Lll était là. C'était sûrement cela qu'elle avait voulu me dire — je l'avais
bien compris ! — avec sa façon d'écouter N'ba N'ga
et puis de s'enfuir pour se réfugier tout en haut :
qu'il fallait demeurer dans notre monde avec la même
force que manifestait le vieux poisson à demeurer
dans le sien.

— Moi, je serai par ici comme l'oncle par là-
bas ! criai-je en bafouillant un peu.

Puis je corrigeai :

— Nous deux, c'est-à-dire ensemble !

Parce qu'il était vrai que sans elle je ne me sentais pas en sécurité.

Et Lll, alors, que me répondit-elle ? Aujourd'hui
encore, je rougis de me le rappeler, après tant d'ères
géologiques. Elle répondit :

— Eh, têtard, il faut bien autre chose !

Et je ne savais pas si elle voulait imiter le grand-oncle, pour se moquer de lui et de moi tout ensemble, ou si en vérité elle avait fait siennes les dispositions de ce vieil imbécile envers son petit-neveu, et l'une et l'autre hypothèses étaient également décourageantes, parce qu'elles signifiaient toutes deux qu'elle me considérait comme à mi-chemin, comme quelqu'un qui n'était chez lui ni dans un monde ni dans l'autre.

L'avais-je perdue ? Dans le doute, je fis tout pour la reconquérir. Je me mis à accomplir des prouesses : dans la chasse aux insectes volants, dans le saut en hauteur, pour creuser des terriers, et dans les luttes avec les plus forts des nôtres. J'étais fier de moi, mais, hélas ! à chaque fois que je me lançais dans quelque entreprise valeureuse, elle n'était pas là pour me voir : elle disparaissait continuellement, on ne savait pas où elle allait se cacher.

À la fin, je compris : elle allait à la lagune où le grand-oncle lui enseignait à nager sous l'eau. Je les vis refaire surface ensemble : ils filaient tous deux à la même vitesse, on les aurait dits frère et sœur.

— Tu sais, fit-elle joyeuse en me voyant, les pattes marchent très bien comme nageoires !

— Oui, ma chère, quel progrès ! ne m'empêchai-je pas de dire, sarcastique.

C'était un jeu, pour elle, je le comprenais. Mais un jeu qui ne me plaisait pas. Je devais la rappeler à la réalité, à l'avenir qui nous attendait.

Un jour je l'attendis au milieu d'un bois de hautes fougères, qui dégringolait sur l'eau.

— Lll, j'ai à te parler, lui dis-je dès que je la vis, maintenant tu t'es assez amusée. Nous avons des choses plus importantes devant nous. J'ai découvert un passage dans la chaîne de montagnes, de l'autre côté s'étend une immense plaine pierreuse abandonnée depuis peu par les eaux. Nous serons les premiers à nous y établir, nous peuplerons des territoires infinis, nous et nos descendants.

— C'est la mer qui est infinie, dit Lll.

— Cesse de répéter les sornettes de ce vieux gâteux. Le monde appartient à ceux qui ont des jambes, et non pas aux poissons, tu le sais.

— Je sais que lui, c'est quelqu'un, dit Lll.

— Et moi ?

— Il n'y a personne chez tous ceux qui ont des jambes qui soit comme lui.

— Et ta famille ?

— Nous sommes brouillés. Ils n'ont jamais rien compris.

— Mais tu es folle ! On ne peut pas revenir en arrière, c'est impossible !

— Moi, si.

— Et que veux-tu faire, toute seule avec un vieux poisson ?

— L'épouser. Redevenir poisson avec lui. Et mettre au monde d'autres poissons. Adieu.

Dans une dernière escalade bien dans son genre, elle monta à la cime d'une feuille de fougère haut placée, elle l'inclina vers la lagune, se laissa tomber et plongea. Elle reparut, mais elle n'était pas seule : la robuste queue en forme de croissant du grand-oncle N'ba N'ga affleura tout près de la sienne et ensemble elles fendirent les eaux.

Ce fut pour moi un rude coup. Mais qu'y faire ? Je continuai ma route, au milieu des transformations du monde, et moi aussi je me transformai. De temps en temps, d'entre toutes les formes d'êtres vivants, je rencontrais quelqu'un qui « était quelqu'un », bien plus que je ne l'étais moi-même : quelqu'un qui annonçait l'avenir, l'ornithorynque allaitant le petit sorti de l'œuf, la girafe dégingandée au milieu de la végétation encore basse ; ou encore quelqu'un qui témoignait d'un passé révolu, un dinosaure survivant alors qu'avait commencé le Cénozoïque, ou bien — le crocodile — un être du passé qui avait trouvé le moyen de se maintenir tel quel au long des siècles. Tous, ils avaient quelque chose, je le sais bien, qui de quelque façon les rendait supérieurs à moi, sublimes, et qui, par comparaison, me rendait médiocre. Et pourtant, je n'aurais échangé ma place avec aucun d'eux.

Combien parions-nous ?

La logique de la cybernétique, appliquée à l'histoire de l'univers, est en passe de démontrer pourquoi les galaxies, le Système solaire, la Terre, la cellule vivante ne pouvaient pas ne pas naître. Selon la cybernétique, l'univers se constitue à travers une série de « rétroactions » positives et négatives, à partir de la force de gravité qui concentre des masses d'hydrogène dans le nuage primitif, puis par la force nucléaire et la force centrifuge qui s'équilibrent avec la première. Dès lors que le processus s'est enclenché, il ne peut que suivre la logique de ces « rétroactions » en chaîne.

Oui, mais au début on ne le savait pas — *précisa Qfwfq* —, ou si vous voulez, on pouvait peut-être le prévoir, mais comme ça, au nez, en essayant de deviner. Moi-même, ce n'est pas pour me vanter, dès le commencement je pariai que l'univers serait, et je tombai juste, et même sur le fait de savoir comment il serait, je gagnai plusieurs paris contre le Doyen (k)yK.

Quand nous commençâmes à parier, il n'y avait encore rien qui pût faire prévoir quoi que ce fût, sinon quelques particules qui tournaient, des électrons lancés ici et là à la va-comme-je-te-pousse, et des protons en haut et en bas, chacun pour leur compte... Soudain, je ne sais pas ce que je sens, comme si le temps allait changer (de fait, il s'était mis un peu au froid) et je dis :

— Parions qu'aujourd'hui il y aura des atomes ?

Et le Doyen (k)yK :

— Allons donc : des atomes ! Je parie que non, tout ce que tu veux.

Et moi :

— Tu irais jusqu'à ix ?

Et le Doyen :

— Ix à la puissance n !

Il n'avait pas fini de parler que déjà, autour de chaque proton, l'électron correspondant s'était mis à tourbillonner en ronflant. Un énorme nuage d'hydrogène était en train de se condenser dans l'espace.

— Tu as vu ? Plein d'atomes !

— Des atomes comme cela, bah, la belle affaire ! répondait (k)yK, parce qu'il avait la mauvaise habitude de se mettre à chicaner, au lieu de reconnaître qu'il avait perdu son pari.

Nous faisions toujours des paris, le Doyen et moi, parce qu'il n'y avait en réalité rien d'autre à faire, et aussi parce que l'unique preuve de mon existence était précisément le fait que je pariais avec lui, et que l'unique preuve de son existence à lui était le fait qu'il pariait avec moi. Nous lancions nos paris sur les événements qui devaient ou ne devaient pas se produire ; le choix était pratiquement illimité, étant donné que jusqu'alors il n'était absolument rien arrivé. Mais comme il n'y avait pas non plus le moindre moyen d'imaginer ce que pouvait être un événement, nous les désignions d'une manière conventionnelle : événement A, événement B, événement C, etc., rien que pour les distinguer entre eux. Ou, si vous voulez, étant donné qu'en ce temps-là les alphabets n'existaient pas, ni aucune autre série de signes conventionnels, nous devions parier pour commencer sur ce qu'aurait pu être une série de signes, et puis nous pouvions accoupler ces signes possibles à de possibles événements de façon à désigner avec une précision suffisante des affaires sur quoi nous ne savions rien du tout.

Quant à l'enjeu des paris, nous ne savions pas ce qu'il était parce qu'il n'y avait rien qui pût être mis en jeu, et en conséquence nous jouions sur parole, tenant le compte des paris gagnés par chacun, pour en faire par la suite la somme. Toutes ces opérations étaient très difficiles, étant donné qu'alors les nombres n'existaient pas, et nous ne possédions même pas le concept de nombre pour commencer à compter, vu que l'on ne réussissait pas à séparer quoi que ce fût de quoi que ce fût.

Cette situation commença à changer lorsque dans les proto-galaxies commencèrent à se condenser les proto-étoiles, et moi je compris tout de suite comment cela allait se terminer, avec cette température qui n'en finissait pas de monter, et je dis :

— Maintenant elles vont s'allumer.

— Plaisanterie ! fit le Doyen.

— Nous parions ? fis-je moi-même.

— Ce que tu veux, fit-il.

Et paf ! L'obscurité se constella de quantité de ballons incandescents qui se dilataient.

— Eh ! mais s'allumer ce n'est pas du tout ça..., commençait (k)yK avec son habituelle manière de déplacer le problème sur les mots.

Moi, en ces occasions, j'avais ma manière pour le réduire au silence :

— Ah oui ? Et qu'est-ce que ça veut dire, d'après toi ?

Lui restait muet ; pauvre d'imagination comme il l'était, à peine un mot commençait-il à avoir une signification qu'il était incapable de songer à un autre sens.

Le Doyen (k)yK, à le fréquenter un peu long-temps, était quelqu'un de plutôt ennuyeux, privé de ressources, il n'avait jamais rien à raconter. Moi-même, du reste, je n'aurais pu raconter grand-chose, étant donné que des faits dignes d'êtres racontés, il ne s'en était pas passé, ou du moins c'est ce qui nous semblait. L'unique possibilité était de faire des hypothèses, ou même, de faire des hypothèses sur la possibilité de faire des hypothèses. Or, pour ce qui est de faire des hypothèses d'hypothèses, j'avais, moi, plus d'imagination que le Doyen, et c'était à la fois un avantage et un désavantage, parce qu'ainsi j'étais porté à faire des paris plus risqués, si bien que l'on peut dire que nos chances de gagner, à lui et à moi, étaient équivalentes.

En général, je tablais sur la chance qu'un événement donné adviendrait, tandis que le Doyen pariait quasiment toujours contre. Il avait un sens statique de la réalité, ce (k)yK, si je peux m'exprimer ainsi, étant donné qu'en ce temps-là, entre statique et dynamique, il n'y avait pas la différence qu'il y a à présent, ou du moins il fallait faire très attention pour la saisir, cette différence.

Par exemple les étoiles grossissaient, et moi :

— De combien ? fais-je.

J'essayais de porter le pronostic sur les nombres parce qu'ainsi il trouverait moins à discuter.

En ce temps-là, des nombres, il y en avait seulement deux : le nombre e et le nombre π. Le Doyen fait un calcul à vue de nez, et il répond :

— De e élevé à la puissance π.

Le rusé compère ! Tout le monde pouvait calculer jusque-là. Mais les choses en réalité n'étaient pas aussi simples, je l'avais compris.

— Parions que ça s'arrête à un certain point.

— Parions. Et quand est-ce que ça s'arrêtera ?

Et moi, au culot, je lui lance mon π. Bien. Le Doyen n'en revint pas.

De ce moment, nous commençâmes à parier sur la base de e et de π.

— π ! criait le Doyen au milieu de l'obscurité parcourue de lueurs.

Mais non, cette fois-là c'était e.

Nous faisions cela pour nous amuser, on le comprend ; parce qu'il n'y avait rien à gagner. Quand les éléments commencèrent à se former, nous nous mîmes à spécifier le montant des enjeux en atomes des éléments les plus rares, et là je fis une erreur. J'avais vu que le plus rare de tous c'était le technétium, et je me mis à parier en technétium ; et à gagner, et à encaisser : j'accumulai un gros capital de technétium. Je n'avais pas prévu que c'était un élément instable, et qui s'en allait tout en radiations : je dus repartir de zéro.

Bien sûr, moi aussi je ratais des coups, mais ensuite je reprenais l'avantage et alors je pouvais me permettre quelque pronostic risqué.

— Maintenant arrive un isotope de bismuth ! me hâtais-je de dire, regardant les éléments à peine nés se détacher en crépitant du creuset d'une étoile « supernova ». Parions !

Mais non : c'était un atome de polonium, parfaitement constitué.

Dans ces cas-là, (k)yK se mettait à ricaner, à ricaner, comme si ses victoires étaient d'un grand mérite, tandis que c'était seulement une impulsion risquée de ma part qui l'avait favorisé. Mais par contre, plus j'avançais, mieux je comprenais le mécanisme, et devant chaque phénomène nouveau, après quelques mises un peu hasardeuses, je calculais mes pronostics en connaissance de cause. La règle selon laquelle une galaxie se fixait à tant d'années-lumière d'une autre, pas une de plus, pas une de moins, j'arrivais à la comprendre toujours bien avant lui.

Au bout d'un peu de temps cela devenait tellement aisé que je n'y trouvais même plus d'intérêt.

Ainsi, à partir des données dont je disposais, je m'exerçais à déduire mentalement d'autres données, et à partir de celles-là d'autres encore, au point que je réussissais à proposer des éventualités qui apparemment n'entraient pour rien dans ce dont nous discutions. Et je les jetais dans la discussion, mine de rien.

Par exemple, nous étions en train de faire des pronostics sur la courbure des spirales galactiques, et tout d'un coup je sors :

— Maintenant, écoute un peu, (k)yK. D'après toi, est-ce que les Assyriens l'envahiront, la Mésopotamie ?

Il fut désorienté.

— La... quoi ? Quand ?

Je calculai en vitesse et je lui lançai une date, pas en années ni en siècles naturellement, parce qu'alors les mesures de temps n'étaient pas appréciables en grandeurs de ce type. Et pour indiquer une date précise nous devions recourir à des formules tellement compliquées que, pour les écrire, je devrais recouvrir tout un tableau noir.

— Et comment peut-on savoir... ?

— Vite, (k)yK, ils l'envahissent ou non ? Pour moi, ils l'envahissent ; pour toi, non. Tu marches ? Allez, ne traîne pas.

Nous étions toujours dans le vide sans limites, strié çà et là par quelque trait d'hydrogène autour des tourbillons des premières constellations. J'admets qu'il fallait des déductions extrêmement complexes pour prévoir les plaines de la Mésopotamie, envahies par des hommes et des chevaux et des flèches et des trompettes, mais puisqu'il n'y avait rien d'autre à faire, on pouvait bien y arriver.

Dans des cas pareils, le Doyen pariait toujours pour la négative, et non pas qu'il pensât que les Assyriens ne réussiraient pas, mais tout simplement parce qu'il n'acceptait pas qu'il dût y avoir jamais des Assyriens, ni de Mésopotamie, de Terre, ni de genre humain.

Cela s'entend, c'étaient là des paris à plus longue échéance que les autres ; différents d'autres cas où le résultat était connu tout de suite.

— Tu vois ce Soleil qui se forme avec un ellipsoïde tout autour ? Vite, avant la formation des planètes, dis-moi à quelle distance les unes des autres seront les orbites ?

Nous avions tout juste fini de parler qu'en huit ou neuf, que dis-je ? six ou sept centaines de millions d'années, les planètes se mettaient à tourner chacune sur son orbite, ni plus étroite ni plus large que prévu.

Cependant je retirais bien plus de satisfaction des paris que nous devions nous rappeler pendant des milliards et des milliards d'années, sans oublier ni l'objet ni le montant de l'enjeu, alors que dans le même temps nous devions nous souvenir des paris à échéance plus rapprochée, et du nombre (l'époque des nombres entiers avait commencé, et cela compliquait un peu les choses) des paris gagnés par l'un ou par l'autre, et du montant des enjeux (mon avantage augmentait sans cesse, le Doyen était endetté jusqu'au cou). Et, en plus de cela, je devais penser à de nouveaux paris, toujours plus loin sur la chaîne des déductions.

— Le 8 février 1926, à Santhià, province de Vercelli, d'accord ? via Garibaldi, au numéro 18, tu me suis ? la demoiselle Giuseppina Pensotti, vingt-deux ans, sort de chez elle à cinq heures quarante-cinq de l'après-midi ; elle prend à droite ou à gauche ?

— Eeeh…, faisait (k)yK.

— Allez, vite. Moi je dis qu'elle va à droite.

Et à travers les nuages de fine poussière, creusés par les orbites des constellations, déjà je voyais monter le petit brouillard vespéral dans les rues de Santhià, et s'allumer un faible réverbère qui parvenait tout juste à signaler la ligne du trottoir dans la neige, et il illuminait un instant l'ombre svelte de Giuseppina Pensotti au moment où elle tournait à l'angle après la bascule de l'octroi ; et elle disparaissait.

Sur ce qui devait arriver aux corps célestes, je pouvais cesser de faire de nouveaux paris et attendre tranquillement d'empocher les mises de (k)yK au fur et à mesure que mes prévisions s'avéraient justes. Mais la passion du jeu m'amenait, à partir de tout événement possible, à prévoir les séries interminables d'événements qui en découlaient, jusqu'aux plus marginaux et aléatoires. Je commençai à jumeler des pronostics sur les faits les plus immédiats et les plus facilement calculables avec d'autres qui

réclamaient des opérations extrêmement complexes.

— Vite, tu vois les planètes, comme elles se con-
densent ? Dis-moi donc sur laquelle se formera une
atmosphère : Mercure ? Vénus ? Terre ? Mars ? Allez,
décide-toi ; et ensuite, cela étant vu, calcule-moi
l'indice de l'accroissement démographique de la
péninsule indienne sous la domination anglaise. Eh
bien, à quoi penses-tu ? Dépêche-toi.

J'avais pris un chemin, je m'étais engagé sur une
voie, au-delà de laquelle les événements grouillaient
et se multipliaient indéfiniment ; il n'y avait plus
qu'à y cueillir à pleines mains et à jeter ce que je
ramassais à la face de mon adversaire, qui n'en avait
jamais supposé l'existence. La fois qu'il me vint à
l'esprit de laisser tomber presque distraitement la
question : « Arsenal-Real Madrid en demi-finale,
Arsenal joue chez lui, qui gagne ? » en une seconde
je compris que là avec ce qui semblait un groupe-
ment fortuit de mots j'avais touché une réserve infinie
de nouvelles combinaisons entre les signes de laquelle
la réalité compacte, opaque et uniforme, devait se
mouvoir pour masquer sa monotonie ; et peut-être
la course vers le futur, cette course que moi-même
d'abord j'avais prévue et souhaitée, ne tendait-elle à
rien d'autre à travers le temps et l'espace qu'à un
émiettement d'alternatives de ce genre, pour enfin se
dissoudre en une géométrie d'invisibles triangles et
rebondissements, semblables au parcours du ballon
entre les lignes blanches du terrain, que je cherchais
à m'imaginer tracées tout au fond du lumineux tour-

billon du système planétaire, déchiffrant les numéros marqués sur la poitrine et le dos des joueurs
nocturnes que leur éloignement empêchait de reconnaître.

Désormais, je m'étais jeté dans ce nouvel espace
du possible, en y jouant tous mes gains précédents.
Qui pouvait m'arrêter ? L'habituelle incrédulité perplexe du Doyen ne servait qu'à m'inciter au risque.
Quand je m'aperçus que j'étais tombé dans un piège,
il était trop tard. J'eus encore la satisfaction —
maigre satisfaction cette fois — d'être le premier à
m'en apercevoir : (k)yK ne semblait pas s'être rendu
compte que la fortune avait désormais tourné en sa
faveur ; mais moi je comptais ses rires, autrefois
rares, et dont maintenant la fréquence augmentait,
augmentait toujours...

— Qfwfq, tu as vu que le pharaon Amenhotep IV
n'a pas eu d'enfants du sexe masculin ? C'est moi qui
ai gagné !

— Qfwfq, tu as vu que Pompée n'a pas eu le dessus sur César ? Je le disais bien !

Et pourtant mes calculs, je les avais vérifiés de
fond en comble, je n'avais négligé aucun élément.
Et s'il avait fallu tout reprendre au début, j'aurais
recommencé à parier comme la première fois.

— Qfwfq, sous l'empereur Justinien, c'est le ver
à soie qui fut amené de Chine à Constantinople, et
non la poudre à canon... Ou bien, est-ce moi qui
me trompe ?

— Mais non, tu as gagné, tu as gagné...

Il était évident que je m'étais laissé aller à faire

des pronostics sur des événements fugaces, impalpables, et j'en avais fait beaucoup, vraiment beaucoup, et à présent je ne pouvais plus revenir en arrière, je ne pouvais pas me corriger. Et du reste, me corriger comment ? Sur quelle base ?

— Donc, Balzac ne fait pas se suicider Lucien de Rubempré à la fin des *Illusions perdues*, disait le Doyen d'une petite voix triomphante qui lui était venue depuis quelque temps, parce que Carlos Herrera, alias Vautrin, le sauve, tu sais ? celui qui était déjà dans *Le Père Goriot*... Alors, Qfwfq, à combien sommes-nous ?

Mon avantage tombait. J'avais mis à l'abri mes gains, convertis en monnaie forte, dans une banque suisse ; mais continuellement je devais retirer de grosses sommes pour faire face à mes pertes. Non pas que je perdisse toujours. Je gagnais encore quelques paris, et même de gros paris, mais les choses avaient changé ; quand je gagnais, je n'étais pas sûr que ce n'était pas le hasard, et que la fois suivante mes calculs ne seraient pas à nouveau déjoués.

Au point où nous en étions, il nous fallait une bibliothèque d'ouvrages à consulter, des abonnements aux revues spécialisées, en plus d'un équipement de machines à calculer pour nos comptes : le tout, comme vous savez, a été mis à notre disposition par une Research Foundation, à laquelle, nous étant établis sur cette planète, nous nous étions adressés afin qu'elle subventionne nos études. Naturellement, les paris avaient l'apparence d'un jeu innocent entre nous deux, et personne ne soupçonnait les grosses sommes qui s'y trouvaient impliquées.

Officiellement nous vivions sur nos modestes mensualités de chercheurs du Centre des prévisions électroniques, avec en plus, pour (k)yK, l'indemnité que lui valait la charge de Doyen, qu'il avait réussi à obtenir de la faculté avec sa façon sempiternelle de ne pas bouger le petit doigt. (Sa prédilection pour l'inactivité n'avait cessé de s'aggraver, au point que maintenant il se présente sous les traits d'un paralytique, dans une chaise roulante.) Ce titre de Doyen, soit dit en passant, n'a rien à voir avec l'ancienneté, parce qu'alors j'aurais quant à moi au moins autant de droits que lui, mais simplement je n'y tiens pas.

Ainsi donc voilà où nous en sommes arrivés. Le Doyen (k)yK, depuis la terrasse de sa villa, assis dans son fauteuil roulant, ses jambes couvertes d'un amas de journaux du monde entier arrivés par le courrier du matin, crie à se faire entendre d'un bout à l'autre du campus :

— Qfwfq, le traité atomique entre la Turquie et le Japon n'a pas été signé aujourd'hui, les pourparlers préliminaires ne sont même pas engagés, tu as vu ? Qfwfq, le meurtrier de la femme de Termini Imerese a été condamné à trois ans, comme je disais, et pas aux travaux forcés !

Et il déploie les pages des quotidiens, blanches et noires comme était l'espace du temps que les galaxies étaient en voie de formation, et remplies — comme alors était l'espace — de corpuscules isolés, entourés de vide, privés par eux-mêmes de sens. Et moi je pense comme il était beau, alors, à travers tout ce vide, de tracer des droites et des paraboles et de localiser le point exact, l'intersection d'espace et de temps où devait survenir l'événement, incontestable, avec tout le relief de son éclat ; tandis qu'à présent les événements tombent sans interruption, comme une coulée de ciment, colonne sur colonne, tous encastrés l'un dans l'autre, séparés les uns des autres par des titres noirs et incongrus, lisibles à volonté mais intrinsèquement illisibles, une pâtée d'événements sans formes et sans directions, qui assiège, submerge, fait trébucher tout raisonnement.

— Tu sais, Qfwfq ? Les cotations à la fermeture aujourd'hui à Wall Street sont tombées de 2 % et non pas de 6 % ! Et dis-moi, l'immeuble construit abusivement sur la via Cassia est de douze étages, pas neuf ! Nearco IV a gagné à Longchamp de deux longueurs. À combien sommes-nous, Qfwfq ?

Les Dinosaures

*Mystérieuses demeurent les causes de la rapide
extinction des Dinosaures, qui avaient évolué et grandi
pendant tout le Triasique et le Jurassique et qui, cent
cinquante millions d'années durant, avaient été les
maîtres incontestés des continents. Peut-être furent-
ils incapables de s'adapter aux grands changements
de climat et de végétation qui se produisirent au cours
du Crétacé. À la fin de cette époque, ils étaient tous
morts.*

Tous sauf moi — *précisa Qfwfq* —, parce que
moi aussi, pendant un certain temps, j'ai été Dinosaure : disons pendant une cinquantaine de millions
d'années ; et je ne le regrette pas ; alors, quand vous
étiez Dinosaure, vous aviez conscience d'être dans
le vrai, et vous vous faisiez respecter.

Puis la situation changea ; il est inutile que je
vous rapporte tous les détails, ce fut le commencement de malheurs en tous genres, défaites, erreurs,

doutes, trahisons, pestes. Une nouvelle population grandissait sur la Terre, qui était notre ennemie. On nous cognait dessus de tous les côtés, et rien n'allait plus. À présent certains disent que le goût de la chute, la passion de l'autodestruction faisaient partie de notre esprit, à nous Dinosaures, depuis longtemps. Je ne sais pas : quant à moi, je n'ai jamais éprouvé un pareil sentiment ; si d'autres l'avaient, c'était parce qu'ils se sentaient déjà perdus.

Je préfère ne pas me ressouvenir du temps de la grande maladie. Jamais je n'aurais cru que j'y échapperais. La longue migration qui me mit à l'abri, je l'accomplis à travers un cimetière de carcasses décharnées, sur quoi une crête, ou une corne, ou un morceau de cuirasse, ou un lambeau de peau tout écaillée rappelaient seuls l'ancienne splendeur de l'être vivant. Et sur ces restes travaillaient les becs, les rostres, les crocs et les ventouses des nouveaux propriétaires de la planète. Quand je ne vis plus traces ni de vivants ni de morts, je m'arrêtai.

Sur ces hauts plateaux désertiques, je passai des années et des années. J'avais survécu aux embuscades, aux épidémies, à l'inanition, au gel : mais j'étais seul. Je ne pouvais pas rester là-haut pour l'éternité. Je me mis en route vers le bas.

Le monde avait changé : je ne reconnaissais plus ni les montagnes, ni les fleuves, ni les plantes. La première fois que j'aperçus des êtres vivants, je me cachai ; c'était une bande de Nouveaux, des individus petits mais puissants.

— Eh, toi !

Ils m'avaient repéré, et tout de suite cette façon familière de m'apostropher me stupéfia. Je me sauvai ; ils me poursuivirent. J'étais habitué depuis des milliers d'années à soulever la terreur de moi et à me terrifier des réactions des autres devant la terreur que je soulevais. À présent, rien de cela :

— Eh toi !

Ils avançaient vers moi comme si de rien n'était, ni hostiles ni épouvantés.

— Pourquoi cours-tu ? Qu'est-ce qui te passe par la tête ?

Ils voulaient seulement que je leur indique la bonne route pour aller je ne sais où. Je bégayai que je n'étais pas de l'endroit.

— Qu'est-ce qui t'a pris de te sauver ? dit l'un d'eux. Il me semblait avoir vu… un Dinosaure !

Et tous les autres éclatèrent de rire. Mais dans ce rire, pour la première fois, je sentis un accent d'appréhension. Ils riaient un peu jaune. Et l'un d'eux se fit grave et ajouta :

— Ne dis pas cela, même pour rire. Tu ne les connais pas…

Par conséquent, la crainte des Dinosaures, chez les Nouveaux, n'avait pas disparu ; mais peut-être n'en avaient-ils pas vu depuis plusieurs générations et ne savaient-ils plus les reconnaître. Je continuai mon chemin, circonspect ; et cependant impatient de répéter l'expérience. À une fontaine buvait une jeune Nouvelle ; elle était seule. Je m'avançai tout doucement, et j'allongeai le cou pour boire à ses côtés ; déjà je pressentais son cri désespéré à peine

m'aurait-elle vu, et sa fuite haletante. Elle donnerait l'alarme, et les Nouveaux viendraient en force
me donner la chasse... Déjà, je me repentais de
mon geste ; si je voulais en réchapper, je devais
sans attendre la mettre en pièces, recommencer...

La jeune Nouvelle se tourna et dit :

— N'est-ce pas qu'elle est fraîche ?

Et elle se mit à converser aimablement, avec des
phrases un peu artificielles, comme on fait avec les
étrangers, me demandant si je venais de loin et si
j'avais eu de la pluie ou bien du beau temps pendant mon voyage. Moi, je n'aurais jamais imaginé
que l'on pût parler de la sorte, avec des non-Dino-
saures, et j'en restai tout contracté et quasiment
muet.

— Moi, je viens toujours boire ici, dit-elle, au
Dinosaure...

Je sursautai, j'ouvris grands mes yeux.

— Oui, oui, c'est ainsi qu'on l'appelle, la fontaine du Dinosaure, depuis très très longtemps. On
dit qu'une fois un Dinosaure s'y était caché, l'un
des derniers, et qu'il sautait sur ceux qui venaient
boire et qu'il les mettait en pièces, maman !

J'aurais voulu disparaître. « Maintenant elle comprend qui je suis, pensai-je, maintenant elle m'observe
et me regarde mieux et elle me reconnaît ! » Et
comme fait celui qui préférerait n'être pas regardé, je
baissais les yeux et je m'entortillais la queue comme
pour la dissimuler. La tension nerveuse était telle
que quand la Nouvelle, toute souriante, me salua et
reprit sa route, je me sentis fatigué comme après

avoir soutenu une bataille, de celles du temps où
l'on se défendait avec les ongles et les dents. Je me
rendis compte que je n'avais pas seulement été capable de lui dire bonjour.

J'arrivai sur la rive d'un fleuve, où les Nouveaux
avaient leurs tanières, et vivaient de la pêche. Pour
créer une boucle du fleuve où l'eau moins rapide
retiendrait les poissons, ils construisaient une digue
de branchages. À peine me virent-ils qu'ils levèrent la tête de dessus leur travail et s'arrêtèrent ; ils
me regardèrent, ils se regardèrent entre eux, comme
s'interrogeant, toujours dans le silence. « Maintenant
nous y sommes, pensai-je, il ne me reste plus qu'à
vendre chèrement ma peau », et je me préparai à
bondir.

Heureusement, je sus me contenir à temps. Ces
pêcheurs n'avaient rien contre moi ; me voyant
robuste, ils voulaient me demander si je pouvais
m'arrêter chez eux et travailler au transport du bois.

— C'est un endroit sans danger, insistèrent-ils
devant mon air perplexe. On n'a pas vu de Dinosaures ici depuis le temps des grands-pères de nos
grands-pères...

Personne ne soupçonnait ce que je pouvais être.
Je m'arrêtai là. Le climat était bon, la nourriture
pas dans nos goûts sans doute mais honnête, et le
travail pas trop pénible vu ma force. Ils m'avaient
surnommé « l'Affreux », parce que j'étais différent
d'eux, sans autre motif. Ces Nouveaux, je ne sais
diable pas comment vous les appelez, les Pantothè-
res ou je ne sais quoi, ils étaient d'une espèce encore

un peu informe, de laquelle par la suite descendirent toutes les autres espèces, et déjà en ce temps-là, d'un individu à un autre, se faisaient jour toutes les ressemblances et dissemblances possibles, si bien que pour ma part, bien que je fusse vraiment d'un autre type, je dus me convaincre de ce que je ne tranchais pas du tout au tout sur les autres.

Cependant je ne m'habituais pas complètement à cette dernière idée : je me sentais toujours un Dinosaure au milieu de l'ennemi, et chaque soir, quand ils se mettaient à raconter des histoires de Dinosaures, transmises de génération en génération, je me plaçais en retrait, dans l'ombre, les nerfs tendus.

C'étaient des histoires terrifiantes. Les auditeurs, pâles, poussaient de temps à autre des cris d'effroi, ils étaient suspendus aux lèvres de celui qui racontait, lequel à son tour trahissait dans sa voix une émotion qui n'était pas moindre. Bien vite, il me fut clair que ces histoires étaient à l'avance connues de tous (pourtant elles constituaient un répertoire assez riche), mais à les écouter, l'effroi se renouvelait chaque fois. Les Dinosaures y paraissaient comme autant de monstres, décrits avec un luxe de détails qui jamais, au grand jamais, n'auraient permis d'en reconnaître un seul, et occupés exclusivement à causer des dommages aux Nouveaux, comme si depuis le début les Nouveaux avaient été les habitants les plus importants de la Terre et que nous, nous n'eussions rien eu d'autre à faire que de leur courir après du matin au soir. Pour moi, penser à nous, Dinosaures, c'était tout au contraire revenir en esprit à une longue série de déboires, d'agonies, de deuils ; les histoires que les Nouveaux racontaient sur nous étaient tellement loin de mon expérience réelle qu'elles auraient dû me laisser indifférent, comme s'ils avaient parlé d'étrangers, d'inconnus. Et cependant, en les écoutant, je me rendais compte que je n'avais jamais réfléchi à la façon dont nous étions apparus aux autres, et parmi beaucoup de balivernes, ces récits touchaient, par certains aspects et de leur point de vue particulier, à quelque chose de vrai. Dans mon esprit, ces histoires des terreurs que nous leur avions infligées se confondaient avec celles où moi-même j'avais été terrifié, aussitôt : plus j'apprenais combien nous avions fait trembler, plus je tremblais.

Chacun racontait une histoire à tour de rôle ; à un certain moment ils firent :

— Et l'Affreux, qu'est-ce qu'il nous raconte ? Tu n'en as pas d'histoires à raconter, toi ? Dans ta famille, il ne vous en est pas arrivé, des aventures avec les Dinosaures ?

— Oui, mais…, bredouillai-je, c'est tellement loin… euh, si vous saviez…

Celle qui me venait en aide dans ces moments difficiles, c'était Fleur de Fougère, la jeune Nouvelle de la fontaine :

— Mais laissez-le tranquille… C'est un étranger, il ne s'est pas encore habitué, il parle mal notre langue…

Ils finissaient par changer de sujet. Je respirais.

Entre Fleur de Fougère et moi s'était instaurée une sorte de complicité. Rien de trop intime : je n'avais jamais osé l'effleurer. Mais nous parlions beaucoup. Ou plutôt, elle me racontait beaucoup de choses sur sa vie ; moi, par crainte de me trahir, de lui laisser soupçonner mon identité, je m'en tenais toujours à des généralités. Fleur de Fougère me racontait ses rêves :

— Cette nuit, j'ai vu un Dinosaure énorme, effrayant, qui lançait du feu par ses naseaux. Il s'approche, il me prend par la nuque, il m'emporte, il veut me manger toute vivante. C'est un rêve terrible, terrible, mais moi, c'est bizarre, je n'étais pas du tout épouvantée, non, comment te dire ? cela me plaisait…

Dans ce rêve, j'aurais dû comprendre beaucoup de choses et par-dessus tout celle-ci que Fleur de Fougère ne désirait rien d'autre que d'être agressée. C'était le moment, pour moi, de la prendre dans mes bras. Mais le Dinosaure qu'ils imaginaient était trop différent du Dinosaure que moi-même j'étais, et cette pensée me rendait encore plus étranger et timide. En somme, je perdis une bonne occasion. Puis le frère de Fleur de Fougère revint de la saison de pêche dans la plaine ; la jeune Nouvelle était bien plus surveillée, et nos conversations devinrent rares.

Ce frère, Zahn, dès le premier moment qu'il me vit, prit un air soupçonneux.

— Et celui-là, qui est-ce ? D'où vient-il ? demanda-t-il aux autres en me montrant.

— C'est l'Affreux, un étranger qui travaille dans le bois, lui dirent-ils. Pourquoi ? Qu'est-ce qu'il a de bizarre ?

— J'aimerais le lui demander, fit Zahn d'un air torve. Eh, toi, qu'est-ce que tu as de bizarre ?

Que répondre ?

— Moi, rien...

— Parce que, d'après toi, tu ne serais pas bizarre, hein ? Et il rit. Pour cette fois il s'en tint là, mais moi je ne m'attendais à rien de bon.

Ce Zahn était un des personnages les plus énergiques du village. Il avait fait le tour du monde et il savait manifestement beaucoup plus de choses que les autres. Quand il entendait les habituels discours sur les Dinosaures, il marquait une sorte d'impatience.

— Des fables, dit-il une fois, vous racontez des fables. J'aimerais vous voir s'il arrivait ici un vrai Dinosaure...

— Maintenant, cela fait si longtemps qu'il n'y en a plus..., interrompit un pêcheur.

— Pas tellement longtemps..., ricana Zahn, et il n'est pas dit qu'il ne reste pas encore quelques troupeaux qui se promènent dans la nature... Dans la plaine, les nôtres montent la garde jour et nuit. Mais là-bas, ils peuvent avoir confiance les uns dans les autres, ils ne prennent pas avec eux des gens qu'ils ne connaissent pas.

Et il arrêta son regard sur moi, intentionnellement.

Il était inutile de faire traîner, il valait mieux crever l'abcès tout de suite. Je fis un pas en avant :

— Tu en as contre moi ? demandai-je.

— J'en ai contre ceux dont on ne sait pas où ils

sont nés ni d'où ils viennent, et qui prétendent manger nos biens et courtiser nos sœurs…

L'un des pêcheurs prit ma défense :

— L'Affreux gagne sa vie, et il est de ceux qui travaillent dur…

— Il est capable de porter des troncs d'arbre sur son dos, je ne le nie pas, insista Zahn, mais dans un moment de danger, si nous devions nous défendre avec nos ongles et nos dents, qui nous garantit qu'il se comporterait bien ?

Alors s'engagea une discussion générale. L'étrange était que la possibilité que je fusse un Dinosaure n'était pas prise en considération ; on me reprochait seulement d'être un Autre, un Étranger, et donc un Suspect ; et le point controversé était de savoir jusqu'où ma présence augmenterait le risque au cas d'un éventuel retour des Dinosaures.

— J'aimerais le voir au combat, avec sa petite bouche de lézard…, dit Zahn, provocant et dédaigneux.

Je me mis devant lui brusquement, nez contre nez.

— Tu peux me voir dès maintenant, si tu ne te sauves pas.

Il ne s'y attendait pas. Il regarda autour de lui. Les autres firent le cercle. Il ne restait plus qu'à se battre :

J'avançai, j'esquivai un coup de dent à la gorge, déjà je lui avais donné un coup de patte qui le renversa le ventre en l'air, et je fus sur lui. C'était une mauvaise manœuvre, comme si je ne l'avais pas su, comme si je n'en avais pas vu mourir, des Dinosaures, à force de griffures et de morsures sur la poitrine et le ventre, alors qu'ils pensaient avoir immobilisé l'ennemi. Mais je savais encore me servir de ma queue pour me tenir ferme ; je ne voulais pas me laisser renverser à mon tour ; je peinais, je sentais que j'allais céder…

Ce fut alors qu'un des spectateurs cria : « Vas-y, Dinosaure ! » Apprendre qu'ils m'avaient démasqué et retourner l'autre d'un coup, ce fut tout un : perdu pour perdu, autant leur faire retrouver leur peur ancienne. Et je frappai Zahn une fois, deux, trois…

Ils nous séparèrent.

— Zahn, on te l'avait dit : l'Affreux a des muscles. Il ne faut pas plaisanter avec l'Affreux ! Et ils riaient et me félicitaient, à grands coups de pattes sur les épaules. Moi qui me croyais désormais découvert, je ne m'y retrouvais pas ; seulement plus tard, je compris que l'apostrophe « Dinosaure » était une de leurs façons de dire pour encourager des lutteurs, quelque chose comme : « Fais voir que tu es le plus fort ! », et même ils avaient pu le crier aussi bien à Zahn qu'à moi-même, ce n'était pas clair.

À partir de ce jour, je fus davantage respecté par tous. Même Zahn m'encourageait et il me suivait pour me voir donner de nouvelles preuves de ma force. Je dois dire aussi que leurs discours habituels sur les Dinosaures avaient un peu changé, comme il arrive quand on se fatigue de juger des choses toujours de la même manière, et la mode commençait à tourner d'un autre côté. À présent, quand ils voulaient critiquer quelque chose dans le village, ils avaient pris l'habitude de dire que chez les Dinosaures certaines choses ne se seraient pas passées ainsi, que les Dinosaures sur bien des points pouvaient servir d'exemple, que sur le comportement des Dinosaures dans telle ou telle situation (par exemple dans la vie privée) il n'y avait rien à redire, et ainsi de suite. En somme, ce qui se manifestait, c'était ou peu s'en fallait une admiration posthume pour ces Dinosaures dont personne ne savait rien de précis.

Une fois, il m'arriva de dire :

— N'exagérons rien. Et que croyez-vous donc qu'étaient les Dinosaures, à la fin des fins ?

Ils me dirent aussi sec :

— Tais-toi, qu'est-ce que tu peux en savoir ? Tu n'en as jamais vu.

Peut-être était-ce le bon moment pour commencer à dire les choses.

— Si, j'en ai vu ! m'exclamai-je. Et si vous voulez, je peux vous expliquer comment ils étaient !

Ils ne me crurent pas ; ils pensaient que je voulais les emmener en bateau. Pour moi, cette nouvelle façon qu'ils avaient de parler des Dinosaures m'était presque aussi insupportable que la précédente. Parce que — mis à part le chagrin que j'éprouvais pour le cruel destin qui avait frappé mon espèce — moi, la vie des Dinosaures, je la connaissais de l'intérieur, je savais à quel point entre nous dominait une mentalité étroite, pleine de préjugés, incapable de s'adapter aux situations inédites. Et à présent, il me fallait les voir prendre pour modèle notre petit monde étriqué, et — disons-le — si ennuyeux ! Voilà qu'ils allaient m'imposer à l'égard de mon espèce une sorte de religieux respect que pour ma part je n'avais jamais éprouvé ! Mais au fond, il était juste qu'il en fût ainsi : ces Nouveaux, qu'avaient-ils de tellement différent des Dinosaures de la belle époque ? À l'abri dans leur village avec les digues et les pêcheries, ils avaient eux aussi montré un orgueil, une présomption... Il m'arrivait d'éprouver auprès d'eux le même agacement que j'avais connu chez les miens, et plus je les entendais admirer les Dinosaures, plus je détestais à la fois les Dinosaures et leurs admirateurs.

— Tu sais, cette nuit j'ai rêvé qu'un Dinosaure devait passer devant ma maison, me dit Fleur de Fougère, un Dinosaure magnifique, un prince ou un roi des Dinosaures. Moi je me faisais belle, je me mettais un ruban autour de la tête et je me montrais à la fenêtre. J'essayais d'attirer l'attention du Dinosaure, je lui faisais une révérence, mais lui, il ne semblait même pas s'en apercevoir, il ne daignait pas me jeter un regard...

Ce rêve me fournit une nouvelle clef pour comprendre l'état d'esprit de Fleur de Fougère dans ses rapports avec moi : la jeune Nouvelle avait dû prendre ma timidité pour de la vanité méprisante. À présent, en y repensant, je comprends qu'il m'aurait suffi d'insister en ce sens encore un peu, et de bien marquer un détachement hautain pour la conqué-

rir tout à fait. À l'inverse, cette révélation me remua
tellement que je me jetai à ses pieds avec des larmes
aux yeux, lui disant :

— Non, non, Fleur de Fougère, ce n'est pas
comme tu crois, tu es meilleure que tous les Dinosaures, cent fois meilleure, et moi je me sens tellement inférieur à toi...

Fleur de Fougère se raidit, fit un pas en arrière.

— Mais que dis-tu ?

Ce n'était pas là ce qu'elle attendait ; elle était
déconcertée et trouvait la scène un peu désagréable. Moi je le compris trop tard ; je repris en hâte
mon ancienne attitude, mais une atmosphère de
malaise pesait désormais entre nous.

On n'eut pas le temps d'y repenser, avec tout ce
qui arriva peu après. Des messagers essoufflés par-
vinrent au village.

— Les Dinosaures reviennent !

Un troupeau de monstres inconnus avait été
aperçu alors qu'il courait sauvagement dans la plaine.
S'il devait continuer à cette allure, le lendemain à
l'aube il envahirait le village. L'alarme fut donnée.

Vous pouvez imaginer la vague de sentiments qui
se déchaînèrent en moi à cette nouvelle : mon espèce
n'était pas éteinte, je pouvais rejoindre mes frères,
recommencer la vie d'autrefois ! Mais dans mon souvenir, la vie d'autrefois, c'était la série interminable
des défaites, des fuites, des dangers ; recommencer,
cela signifiait seulement un supplément temporaire
à cette agonie, le retour à un état que je croyais
dépassé. Moi, désormais, j'avais retrouvé, ici au vil-

lage, une sorte de nouvelle tranquillité, et cela me déplaisait de la perdre.

L'esprit des Nouveaux eux-mêmes était partagé en sentiments contradictoires. D'un côté, la panique ; de l'autre, le désir de triompher du vieil ennemi ; d'un autre côté encore, l'idée que si les Dinosaures avaient survécu et si maintenant ils revenaient à l'assaut, c'était le signe que personne n'était en mesure de les arrêter et que leur victoire, même impitoyable, pouvait cependant, ce n'était pas exclu, constituer un bien pour tout le monde. Les Nouveaux voulaient en somme dans le même temps se défendre, fuir, exterminer l'ennemi, être vaincus ; et cette incertitude se reflétait dans le désordre de leurs préparatifs de défense.

— Un moment ! cria Zahn. Il y en a seulement un parmi nous qui soit digne de prendre le commandement ! Le plus fort de nous tous : l'Affreux.

— C'est vrai ! C'est l'Affreux qui doit nous commander ! firent en chœur tous les autres. Oui, oui, l'Affreux au commandement ! — et ils se mettaient à mes ordres.

— Mais non, comment voulez-vous que moi, un étranger... Je ne suis pas à la hauteur..., me défendai-je.

Il n'y eut pas moyen de les convaincre.

Que devais-je faire ? Cette nuit-là, je ne pus fermer l'œil. La voix du sang m'ordonnait de déserter et de me joindre à mes frères ; la loyauté envers les Nouveaux, qui m'avaient recueilli et hébergé et fait confiance, voulait au contraire que je me considérasse de leur côté ; de plus, je savais bien que ni les Dinosaures ni les Nouveaux ne méritaient que l'on bougeât le petit doigt pour eux. Si les Dinosaures cherchaient à restaurer leur domination par des invasions et des massacres, c'était le signe qu'ils n'avaient rien appris et qu'ils n'avaient survécu que par erreur. Et quant aux Nouveaux, il était clair qu'en me donnant le commandement, ils avaient trouvé la solution la plus commode : laisser toutes les responsabilités aux mains d'un étranger, qui pouvait aussi bien être leur sauveur que, en cas de défaite, un bouc émissaire, à livrer à l'ennemi pour se le concilier, ou encore un traître qui, les mettant au pouvoir de l'ennemi, réaliserait leur rêve inavouable de se voir dominés par les Dinosaures. En somme, je ne voulais rien savoir ni d'un côté ni de l'autre : qu'ils s'égorgent donc les uns les autres, moi je me moquais d'eux tous ! Je devais m'enfuir au plus vite, les laisser cuire dans leur jus, je n'avais plus rien à faire avec ces vieilles histoires.

Cette même nuit, rasant les murs dans le noir, j'abandonnai le village. Mon premier mouvement avait été de m'éloigner le plus possible du champ de bataille, de retourner dans mes refuges secrets ; mais la curiosité fut la plus forte : revoir mes semblables, savoir qui serait vainqueur. Je me cachai tout en haut de certains rochers qui dominaient l'anse du fleuve, et j'attendis l'aube.

Avec la lumière, à l'horizon apparurent des silhouettes.

Elles avançaient au pas de charge. Avant même

de bien les distinguer, je pouvais dire que jamais les Dinosaures n'avaient couru avec aussi peu de grâce. Quand je les reconnus, je ne savais pas si je devais rire ou avoir honte. Des Rhinocéros, un troupeau, des premiers, gros et lourds et grossiers, pleins de bosses d'une matière cornée, mais fondamentalement inoffensifs, faits pour brouter l'herbe tendre : voilà ce qu'ils avaient pris pour les anciens rois de la Terre !

Le troupeau de Rhinocéros galopa dans un bruit de tonnerre, s'arrêta pour lécher quelques buissons, et reprit sa course vers l'horizon sans s'être seulement aperçu de l'existence des pêcheurs.

Je revins au village en courant.

— Vous n'avez rien compris ! Ce n'étaient pas des Dinosaures ! annonçai-je. Des Rhinocéros, voilà ce que c'était ! Ils sont déjà partis ! Il n'y a plus de danger !

Et j'ajoutai, pour justifier ma désertion nocturne :

— Moi, j'étais sorti en éclaireur ! Pour épier et vous rendre compte !

— Il est possible que nous n'ayons pas compris et que ce n'étaient pas des Dinosaures, dit calmement Zahn, mais en tout cas nous avons compris que tu n'es pas un héros.

Et il me tourna le dos.

Sans doute, ils avaient été déçus : quant aux Dinosaures, quant à moi-même. À présent, leurs histoires de Dinosaures devenaient des histoires drôles, dans lesquelles les terribles monstres apparaissaient comme autant de personnages ridicules. Bon, je ne me sentais plus atteint par leur esprit mesquin. Maintenant, je reconnaissais la grandeur d'âme qui nous avait fait choisir de disparaître plutôt que d'habiter un monde qui n'était plus à notre mesure. Si moi je survivais, c'était seulement parce que je continuais à me sentir Dinosaure au milieu de ces pauvres gens qui cachaient, par de pitoyables plaisanteries, la peur qui les dominait toujours. Et quoi d'autre pouvait se présenter aux Nouveaux, quel autre choix que la dérision ou la peur ?

Fleur de Fougère, quand elle me raconta un nouveau rêve, révéla une attitude différente :

— Il y avait un Dinosaure grotesque, tout vert, et tous se moquaient de lui, ils lui tiraient la queue. Alors moi je suis intervenue, je l'ai protégé, je l'ai emporté, je l'ai caressé. Et je me suis rendu compte que, ridicule comme il l'était, il était la plus triste des créatures, et de ses yeux jaunes et rouges coulait un fleuve de larmes.

Qu'est-ce qui me prit en entendant ces mots ? Une répulsion à m'identifier aux images du rêve, le refus d'un sentiment qui semblait être devenu de la pitié, la colère devant l'idée dévaluée qu'ils se faisaient tous de la dignité dinosaurienne ? J'eus un sursaut d'orgueil, je me raidis et lui jetai à la face quelques phrases méprisantes :

— Pourquoi viens-tu m'ennuyer avec tes rêves toujours plus infantiles ? Tu ne peux pas rêver d'autre chose que de stupidités ?

Fleur de Fougère éclata en sanglots. Moi, je m'éloignai avec un haussement d'épaules.

Cela se passa sur la digue ; nous n'étions pas seuls ; les pêcheurs n'avaient pas entendu notre dialogue, mais ils avaient vu mon éclat et les larmes de la jeune Nouvelle.

Zahn éprouva la nécessité d'intervenir.

— Mais pour qui te prends-tu, fit-il d'une voix aigre, pour manquer de respect à ma sœur ?

Je m'arrêtai et ne répondis rien. S'il voulait se battre, j'étais prêt. Mais le style du village, ces temps derniers, avait changé : ils tournaient tout à la farce. Du groupe des pêcheurs jaillit un petit cri de fausset : « Vas-y, vas-y Dinosaure ! » C'était là, je le savais bien, une expression comique entrée récemment dans l'usage, pour dire : « Baisse le ton, n'exagère rien », et ainsi de suite. Mais elle me remua le sang.

— Oui, je le suis, si vous voulez le savoir, criai-je, je suis un Dinosaure, c'est tout ! Si vous n'avez jamais vu de Dinosaure, eh bien, regardez-moi !

Ce fut un rire général.

— Moi, j'en ai vu un hier, dit un vieillard, il est sorti de la neige.

Autour de lui le silence se fit aussitôt.

Le vieillard revenait d'un voyage en montagne. Le dégel avait fait fondre un ancien glacier, et un squelette de Dinosaure était venu à la lumière.

La nouvelle se répandit dans tout le village. « Allons voir le Dinosaure ! » Tous coururent vers la montagne, et moi avec eux.

Au-delà d'une moraine de rochers, de troncs d'arbres déracinés, de boue et de carcasses d'oiseaux, s'ouvrait une petite vallée en forme de cuvette. Un premier voile de lichens verdissait les roches libérées du gel. Au milieu, étendu comme dans son sommeil, le cou allongé du fait des intervalles entre les vertèbres, et la queue éparpillée en une longue ligne sinueuse, gisait un squelette de Dinosaure gigantesque. La cage thoracique était gonflée comme une voile de navire et quand le vent battait contre les côtes, il semblait qu'au-dedans un cœur invisible battait toujours. Le crâne était tourné dramatiquement, la bouche ouverte comme pour un dernier cri.

Les Nouveaux coururent jusque-là en criant d'allégresse ; devant le crâne, ils se sentirent regardés par les orbites creuses des yeux ; ils demeurèrent un peu à distance, silencieux ; puis ils se retournèrent et ils reprirent leurs réjouissances imbéciles. Il eût suffi que l'un d'eux regardât alternativement le squelette et moi-même, alors que j'étais immobile à le contempler, pour qu'il s'en aperçût : nous étions identiques. Mais personne n'y songea. Ces os, ces crocs, ces membres exterminateurs parlaient un langage désormais indéchiffrable, ils ne disaient plus rien à personne, à part ce vague nom qui n'avait plus rien à voir avec la vie actuelle.

Moi, je continuai à regarder le squelette, le Père, le Frère, mon égal, Moi-même ; je reconnaissais mes membres décharnés, mes traits gravés sur la roche, tout ce que nous avions été et que nous n'étions plus, notre grandeur, nos fautes, notre ruine.

Maintenant, cette dépouille allait servir aux nouveaux occupants distraits de la planète pour signaler un point du paysage, elle suivrait le destin du nom « Dinosaure » devenu un mot opaque privé de sens. Je ne devais pas le permettre : tout ce qui regardait la véritable nature des Dinosaures devait demeurer caché. Dans la nuit, tandis que les Nouveaux dormaient autour du squelette pavoisé, je transportai et ensevelis, vertèbre après vertèbre, mon Mort.

Le matin, les Nouveaux ne trouvèrent plus trace du squelette. Ils ne s'en préoccupèrent pas très longtemps. C'était un nouveau mystère qui s'ajoutait à tous les autres mystères relatifs aux Dinosaures. Bientôt, ils le chassèrent de leur esprit.

Mais l'apparition du squelette laissa une trace, dans la mesure où chez tous l'idée des Dinosaures resta liée à l'idée d'une triste fin ; et dans les histoires qu'ils racontaient maintenant, dominait un accent de commisération, de compréhension pour nos souffrances. Je ne savais quoi faire de leur pitié. Pitié pour quoi ? Si une espèce avait jamais connu une évolution pleine et riche, un règne long et heureux, c'était bien la nôtre. Notre extinction avait été un épilogue grandiose, digne de notre passé. Qu'est-ce que ces sots pouvaient y comprendre ? Chaque fois que je les entendais faire du sentimentalisme sur les pauvres Dinosaures, il me prenait l'envie de les mystifier, de raconter des histoires entièrement inventées et invraisemblables. De toute façon, désormais, la vérité sur les Dinosaures ne serait plus comprise de personne ; c'était un secret que je garderais pour moi seul.

Une troupe de nomades s'arrêta au village — avec certaine jeune nomade que je ne vis pas sans tressaillir. Si mes yeux ne me trompaient pas, celle-là n'avait pas seulement dans les veines du sang de Nouveau : c'était une mulâtresse, une mulâtresse dinosaure. S'en rendait-elle compte ? Ce n'était pas certain, à voir combien elle était désinvolte. Peut-être n'était-ce pas un de ses parents, mais un de ses grands-parents ou arrière-grands-parents ou trisaïeux qui avait été Dinosaure ; et les caractères, les attitudes de notre race revenaient se manifester en sa personne avec impudence presque, mais désormais méconnaissables pour tous, elle comprise. C'était une créature gracieuse et joyeuse ; elle eut tout de suite à ses trousses une cour de soupirants, et parmi eux le plus assidu et le plus amoureux était Zahn.

L'été commençait. La jeunesse donnait une fête sur le fleuve.

— Viens avec nous ! me dit Zahn, qui après tant de disputes cherchait à être mon ami.

Puis aussitôt il recommença à nager aux côtés de la mulâtresse.

Je m'approchai de Fleur de Fougère. Peut-être le moment de nous expliquer, de nous mettre d'accord était-il venu.

— Qu'as-tu rêvé, cette nuit ? demandai-je pour engager la conversation.

Elle demeura la tête baissée :

— J'ai vu un Dinosaure blessé qui se tordait dans les affres de l'agonie. Il inclinait sa tête noble et délicate, et il souffrait, souffrait… Moi je le regardais, je ne pouvais pas détacher mon regard de lui, et je m'aperçus que j'éprouvais un plaisir subtil à le voir souffrir...

Les lèvres de Fleur de Fougère étaient tendues en un pli méchant que je n'avais jamais observé chez elle. J'aurais seulement voulu lui montrer que, pour ma part, je n'entrais pas dans son jeu de sentiments ambigus et obscurs : j'étais quelqu'un qui aimait la vie, j'étais l'héritier d'une race heureuse. Je me mis à danser autour d'elle, je l'aspergeai d'eau du fleuve en agitant ma queue.

— Tu n'es bonne qu'à dire des choses tristes, dis-je, frivole. Laisse cela, viens danser !

Elle ne me comprit pas. Elle fit une grimace.

— Et si tu ne danses pas avec moi, je danserai avec une autre ! m'exclamai-je.

Je pris par une patte la Mulâtresse, l'enlevant sous les yeux de Zahn, qui d'abord la regarda s'éloigner sans comprendre, tellement il était absorbé dans sa contemplation amoureuse ; puis il ressentit un sursaut de jalousie. Trop tard : la Mulâtresse et moi nous avions déjà plongé dans le fleuve, et nous nagions vers l'autre rive, pour nous cacher dans les buissons.

Peut-être voulais-je seulement donner à Fleur de Fougère une preuve de ce que j'étais vraiment, et démentir les idées toujours fausses qu'elle s'était faites de moi. Et peut-être aussi étais-je guidé par une vieille rancune contre Zahn, peut-être voulais-je ostensiblement repousser sa nouvelle offre d'amitié. Ou bien encore, c'étaient par-dessus tout les

formes familières et cependant insolites de la Mulâtresse, qui me donnaient le désir d'un rapport naturel, direct, sans secrètes pensées, sans souvenirs.

La caravane des nomades devait repartir le lendemain matin. La Mulâtresse accepta de passer la
nuit dans les buissons. Je restai à flirter avec elle
jusqu'à l'aube.

Tout cela, ce n'étaient que des épisodes éphémères dans une vie par ailleurs tranquille et sans à-
coups. J'avais laissé se perdre dans le silence la
vérité sur moi et sur le temps de notre règne. Désormais, on ne parlait presque plus des Dinosaures ;
peut-être que plus personne ne croyait qu'ils avaient
existé. Fleur de Fougère elle-même n'en rêvait plus.

Quand elle me raconta : « J'ai rêvé que dans une
caverne, il y avait l'unique survivant d'une espèce
dont personne ne se rappelle le nom, et moi j'allais
le lui demander, et il faisait noir, et je savais qu'il
était là, et je ne le voyais pas, et je savais bien qui
il était et comment il était fait, mais je n'aurais pas
su le dire, et je ne comprenais pas si c'était lui qui
répondait à mes questions ou moi aux siennes... »,
ce fut pour moi le signe qu'une entente amoureuse
entre nous deux avait enfin commencé, comme je
l'avais désiré depuis que je m'étais arrêté la première fois à la fontaine, alors que je ne savais pas
encore s'il me serait permis de survivre.

Depuis lors, j'avais compris tant de choses, et par-
dessus tout de quelle manière les Dinosaures gagnent.
D'abord, j'avais cru que leur disparition avait été
pour mes frères la magnanime acceptation d'une

défaite ; maintenant, je savais que plus les Dinosaures disparaissent, plus ils étendent leur empire, et sur des forêts bien plus immenses que celles qui couvrent les continents : dans l'enchevêtrement des pensées de ceux qui demeurent. Dans la pénombre des frayeurs et des doutes de générations désormais ignorantes, ils continuaient à allonger le cou, à soulever leurs pattes griffues, et quand l'ombre ultime de leur image s'était effacée, leur nom continuait à se superposer à toutes les significations du monde, à perpétuer leur présence dans les rapports entre les êtres vivants. À présent que le nom lui-même s'était effacé, il leur revenait de se fondre avec les moules muets et anonymes de la pensée, à travers quoi prennent forme et substance les choses pensées : par les Nouveaux, et par ceux qui viendraient après les Nouveaux, et par ceux qui viendraient après encore.

Je regardai autour de moi : le village qui m'avait vu arriver comme un étranger, je pouvais bien maintenant le dire mien, et je pouvais dire mienne Fleur de Fougère, dans le sens où un Dinosaure peut l'entendre. En conséquence, d'un silencieux geste d'adieu je pris congé de Fleur de Fougère, je laissai derrière moi le village, je m'en allai pour toujours.

En chemin, je regardais les arbres, les fleuves et les montagnes, et je ne savais plus distinguer entre ceux qui existaient au temps des Dinosaures et ceux-là qui étaient venus au monde après eux. Autour de certaines tanières, des nomades campaient. Je reconnus de loin la Mulâtresse, toujours plaisante, à peine un peu engraissée. Pour n'être pas vu, je me cachai dans le bois et je l'épiai. Un petit enfant tout juste en âge de courir sur ses jambes en frétillant la suivait. Depuis combien de temps n'avais-je pas vu un petit Dinosaure aussi parfait, aussi plein de l'essence propre du Dinosaure, et aussi ignorant de ce que le nom de Dinosaure signifie ?

Je le suivis dans une clairière pour le voir jouer, poursuivre un papillon, frapper une pomme de pin sur une pierre pour en faire sortir les pignons. Je m'approchai. C'était bien mon fils.

Il me regarda avec curiosité.

— Qui es-tu ? demanda-t-il.

— Personne, fis-je. Et toi, tu le sais qui tu es ?

— Elle est bonne ! Tout le monde le sait : je suis un Nouveau ! dit-il.

C'était exactement ce que je voulais l'entendre dire. Je lui caressai la tête, je lui répondis « C'est bien », et je m'en allai.

Je parcourus des vallées et des plaines. J'atteignis une gare, je pris le train, je me perdis dans la foule.

La forme de l'espace

Les équations du champ gravitationnel qui mettent en relation la courbure de l'espace avec la distribution de la matière commencent dès à présent à faire partie du sens commun.

Tomber dans le vide comme moi je tombais, aucun de vous ne sait ce que cela veut dire. Pour vous, tomber c'est se lancer par exemple du vingtième étage d'un gratte-ciel, ou d'un avion qui se détraque en plein vol ; se précipiter la tête la première, gesticuler un peu en l'air, et voilà que la terre est tout de suite là, et on y ramasse une bonne bûche. Moi, tout au contraire, je vous parle d'un moment où il n'y avait en dessous aucune terre ni rien d'autre de solide, ni seulement un corps céleste dans le lointain, capable de vous attirer dans son orbite. On tombait ainsi, indéfiniment, pendant un temps indéfini. Je dégringolais dans le vide jusqu'à l'extrême limite au fond de quoi il est pensable qu'on puisse aller, et puis une fois là je voyais que cette extrême limite devait être beaucoup plus bas, vraiment, très très loin, et je continuais à tomber pour l'atteindre. Ne disposant d'aucun point de référence, je ne savais pas si ma chute était précipitée, ou au contraire lente. En y repensant, il n'y avait pas même de preuves que vraiment j'étais en train de tomber : peut-être étais-je depuis toujours demeuré immobile au même endroit, ou bien je me mouvais dans le sens ascendant ; étant donné qu'il n'y avait ni haut ni bas, ce n'était là qu'une question de terminologie, et autant valait continuer à penser que je tombais, puisque c'était ce qui venait tout naturellement à l'esprit.

Étant admis, par conséquent, qu'on tombait, on tombait tous à la même vitesse, sans à-coups ; en fait, Ursula H'x, le lieutenant Fenimore et moi-même nous étions toujours à peu près à la même hauteur. Je ne quittais pas des yeux Ursula H'x, parce qu'elle était bien belle à voir, et elle avait dans la chute une attitude déliée et détendue : j'espérais de temps à autre réussir à accrocher son regard, mais Ursula H'x en tombant était toujours occupée à se limer et à se polir les ongles, ou à passer son peigne dans ses cheveux longs et lisses, et elle ne tournait jamais ses regards vers moi. Vers le lieutenant Fenimore non plus, dois-je dire, quoiqu'il fît tout pour attirer son attention.

Une fois, je le surpris — il croyait que je ne le voyais pas — alors qu'il adressait des signes à Ursula H'x : d'abord, il battait ses deux index l'un contre l'autre, puis il faisait un geste circulaire d'une main, puis il désignait l'en-bas. En somme, il avait l'air de faire allusion à un accord entre elle et lui, à un rendez-vous pour plus tard, dans une quelconque localité là-dessous où ils se rencontreraient. C'étaient des histoires, je le savais très bien : il n'y avait pas de rencontres possibles entre nous, parce que nos chemins étaient parallèles et entre nous trois il y avait toujours la même distance. Mais que le lieutenant Fenimore se mît en tête des idées de ce genre — et cherchât à les mettre dans la tête d'Ursula H'x —, cela suffisait à me rendre nerveux ; encore qu'elle ne lui prêtât pas attention, faisant avec ses lèvres un léger son de trompette, en s'adressant — cela me semblait hors de doute — précisément à lui. (Ursula H'x tombait en se retournant sur elle-même, avec des mouvements paresseux, comme si elle avait musardé dans son lit, et il était difficile de dire si tel de ses gestes s'adressait à l'un des deux plutôt qu'à l'autre ou si elle ne jouait qu'avec elle-même, comme d'habitude.)

Moi aussi, naturellement, je ne rêvais à rien d'autre qu'à rencontrer Ursula H'x, mais étant donné que dans ma chute je suivais une ligne droite absolument parallèle à celle que de son côté elle suivait, il me paraissait hors de propos de manifester un désir irréalisable. Bien sûr, si l'on voulait être optimiste, il restait toujours la possibilité que nos deux parallèles continuant jusqu'à l'infini, vînt le moment où elles se toucheraient. Cette éventualité suffisait à me donner quelque espoir, et même à me tenir perpétuellement excité. Je vous dirai qu'une rencontre de nos parallèles, j'y avais tellement rêvé dans tous ses détails que désormais elle faisait partie de mon expérience comme si je l'avais déjà vécue. Tout arriverait d'un moment à l'autre, avec simplicité et naturel : après avoir tellement voyagé séparés sans pouvoir nous rapprocher d'un pouce, après l'avoir tellement sentie étrangère, prisonnière de son trajet parallèle, voilà que la consistance de l'espace, d'impalpable qu'elle avait toujours été se ferait plus tendue et dans le même temps plus douce ; un épaississement du vide qui semblerait venir non du dehors mais de l'intérieur de nous-mêmes, et nous serrerait ensemble, Ursula H'x et moi (déjà il me suffisait de fermer les yeux pour la voir s'avancer dans une attitude que je savais lui appartenir, encore que toute différente de ses attitudes habituelles : les bras tendus vers le bas, comme collés à ses flancs, et elle se tordait les poignets, on aurait dit pour s'étirer, mais dans un geste d'esquive, qui pouvait bien passer pour une façon en somme serpentine de s'offrir ; et la ligne invisible que je parcourais et cette autre qu'elle-même parcourait deviendraient enfin une seule ligne, tout occupée par un entremêlement d'elle et de moi, dans lequel tout ce qui, chez elle, était tendre et secret, serait pénétré par moi, et du même coup envelopperait et absorberait pour ainsi dire tout ce qui, de moi, avec plus de tension, avait jusque-là souffert d'être seul, et séparé, et sec).

C'est le sort des plus beaux rêves de se transformer tout d'un coup en cauchemars et ainsi il me venait à présent à l'esprit que le point de rencontre de nos deux parallèles pouvait être celui où se rencontreraient toutes les parallèles de l'espace ; et il aurait marqué alors la rencontre non seulement d'Ursula H'x et de moi-même tout seuls mais encore — perspective exécrable ! — du lieutenant Fenimore en plus. Au même moment où Ursula H'x aurait cessé de m'être étrangère, un étranger avec ses fines moustaches noires se serait trouvé là pour partager notre intimité d'une manière inextricable : cette pensée suffisait à me jeter dans les hallucinations les plus déchirantes de la jalousie : j'entendais le cri que notre rencontre — à elle et à moi — nous arrachait, dans la fusion et l'union spasmodiquement heureuses, et voilà que — ce pressentiment me glaçait ! — de tout cela se détachait, lancinant, le cri d'Ursula violée — c'est ce que j'imaginais dans mon envieuse partialité — derrière moi, et puis dans le même temps le cri de vulgaire triomphe du lieutenant, mais peut-être aussi — et là ma jalousie atteignait au délire — leurs cris — à elle et à lui — pouvaient-ils encore n'être pas aussi divers et dissonants, ils pouvaient à la fin se rejoindre à l'unisson, se rejoindre en un cri unique de parfait plaisir, se distinguant du cri immense de désespoir qui jaillirait alors de mes lèvres.

Dans cette alternance d'espoirs et d'appréhensions, je continuais à tomber, sans cesser cependant de scruter les profondeurs de l'espace, pour voir si jamais quelque chose annonçait un changement proche ou lointain de notre condition. Une ou deux fois je

réussis à apercevoir un Univers, mais il était loin et
on le voyait tout petit, très loin sur la droite ou la
gauche ; j'avais à peine le temps de distinguer un
certain nombre de galaxies comme de petits points
brillants regroupés et superposés qui roulaient avec
un ronflement plaintif, que déjà tout s'était évanoui
comme cela était apparu, d'un côté ou de l'autre, en
sorte que l'on pouvait se demander si ce n'était pas
un éblouissement.

— Là ! Regarde ! Là il y a un Univers ! Là, regarde ! Là il y a quelque chose ! criais-je à Ursula
H'x en indiquant la direction. Mais elle, la langue
serrée entre les dents, elle était tout occupée à
caresser la peau lisse et nette de ses jambes, à la
recherche de très rares et presque invisibles poils
superflus qu'elle arrachait d'un coup sec du bout
des ongles, et le seul signe qu'elle avait compris
mon appel pouvait être éventuellement sa façon de
tendre une jambe vers le haut, comme pour profiter — aurait-on dit — dans son inspection méthodique, du peu de lumière qui se réfléchissait de ce
lointain firmament.

Inutile de dire tout le dédain que le lieutenant
Fenimore manifestait clairement, en ces cas-là, pour
ce que j'avais pu découvrir : il haussait les épaules
— ce qui faisait tressauter ses épaulettes, sa ban-
doulière et les décorations dont il était bien inutilement bardé —, et il se tournait du côté opposé en
ricanant. Tandis que d'autres fois (quand il était
certain que je regardais d'un autre côté), c'était lui
qui cherchait à éveiller la curiosité d'Ursula (et alors,

c'était à mon tour de rire en voyant qu'elle, pour toute réponse, se retournait sur elle-même en une sorte de cabriole lui montrant son derrière : un mouvement sans aucun doute possible peu respectueux, mais il faut l'avouer beau à voir, si bien que moi, après m'être réjoui comme à l'humiliation de mon rival, je me surprenais à lui envier cette sorte de privilège) ; et il indiquait un point éphémère qui fuyait dans l'espace, en braillant :

— Là ! Là ! Un Univers ! Gros comme ça ! Je l'ai vu ! C'est un Univers !

Je ne dis pas qu'il mentait : des affirmations de ce genre, pour ce que je sais, pouvaient être aussi bien vraies que fausses. Que, de temps à autre, nous passions au large d'un Univers, c'était prouvé (ou encore qu'un Univers passât au large par rapport à nous) ; mais on ne pouvait savoir si c'étaient autant d'Univers disséminés dans l'espace, ou bien le même Univers que nous croisions sans cesse en roulant selon une mystérieuse trajectoire ; ou si, au contraire, il n'y avait pas d'Univers du tout et si ce que nous pensions voir était seulement le mirage d'un Univers qui peut-être avait existé autrefois et dont l'image continuait à rebondir sur les parois de l'espace comme rebondit l'écho. Mais il pouvait aussi se faire que les Univers fussent toujours là, serrés autour de nous, sans songer à se mouvoir, et que nous autres nous ne bougions pas non plus, et que tout fût arrêté pour toujours, hors du temps, dans une obscurité seulement semée de scintillations brèves quand quelque chose ou quelqu'un réussissait, pour un instant,

à se détacher de cette engourdissante absence de
temps et y esquisser l'apparence d'un geste.

Toutes les hypothèses méritaient au même titre
d'être prises en considération ; mais je m'intéressais
seulement à ce qui regardait notre chute et aux chances plus ou moins grandes de toucher Ursula H'x.
En somme, personne ne savait rien. Et alors, pourquoi ce présomptueux de Fenimore prenait-il de
temps en temps un air supérieur, comme quelqu'un
qui est sûr de son fait ? Il s'était rendu compte que,
quand il voulait me faire enrager, le système le plus
sûr était de feindre avec Ursula H'x une familiarité
de longue date. À un certain point, Ursula se mettait à descendre en se balançant, les genoux joints,
déplaçant le poids de son corps ici ou là, comme
ondoyant en un zigzag toujours plus ample : tout
cela afin de tromper l'ennui de cette interminable
chute. Et le lieutenant alors se mettait lui aussi à
ondoyer, cherchant à prendre le même rythme
qu'elle, comme s'il suivait la même piste invisible ;
ou plutôt comme s'il dansait aux accents d'une même
musique qu'eux seuls auraient entendue tous les
deux, qu'il allait jusqu'à feindre de siffloter, y
mettant, pour lui seul, une espèce de sous-entendu,
d'allusion à un jeu entre vieux compagnons de plaisir. Tout cela n'était qu'un bluff, figurez-vous que
je ne le savais pas ; mais il suffisait pour me mettre
dans la tête qu'une rencontre entre Ursula H'x et
le lieutenant Fenimore avait pu se produire déjà, il
y avait qui sait combien de temps, à l'origine de
leurs trajectoires, et cette idée me mordait doulou-

reusement le cœur, comme d'une injustice commise à mes dépens. En y réfléchissant, cependant, si Ursula et le lieutenant avaient pendant un temps occupé le même point de l'espace, c'était le signe que leurs respectives lignes de chute avaient été en s'éloignant, et que selon toutes probabilités elles continuaient à s'éloigner. Or, dans cet éloignement lent mais continu du lieutenant, rien de plus facile qu'Ursula s'approchât de moi ; il en découlait que le lieutenant n'avait pas à être fier de ses intimités passées : c'était à moi que l'avenir souriait.

Le raisonnement qui me conduisait à cette conclusion ne suffisait pas à me tranquilliser au plus profond de moi-même : l'éventualité d'une rencontre ancienne entre Ursula H'x et le lieutenant était un préjudice qui, s'il m'avait été infligé, ne pouvait être rattrapé. Je dois ajouter que le passé et l'avenir étaient pour moi des termes vagues, entre lesquels je ne réussissais pas à faire la distinction : ma mémoire n'allait pas au-delà de l'interminable présent de notre chute parallèle, et ce qui pouvait avoir eu lieu avant, étant donné qu'on ne pouvait pas se le rappeler, appartenait aussi bien au monde imaginaire que l'avenir, et se confondait avec lui. Ainsi, je pouvais encore supposer que, si jamais deux parallèles étaient parties du même point, ce pouvaient être les lignes que nous suivions, Ursula H'x et moi-même (en ce cas, c'était la nostalgie d'une identité perdue qui nourrissait mon anxieux désir de la rencontrer) ; pourtant, je répugnais à accorder quelque crédit à cette hypothèse, parce qu'elle pouvait impliquer un éloignement progressif entre elle et moi, et peut-être un rapprochement entre elle et les bras galonnés du lieutenant Fenimore, mais par-dessus tout parce que je ne savais pas sortir du présent, sinon pour imaginer un autre présent, et rien hors de cela ne comptait.

Peut-être était-ce là le secret : s'identifier à l'état même de la chute, au point de réussir à comprendre que la ligne suivie en tombant n'était pas celle qu'elle semblait être, mais une autre ; ou, si vous voulez, réussir à changer cette ligne de la seule façon dont elle pouvait être changée, c'est-à-dire en la faisant devenir ce qu'en réalité elle était depuis toujours. Pourtant ce ne fut pas en me concentrant sur moi-même que me vint cette idée, mais au contraire en observant d'un œil amoureux combien Ursula H'x était belle, même de dos, et en notant, au moment où nous passions en vue d'un très lointain système de constellations, une courbure de l'échine et une espèce de frétillement du derrière, non tellement du derrière par lui-même qu'un glissement tout autour dont il semblait qu'il flattait le derrière et provoquait une réaction qui n'avait rien d'antipathique de la part du derrière lui-même. Il suffit de cette fugitive impression pour me faire voir la situation sous un autre jour : s'il était vrai que l'espace avec quelque chose dedans est différent de l'espace vide, parce que la matière y provoque une courbure ou tension qui oblige toutes les lignes continues à se tendre ou à se recourber, alors la ligne que chacun de nous suivait n'était une droite que de la seule façon dont une droite peut être droite, c'est-à-dire en se déformant dans la mesure même où la limpide harmonie du vide général est déformée par l'encombrement de la matière, ou si vous voulez en s'enroulant tout autour de cette boulette ou verrue ou excroissance qu'est l'Univers au milieu de l'espace.

Mon point de référence était toujours Ursula, et de fait une certaine manière qu'elle avait de progresser un peu en tournoyant pouvait rendre plus familière l'idée que notre chute suivait une sorte de parcours en spirale, qui tantôt se rétrécissait et tantôt s'élargissait. De plus, ces virages Ursula les prenait — si on y regardait bien — une fois d'un côté, une fois de l'autre, et par conséquent le dessin que nous tracions était plus compliqué. L'Univers devait donc être considéré non pas comme un renflement grossier planté là comme un navet, mais comme une figure anguleuse et pointue ; à chaque rencognure ou saillant ou entaille correspondaient des cavités, des saillies et des dentelures de l'espace luimême et des lignes que nous autres parcourions. C'était là encore, pourtant, une image schématique, comme si nous avions eu affaire avec seulement un solide aux parois lisses, à une simple compénétration de polyèdres, à quelque agrégation de cristaux ; en réalité, l'espace où nous nous déplacions était tout crénelé et ajouré, avec des flèches et des clochetons qui se dressaient de tous côtés, avec des coupoles et des balustrades et des péristyles, avec des fenêtres à meneaux doubles et triples et des

rosaces, et nous, tandis que nous avions l'air de
tomber tout droit, en vérité nous vagabondions sur
les bords de moulures et de frises invisibles, à la
manière des fourmis qui, pour traverser une ville,
suivent des itinéraires tracés non pas sur le pavé
des rues mais le long des murs, des plafonds, des
cadres et des lampadaires. Maintenant, parler de ville
revient encore à avoir en tête des figures en quelque sorte régulières, avec des angles droits, des proportions symétriques, tandis que nous ne devrions
jamais perdre de vue de quelle façon l'espace se
découpe tout autour de chaque cerisier et de toutes
les feuilles de toutes les branches qui remuent dans
le vent, et suivant le bord dentelé de chaque feuille,
et même comment il se modèle sur toutes les nervu-
res d'une feuille, et sur le réseau des veines dans
l'intérieur d'une feuille et sur les blessures dont à
tout moment les criblent les flèches de la lumière,
tout s'imprimant en négatif dans la pâte du vide,
de telle manière qu'il n'est rien qui ne vous y laisse
son empreinte, toutes les empreintes possibles de
toutes les choses possibles y sont marquées, et aussi
bien chaque transformation d'un instant sur l'autre
de ces empreintes, si bien que le bouton qui grandit
sur le nez d'un calife ou la bulle de savon qui se
pose sur le sein d'une lavandière changent la forme
générale de l'espace dans toutes ses dimensions.

Il me suffit de comprendre que l'espace était fait
de cette manière pour m'apercevoir que s'y ména-
geaient certaines cavités moelleuses et accueillantes
comme des hamacs, où je pouvais me retrouver uni

à Ursula H'x et me balancer avec elle en nous mordillant l'un l'autre sur tout le corps. Les propriétés
de l'espace, en effet, étaient telles qu'une parallèle
prenait d'un côté et une autre d'un autre, et moi
par exemple je me précipitais à l'intérieur d'une
caverne tortueuse tandis qu'Ursula H'x était à la
fin poussée dans une galerie qui communiquait avec
ma caverne, de telle sorte que nous nous retrouvions
à rouler ensemble sur un tapis d'algues dans une
sorte d'île subspatiale, nous enchevêtrant dans toutes les postures et renversements possibles, jusqu'au
moment où tout d'un coup nos deux trajectoires
respectives reprenaient leur démarche rectiligne et
continuaient leur chemin chacune pour soi, comme
s'il ne s'était rien passé.

Le grain de l'espace était poreux et accidenté, il
y avait des lézardes et des dunes. Si je faisais bien
attention, je pouvais m'apercevoir du moment où
le parcours du lieutenant Fenimore passait tout au
fond d'un canyon étroit et tortueux ; alors je me
postais en haut d'un rocher en surplomb, et au bon
moment je me jetais sur lui en prenant soin de le
frapper de tout mon poids aux vertèbres cervicales.
Le fond de ces précipices du vide était pierreux
comme le lit d'un torrent à sec, et entre deux pointes du rocher qui affleuraient, le lieutenant Fenimore tombant lourdement demeurait là, la tête
prise, et déjà je lui appuyais un genou sur l'esto-
mac, mais lui pendant ce temps était en train de
m'écraser les doigts sur les épines d'un cactus — ou
sur le dos d'un hérisson ? — (en tout cas, des épi-

nes qui correspondent à certaines contractions vio-
lentes de l'espace) pour m'empêcher de m'emparer
de son pistolet, que j'avais fait tomber d'un coup
de pied. Je ne sais pas comment, l'instant d'après,
je me retrouvai la tête enfoncée dans le granulé suf-
focant des couches où l'espace s'effrite comme du
sable ; je crachai, tout étourdi et aveuglé ; Fenimore
avait réussi à récupérer son pistolet ; une balle me
siffla aux oreilles, déviée qu'elle avait été par une
prolifération du vide qui s'élevait en forme de ter-
mitière. Et moi déjà j'étais sur lui, mes mains sur sa
gorge, prêt à l'étrangler, mais elles claquèrent l'une
contre l'autre avec un « paff ! » : nos voies avaient
recommencé d'être parallèles, et le lieutenant Fenimore et moi-même descendions, gardant entre nous
nos habituelles distances et nous tournant ostensiblement le dos, comme deux personnages se rencontrant, qui font semblant de ne s'être jamais vus
ni connus.

Ce qu'on pouvait considérer comme des lignes
droites à une seule dimension était en réalité plutôt
semblable à des lignes d'écriture cursive, tracées sur
une page blanche, par une plume qui déplace les
mots et les morceaux de phrases, passe d'une ligne
sur l'autre avec des insertions et des renvois ajou-
tés, dans la hâte d'en finir avec une exposition conduite au travers d'approximations successives et
toujours insatisfaisantes ; et c'est ainsi que nous
nous poursuivions, le lieutenant Fenimore et moi-
même, en nous dissimulant derrière les boucles des
« 1 », et plus spécialement des « 1 » de « parallè-

les », pour décharger nos armes et nous protéger des balles et nous donner pour morts, et j'attendais que passât Fenimore pour lui faire un croc-en-jambe et le traîner par les pieds en lui faisant cogner du menton le fond des « v » et des « u » et des « m » et des « n » qui, en écriture cursive, deviennent toutes pareilles, une succession cahoteuse de trous sur le sol, par exemple dans l'expression « Univers unidimensionnel », l'abandonnant étendu de tout son long en un endroit tout piétiné par les ratures ; et de là me redresser maculé d'encre coagulée et courir vers Ursula H'x, laquelle voudrait faire la maligne en se faufilant entre les nœuds des « f » qui s'affinent jusqu'à devenir filiformes, mais moi je la prends par les cheveux et je la plaque contre un « d » ou un « t » comme ceci, comme je les écris maintenant en hâte, inclinés de telle sorte que l'on peut s'étendre dessus, puis nous nous creusons un gîte dans le « g », dans le « g » de notre « gîte », une tanière souterraine que l'on peut à volonté adapter à nos mesures ou bien miniaturiser et rendre presque invisible ou encore disposer à l'horizontale pour y être confortablement couchés. Tandis que naturellement les mêmes lignes, plutôt que successions de lettres et de mots, peuvent être tout aussi bien déroulées suivant leur fil noir et tendues en lignes droites continues parallèles qui ne signifient rien d'autre qu'elles-mêmes dans leur écoulement, sans se rencontrer jamais, de la même façon que nous ne nous rencontrons jamais dans notre chute continuelle, Ursula H'x, le lieutenant Fenimore, moi-même, tous les autres.

Les années-lumière

Une galaxie s'éloigne de nous d'autant plus rapidement qu'elle est plus lointaine. Une galaxie qui se trouverait à dix milliards d'années-lumière de nous aurait une vitesse de fuite égale à la vitesse de la lumière, soit trois cent mille kilomètres-seconde. Déjà les « quasars » récemment découverts seraient proches de ce seuil.

Une nuit, j'observais comme d'habitude le ciel avec mon télescope. Je remarquai que d'une galaxie distante de cent millions d'années-lumière se détachait une pancarte. Dessus, il était écrit : JE T'AI VU. Je fis rapidement le calcul : la lumière de la galaxie avait mis cent millions d'années pour me joindre, et comme de là-bas ils voyaient ce qui se passait ici avec cent millions d'années de retard, le moment où ils m'avaient vu devait remonter à deux cents millions d'années.

Avant même de contrôler sur mon agenda pour

savoir ce que j'avais fait ce jour-là, je fus pris d'un pressentiment angoissant : juste deux cents millions d'années auparavant, pas un jour de plus ni de moins, il m'était arrivé quelque chose que j'avais toujours essayé de cacher. J'espérais qu'avec le temps cet épisode tomberait dans l'oubli ; il contrastait nettement — du moins à ce qu'il me semblait — avec mon comportement habituel, d'avant et d'après cette date, au point que, si jamais quelqu'un avait essayé de fureter dans cette histoire, je me sentais en mesure de le démentir en toute tranquillité, et non seulement parce qu'il serait impossible d'apporter la moindre preuve, mais encore parce qu'un fait déterminé par des circonstances aussi exceptionnelles — même s'il s'était effectivement produit — restait improbable au point de pouvoir être de bonne foi considéré comme dépourvu de vérité, même par moi. Et voilà que d'un lointain corps céleste quelqu'un m'avait vu, et maintenant l'histoire revenait au jour.

Naturellement, j'étais capable d'expliquer tout ce qui était arrivé, et comment cela avait pu arriver, et je pouvais faire comprendre, sinon justifier vraiment, ma façon d'agir. J'eus l'idée de répondre tout de suite moi aussi avec une pancarte, en employant une formule de défense comme ATTENDEZ QUE JE VOUS EXPLIQUE ou encore J'AURAIS VOULU VOUS Y VOIR, mais cela n'aurait pas suffi, et l'explication à donner aurait été trop longue pour une inscription synthétique qui fût lisible de si loin. Et par-dessus tout, je devais prendre garde à ne pas commettre de faux pas ou, si vous voulez, ne pas authentifier implicitement ce à quoi le JE T'AI VU se contentait de faire allusion. En somme, avant de me laisser aller à une quelconque déclaration, il aurait fallu que je susse exactement ce qu'ils avaient pu voir de cette galaxie et ce qu'ils n'avaient pas vu ; et pour cela, il n'y avait qu'à le leur demander avec une pancarte du genre : MAIS TU AS TOUT VU, OU SEULEMENT UN PEU ? ou encore : VOYONS SI TU DIS BIEN LA VÉRITÉ : QU'EST-CE QUE JE FAISAIS ? puis attendre tout le temps qu'il leur fallait pour, d'où ils étaient, voir mon inscription, et le temps tout aussi long pour que je visse leur réponse et pusse pourvoir aux nécessaires rectifications. Le tout aurait pris deux cents autres millions d'années, et même quelques millions d'années en plus, parce que, pendant que les images allaient et venaient à la vitesse de la lumière, les galaxies continuaient à s'éloigner les unes des autres ; et ainsi cette constellation-là à présent n'était plus déjà là où moi je la voyais, mais un peu plus loin, et l'image de ma pancarte devait lui courir après. En somme, c'était un système peu rapide, qui m'aurait obligé à discuter de nouveau, plus de quatre cents millions d'années après, des événements que j'aurais voulu faire oublier dans le plus bref délai possible.

La meilleure ligne de conduite était de ne faire mine de rien, de minimiser la portée de ce qu'ils avaient pu apprendre. C'est pourquoi je me dépêchai de placer bien en vue une pancarte sur laquelle

j'avais simplement écrit : ET ALORS ? Si les gens de
la galaxie avaient cru me mettre dans l'embarras
avec leur JE T'AI VU, mon calme les déconcer-
terait, et ils se convaincraient qu'il n'y avait pas
à s'appesantir sur l'épisode. Si au contraire ils
n'avaient pas en leur possession d'éléments qui puissent m'être défavorables, une expression indéterminée comme ET ALORS ? me permettrait d'enquêter
prudemment sur les limites à donner à leur affirmation : JE T'AI VU. La distance qui nous séparait
(de son quai, à cent millions d'années-lumière, la
galaxie s'était déjà éloignée d'un million de siècles
en s'enfonçant dans l'obscurité) devait rendre moins
évident que mon ET ALORS ? répondait à leur JE
T'AI VU, vieux de deux cents millions d'années,
mais il ne me parut pas opportun de noter sur ma
pancarte des références plus explicites, parce que si
le souvenir de cette journée, au bout de trois millions de siècles, s'était un peu effacé, je ne voulais
pas le rafraîchir moi-même.

Au fond, l'opinion qu'ils avaient pu se faire de
moi en cette singulière occasion ne devait pas me
préoccuper excessivement. Les faits et gestes de ma
vie, ceux qui étaient consécutifs à ce jour et qui
couvraient des années, des siècles et des millénaires, parlaient — du moins pour la plupart — en ma
faveur ; donc je n'avais qu'à laisser parler les faits.
Si depuis ce lointain corps céleste, ils avaient vu ce
que je faisais un jour, il y avait de cela deux cents
millions d'années, ils avaient dû me voir aussi le
lendemain, et le surlendemain, et le jour d'après, et

encore l'autre jour d'après, et modifier peu à peu
l'opinion négative que d'abord ils avaient formée,
en me jugeant hâtivement, sur la base d'un épisode
isolé. Même, il me suffisait de penser au nombre
d'années qui déjà s'étaient écoulées depuis le JE
T'AI VU pour me convaincre que cette mauvaise
impression était désormais effacée par le temps et
remplacée probablement par une opinion favorable, et qu'en tout cas elle ne correspondait plus à la
réalité. Pourtant, cette certitude raisonnable ne suffisait pas à me soulager : tant que je n'aurais pas la
preuve d'un retournement de l'opinion en ma faveur,
je resterais sur l'impression désagréable d'avoir été
surpris dans une situation gênante, et identifié avec
elle, ligoté à elle.

Vous direz que je pouvais très bien me moquer
de ce que pensaient de moi quelques habitants
inconnus d'une constellation isolée. De fait, ce
n'était pas l'opinion circonscrite aux limites de tel
ou tel corps céleste qui me préoccupait, mais l'idée
que les conséquences de cette indiscrétion pouvaient n'avoir pas de limites. Autour de cette galaxie,
il y en avait beaucoup d'autres, certaines dans un
rayon de moins de cent millions d'années-lumière,
avec des observateurs qui avaient les yeux bien
ouverts : la pancarte JE T'AI VU, avant que moi-
même j'eusse réussi à la voir, avait très certainement été lue par les habitants d'autres corps célestes, et elle le serait de même par la suite sur des
constellations de plus en plus éloignées. Même si
personne ne pouvait savoir avec précision à quelle

situation spécifique ce JE T'AI VU se référait, une telle indétermination ne pouvait jouer en réalité en ma faveur. Mieux, étant donné que les gens sont toujours enclins à accorder leur crédit aux pires conjectures, ce qui de moi pouvait avoir été réellement vu d'une distance de cent millions d'années-lumière était au fond peu de chose en comparaison de tout ce que partout ailleurs on pouvait imaginer avoir été vu. La mauvaise impression que je pouvais avoir laissée durant une légèreté momentanée, vieille de deux millions de siècles, se trouvait en conséquence grossie et multipliée en se réfléchissant à travers toutes les galaxies de l'univers, et il ne m'était pas possible de la démentir sans aggraver la situation, compte tenu de ce que, faute de savoir à quelles déductions calomnieuses extrêmes pouvaient être parvenus ceux-là qui ne m'avaient pas vu directement, j'ignorais d'où je devais faire partir mes démentis et où je devais les arrêter.

Dans cet état d'esprit, je continuai chaque nuit à regarder autour de moi avec le télescope. Et deux nuits plus tard, je m'aperçus que sur une autre galaxie, distante de cent millions d'années et un jour-lumière, ils avaient mis la pancarte JE T'AI VU. Il était hors de doute qu'eux aussi se référaient à cette même fois : ce que j'avais toujours cherché à dissimuler avait été découvert non pas par un corps céleste seulement, mais aussi par un autre, situé dans une tout autre région de l'espace. Et par d'autres encore : dans les nuits qui suivirent, je continuai à voir de nouvelles pancartes avec le JE

T'AI VU qui se levait sans cesse de constellations nouvelles. En calculant les années-lumière, on arrivait à la conclusion que la fois où ils m'avaient vu était toujours la même. À chaque JE T'AI VU je répondais par des pancartes où se marquait une indifférence dédaigneuse, comme AH OUI ? TRÈS BIEN, ou encore C'EST BIEN ENNUYEUX, ou même une provocation comme TANT PIS !, ou encore COUCOU[1] C'EST MOI ! mais toujours en me tenant sur mes gardes.

Encore que la logique des faits me fit regarder vers l'avenir avec un optimisme raisonnable, la convergence de tous ces JE T'AI VU sur un point unique de ma vie, convergence certainement fortuite due à des conditions particulières de visibilité interstellaire (seule exception, un corps céleste sur lequel, toujours en rapport avec la même date, apparut cette pancarte ON N'Y VOIT FOUTRE RIEN, me tenait sur des charbons ardents).

C'était comme si dans l'espace qui contenait toutes les galaxies, l'image de ce que j'avais fait ce jour-là s'était projetée à l'intérieur d'une sphère qui se serait dilatée continuellement à la vitesse de la lumière : les observateurs des corps célestes qui l'un après l'autre étaient placés sur le rayon de la sphère étaient peu à peu en mesure de voir ce qui s'était passé. À son tour, chacun de ces observateurs pouvait être considéré au centre d'une sphère qui se dilatait elle aussi à la vitesse de la lumière, en pro-

---

1. En français dans le texte.

jetant la phrase JE T'AI VU de leurs pancartes tout autour. Dans le même temps, tous ces corps célestes faisaient partie de galaxies qui s'éloignaient les unes des autres dans l'espace à des vitesses proportionnelles aux distances qui les séparaient, et chaque observateur qui signalait qu'il avait reçu un message, avant de pouvoir en recevoir un second, s'était déjà éloigné dans l'espace à une vitesse toujours plus grande. À un certain point, des galaxies les plus lointaines qui m'avaient vu (ou qui avaient vu la pancarte JE T'AI VU d'une galaxie plus proche de nous, ou la pancarte J'AI VU LE JE T'AI VU d'une autre, un peu plus loin) rejoindraient le seuil des dix milliards d'années-lumière, au-delà duquel elles s'éloigneraient à plus de trois cent mille kilomètres à la seconde, c'est-à-dire plus vite que la lumière, et aucune image ne pourrait les rejoindre. Il y avait donc le risque qu'elles demeurassent dans leur provisoire fausse opinion à mon sujet, qui à partir de ce moment deviendrait définitive, impossible à rectifier, sans appel, et par conséquent, en un certain sens, juste, c'est-à-dire correspondant à la vérité.

Il était donc important qu'au plus vite l'équivoque fût levée. Et pour la lever, je ne pouvais espérer qu'en une seule chose : qu'après cette fois-là, j'eusse été vu d'autres fois, alors que je donnais de moi une tout autre image, c'est-à-dire — je n'avais là-dessus aucun doute — la vraie image à conserver de moi. Les occasions, au cours des derniers deux cents millions d'années, n'avaient pas manqué, et

pour ma part une seule m'aurait suffi, très claire,
pour écarter toute confusion. Et ainsi, par exemple, je me rappelais un jour durant lequel j'avais
été vraiment moi-même, c'est-à-dire moi-même de
la façon dont je voulais que les autres me vissent.
Ce jour-là — je calculai rapidement — s'était situé
il y avait tout juste cent millions d'années. En conséquence, d'une galaxie distante de cent millions
d'années-lumière, ils étaient précisément en train
de me voir dans cette situation flatteuse pour ma
réputation, et leur opinion sur moi était certainement en train de changer, corrigeant et même réfu-
tant la première et fugace impression. En ce moment
même, précisément, ou à peu près parce qu'à présent la distance qui nous séparait devait être non
plus de cent millions d'années-lumière, mais au moins
de cent une ; en tout cas, je n'avais qu'à attendre
un nombre égal d'années pour donner le temps à la
lumière de là-bas d'arriver ici (la date exacte à
laquelle elle viendrait fut bientôt calculée, compte
tenu aussi de la « constante de Hubble ») et je me
rendrais compte de leur réaction.

Celui qui m'avait vu au moment x, à plus forte
raison m'aurait vu au moment y, et étant donné
que mon image était en y beaucoup plus convaincante qu'en x — même, je dirai : suggestive, telle
qu'une fois qu'on l'avait vue on ne l'oubliait plus —,
c'est en y qu'on se souviendrait de moi, tandis que
ce qui avait été vu de moi en x serait immédiatement oublié, peut-être après être revenu fugitivement à la mémoire, histoire de prendre congé,

comme pour dire : pensez-y, quelqu'un qui est comme y, il peut arriver de le voir comme x et de croire qu'il est en vérité comme x, alors qu'il est clair qu'il est absolument comme y.

Je me réjouissais presque de la quantité de JE T'AI VU qui apparaissaient tour à tour, parce que c'était le signe que l'attention sur moi était éveillée, et en conséquence ma journée la plus lumineuse ne leur échapperait pas. Celle-là aurait — ou, si vous voulez, avait déjà, sans que je le susse — une résonance bien plus vaste que l'autre — réservée à un milieu déterminé, et de surcroît, je devais l'admettre, plutôt marginal —, plus vaste donc que ce à quoi, dans ma modestie, je m'étais attendu.

Il faut considérer maintenant aussi ces corps célestes d'où — par la faute d'une inattention ou parce qu'ils étaient mal placés — ils ne m'avaient pas vu mais avaient seulement aperçu une pancarte JE T'AI VU dans leur voisinage, et avaient exposé à leur tour des pancartes qui disaient IL PARAÎT QU'ILS T'ONT VU, ou encore LÀ-BAS ILS T'ONT BIEN VU ! (expressions où je sentais pointer tantôt de la curiosité et tantôt un sarcasme) ; là aussi, il y avait des yeux fixés sur moi, qui précisément parce qu'ils avaient manqué une occasion, n'en laisseraient pas échapper une autre, et qui ayant de x seulement des nouvelles indirectes ou conjecturales, seraient encore plus prompts à accepter y comme l'unique vraie réalité qui me regardât.

Ainsi, l'écho du moment y se propagerait à travers le temps et l'espace, rejoindrait les galaxies les plus lointaines et les plus rapides, et celles-là seraient soustraites à toute image ultérieure, courant leurs trois cent mille kilomètres à la seconde comme la lumière et emportant de moi cette image dès lors définitive, au-delà du temps et de l'espace, devenue la vérité qui contient, dans sa sphère d'un rayon illimité, toutes les autres sphères de vérités partielles et contradictoires.

Une centaine de milliers de siècles ne font quand même pas une éternité, pourtant il me semblait qu'elle ne passerait jamais. Finalement arriva la bonne nuit ; bien à l'avance, j'avais pointé le télescope en direction de la galaxie de la première fois. J'approchai l'œil droit de l'oculaire, tenant baissée ma paupière, je soulevai tout doucement ma paupière, et voici la constellation parfaitement cadrée, et il y a une pancarte qui y est plantée au milieu, qui ne se lit pas bien, je corrige la mise au point... Il y est écrit : TRA-LA-LA-LA. Seulement ceci : TRA-LA-LA-LA. Dans le moment où j'avais exprimé l'essence de ma personnalité, avec une évidence manifeste et sans risque d'équivoque, dans le moment où j'avais donné la clef pour interpréter tous les faits et gestes de ma vie passée et future, et pour en tirer une leçon globale et équitable, celui-là qui avait non seulement la possibilité mais aussi l'obligation morale d'observer ce que je faisais et d'en prendre note, qu'avait-il vu ? Un beau zéro. Il ne s'était aperçu de rien, il n'avait rien noté de particulier. Découvrir qu'une si grande part de ma réputation était à la merci d'un individu aussi peu

consciencieux m'accabla. Cette marque de ce que
j'étais, que — en raison des nombreuses circonstances favorables y ayant présidé — je pouvais
considérer comme impossible à répéter, était donc
passée inaperçue, en pure perte, perdue définitivement pour toute une région de l'univers, seulement
parce que ce monsieur s'était accordé cinq minutes
de distraction, d'amusement, disons enfin d'irrespon-
sabilité, le nez en l'air comme un niais, peut-être
bien dans l'euphorie de qui a bu un verre de trop ;
et sur sa pancarte il n'avait rien trouvé de mieux à
écrire que des signes dépourvus de sens, peut-être
bien le petit air frivole qu'il était en train de siffloter, oublieux de ses fonctions, TRA-LA-LA-LA.

Une seule pensée m'était de quelque réconfort :
que sur les autres galaxies les observateurs plus
sérieux ne manqueraient pas. Jamais comme à ce
moment-là je ne me félicitai du grand nombre de
spectateurs que le vieil épisode regrettable avait
eus, et qui devaient être prêts à relever la nouveauté de la situation. De nouveau je me remis à
mon télescope, chaque nuit. Une galaxie juste à la
bonne distance m'apparut quelques nuits plus tard
dans toute sa splendeur. Elle avait sa pancarte. Et
on y avait écrit cette phrase : TU AS TON TRICOT
DE LAINE ?

Les larmes aux yeux, je m'évertuai à trouver une
explication. Peut-être qu'en cet endroit, avec les
années, ils avaient tellement perfectionné les télescopes, qu'ils en étaient venus à se divertir en observant les détails les plus insignifiants, le tricot que

quelqu'un avait sur le dos, s'il était de laine ou de coton, et tout le reste ne les intéressait pas, ils n'y faisaient même pas attention. Et de mon honorable action, de mon action — disons-le — magnanime et généreuse, ils n'avaient pas retenu d'autre élément que mon tricot de laine, mon meilleur tricot, évidemment, et peut-être bien qu'en un autre moment il ne m'aurait pas déplu qu'ils le notassent, mais pas cette fois, pas cette fois.

En tout cas, bien d'autres témoignages m'attendaient : il était naturel que sur le nombre quelques-uns vinssent à manquer ; je n'étais pas de ceux qui perdent leur calme pour si peu. De fait, d'une galaxie un peu plus éloignée, j'eus finalement la preuve que quelqu'un avait parfaitement vu comme je m'étais comporté et avait mesuré ma conduite à sa juste valeur, c'est-à-dire avec enthousiasme. Il avait écrit sur sa pancarte : CE TYPE EST FORTI-CHE. J'en avais pris acte avec une satisfaction pleine et entière — une satisfaction, si on y prend garde, qui ne faisait rien d'autre que confirmer mon attente, et même ma certitude d'être reconnu pour ce que je valais —, quand l'expression mobilisa mon attention. Pourquoi m'appelaient-ils CE TYPE s'ils m'avaient déjà vu, fût-ce en une circonstance défavorable, si en somme je ne pouvais être que bien connu d'eux ? Avec précaution j'améliorai la mise au point de mon télescope, et j'aperçus en bas de la même pancarte une ligne en caractères un peu plus petits : QUI EST-CE ? ALLEZ SAVOIR. Peut-on imaginer une plus grande infortune ? Ceux qui avaient en main tous les éléments pour comprendre qui j'étais vraiment ne m'avaient pas reconnu. Ils n'avaient pas relié ce louable épisode avec l'épisode blâmable qui s'était déroulé deux cents millions d'années auparavant, et en conséquence l'épisode blâmable continuait à m'être attribué, et celui-ci non, celui-ci restait une anecdote impersonnelle, anonyme, qui ne faisait partie de l'histoire de personne.

Mon premier mouvement fut de déployer une pancarte : MAIS C'EST MOI ! J'y renonçai : à quoi cela aurait-il servi ? Ils le verraient d'ici plus de cent millions d'années et avec les trois cents autres et quelques qui avaient passé depuis le moment x, on allait vers le demi-milliard d'années ; pour être sûr de me faire comprendre j'aurais dû spécifier, remettre encore sur le tapis cette vieille histoire, c'est-à-dire ce que je voulais le plus au monde éviter.

Désormais je n'étais plus tellement sûr de moi-même. Je craignais de ne pas obtenir des autres galaxies de plus grandes satisfactions. Ceux qui m'avaient vu m'avaient vu d'une façon partielle, fragmentaire, distraite, ou n'avaient compris que jusqu'à un certain point ce qui se passait, sans saisir l'essentiel, sans analyser les éléments de ma personnalité qui ressortaient d'une fois sur l'autre.

Une seule pancarte disait ce à quoi je m'attendais véritablement : MAIS TU SAIS QUE TU ES VRAIMENT FORTICHE ! Je me dépêchai de feuilleter mon cahier pour voir quelles réactions étaient venues de cette galaxie au moment x. Comme par extraordinaire, c'était précisément là qu'était apparue la pancarte ON N'Y VOIT FOUTRE RIEN. Dans cette région de l'univers, je jouissais sûrement de la meilleure considération ; évidemment, j'aurais dû m'en féliciter ; au contraire, je n'en tirais aucune satisfaction. Je m'aperçus que, du moment que ces admirateurs n'étaient pas de ceux qui tout d'abord pouvaient s'être fait de moi une idée fausse, rien de leur part ne m'importait vraiment. La preuve que le moment y démentait et effaçait le moment x, ils ne pouvaient pas quant à eux me la donner, et mon malaise persistait, aggravé par le temps et par l'impossibilité où j'étais de savoir si ses causes en étaient déjà venues ou en viendraient jamais à disparaître.

Naturellement, pour les observateurs épars dans l'univers, le moment x et le moment y n'étaient que deux moments parmi les innombrables moments observables, et de fait chaque nuit sur les constellations situées aux distances les plus variées apparaissaient des pancartes qui se référaient à d'autres épisodes, des pancartes qui disaient CONTINUE COMME ÇA TU ES TOUJOURS LÀ, REGARDE CE QUE TU FAIS, JE L'AVAIS BIEN DIT. Pour chacune je pouvais faire le calcul, tant d'années-lumière d'ici à là-bas, et tant au retour, et établir à quel épisode elles se référaient : tous les faits et gestes de ma vie, toutes les fois où je m'étais mis un doigt dans le nez, toutes les fois où j'avais réussi à sauter du tram en marche, étaient encore là à voyager d'une galaxie à l'autre, pris en considération, commentés, jugés. Commentaires et jugements n'étaient pas toujours pertinents ; l'inscription TSS, TSS correspondait à la fois où j'avais versé un tiers de mon salaire à une œuvre de bienfaisance ; l'inscription CETTE FOIS TU M'AS PLU au jour où j'avais oublié dans le train le manuscrit du traité qui m'avait coûté tant d'années d'études ; ma fameuse leçon d'ouverture à l'université de Goettingen avait été commentée par l'inscription : ATTENTION AUX COURANTS D'AIR.

En un certain sens, je pouvais être tranquille : rien de ce que je faisais, en bien ou en mal, ne se perdait tout à fait. Il y avait toujours un écho qui en réchappait, ou même plusieurs échos, qui se diversifiaient d'un bout à l'autre de l'univers, dans cette sphère qui se dilatait et engendrait d'autres sphères ; mais c'étaient des nouvelles discontinues, disharmoniques, inessentielles, desquelles ne résultait pas un lien entre mes actions, et une action nouvelle ne réussissait pas à expliquer ou corriger une autre, si bien qu'elles s'additionnaient simplement l'une à l'autre, avec le signe plus ou le signe moins, comme en un très long polynôme qu'il n'est pas possible de réduire à une expression plus simple.

Que pouvais-je faire, arrivé à ce point ? Continuer à m'occuper du passé était inutile ; jusque-là les choses étaient allées comme elles avaient pu ; je devais faire en sorte qu'elles aillent dans l'avenir. L'important était que, de tout ce que je faisais, ressortît clairement ce qui était l'essentiel, ce sur quoi il fallait faire porter l'accent, ce qui devait être noté ou non. Je me procurai une énorme pancarte avec un signe indicateur de direction, de ceux qui ont une main avec l'index tendu. Quand j'accomplissais une action sur laquelle je voulais attirer l'attention, je n'avais qu'à lever cette pancarte, en essayant de m'y prendre de telle sorte que l'index désignât le détail le plus important de la scène. Pour les moments au contraire au cours desquels je préférais passer inaperçu je me fis une autre pancarte, avec une main dont le pouce indiquait la direction opposée à celle où moi-même je m'engageais, de manière à détourner l'attention.

Il suffisait que j'emporte ces pancartes partout où j'allais et que je lève l'une ou l'autre selon les occasions. C'était une opération à longue échéance, naturellement : les observateurs distants de centaines de milliers de millénaires-lumière percevraient avec des centaines de milliers de millénaires-lumière de retard ce que je faisais sur le moment ; et moi-même je lirais leurs réactions avec une autre fois des centaines de milliers de millénaires de retard. Mais ce retard-là était inévitable ; il y avait en revanche un autre inconvénient que je n'avais pas prévu : que devais-je faire quand je m'apercevais que j'avais levé la mauvaise pancarte ?

Par exemple, à un moment donné j'étais sûr que j'allais faire un geste qui me donnerait dignité et prestige ; je me dépêchais de déployer la pancarte avec l'index pointé sur moi : et précisément à ce moment je me plantais, je commettais une gaffe impardonnable, une manifestation de la misère humaine à vous enfoncer sous terre de honte. Mais les dés étaient lancés : l'image, avec son signal indicateur pointé sur elle, naviguait à travers l'espace, personne ne pouvait plus l'arrêter, elle dévorait les années-lumière, elle se propageait de galaxie en galaxie, elle suscitait pour des millions de siècles à venir des commentaires et des rires et des froncements de nez, lesquels du fond des millénaires me reviendraient et m'obligeraient à des justifications encore plus bouffonnes, à de maladroites tentatives de rectification...

Un autre jour, au contraire, je dus affronter une situation désagréable, un de ces moments dans la vie par quoi on est obligé de passer en sachant déjà que, de quelque façon que la chose tourne, il n'y aura pas moyen de se tirer d'affaire. Je me fis un bouclier de la pancarte avec le pouce qui indiquait le côté opposé, et j'allai. De façon inattendue, en cette situation si délicate et si épineuse, je fis preuve d'une rapidité d'esprit, d'un équilibre, d'une aisance, d'une résolution et d'une décision que personne — et moi moins que personne — n'aurait soupçonnés en moi : je prodiguai à l'improviste une réserve de dons qui supposaient la longue maturation d'un caractère ; et pendant ce temps la pancarte détournait les regards des observateurs, les faisant tous converger sur un vase de pivoines, à côté.

Des cas comme celui-là, qu'à l'origine je considérais comme exceptionnels, fruits de mon inexpérience, il m'en arriva de plus en plus fréquemment.

Trop tard je m'apercevais que j'aurais dû montrer ce que je n'avais pas voulu montrer : il n'y avait pas moyen d'arriver avant l'image et d'avertir qu'il ne fallait pas tenir compte de la pancarte.

Je pensai à me faire une troisième pancarte avec écrit dessus : ÇA NE COMPTE PAS à brandir si je voulais réfuter la pancarte précédente, mais dans toutes les galaxies cette image-là serait vue seulement après celle qu'elle aurait dû corriger, et donc le mal était fait et je ne pouvais y ajouter qu'un ridicule supplémentaire, contre lequel une nouvelle pancarte LE ÇA NE COMPTE PAS NE COMPTE PAS aurait été également inutile.

Je continuai à vivre dans l'attente du moment éloigné où des galaxies m'arriveraient les commentaires sur ceux des nouveaux épisodes qui m'emplissaient de malaise et d'embarras, commentaires que je pourrais combattre par des messages de réponse auxquels je travaillais déjà, les graduant selon les cas. Cependant, les galaxies avec lesquelles j'étais le plus compromis étaient déjà en train de rouler sur le seuil des milliards d'années-lumière, à une vitesse telle que, pour les rejoindre, mes messages auraient dû tirer la langue à travers l'espace en s'accrochant à l'accélération de leur fuite : l'une après l'autre, elles allaient disparaître de l'horizon ultime des dix milliards d'années-lumière au-delà duquel aucun objet visible ne peut plus être vu, et elles emporteraient avec elles un jugement dès lors irrévocable.

Et en pensant à leur jugement que je ne pourrais plus changer, il me vint tout à coup comme une impression de soulagement, comme si la paix ne pouvait me venir que du seul moment où, sur cet arbitraire registre des malentendus il n'y aurait plus rien à ajouter ni à retrancher, et les galaxies qui peu à peu se réduisaient à l'ultime extrémité d'un rayon lumineux tourné hors de la sphère de l'obscurité emportaient avec elles, me semblait-il, l'unique vérité possible sur moi-même, et j'avais hâte de les voir prendre toutes le même chemin.

La spirale

Pour la plupart des mollusques, la forme organi-
que visible n'a pas grande importance dans la vie des
membres de l'espèce, étant donné qu'ils ne peuvent
pas se voir entre eux ou n'ont, des autres individus et
de l'environnement, qu'une perception vague. Ce qui
n'empêche pas l'existence de stries aux colorations
vives et des formes qui sont très belles à nos yeux
(comme par exemple nombre de coquilles de gasté-
ropodes), indépendamment de tout rapport avec la
visibilité.

I.

Comme moi quand j'étais attaché à ce rocher,
voulez-vous dire ? — *demanda Qfwfq* —, avec les
vagues qui montaient et qui descendaient, et moi
qui me tenais bien immobile, tout plat, en train de
sucer ce qu'il y avait à sucer et y réfléchissant à
longueur de temps ? Si c'est de cette époque, je ne

peux pas vous en dire grand-chose. Je n'avais pas
de forme, c'est-à-dire que je ne savais pas que j'en
avais une ou, si vous voulez, je ne savais pas qu'on
pût en avoir une. Je grandissais en somme un peu
de tous les côtés, au hasard ; si c'est cela que vous
appelez une symétrie rayonnante, eh bien ! cela
signifie que j'avais la symétrie rayonnante, mais à
la vérité je n'y ai jamais fait attention. Pourquoi
aurais-je dû grandir d'un côté plutôt que d'un
autre ? Je n'avais pas d'yeux, ni de tête, ni aucune
partie de mon corps qui fût différente d'aucune
autre partie de mon corps : maintenant ils veulent
me faire admettre que sur les deux trous que j'avais
l'une était la bouche et l'autre l'anus, et qu'à partir
de ce moment j'avais ma symétrie bilatérale ni plus
ni moins que les trilobites et n'importe lequel de
vous tous, mais dans mon souvenir, ces trous, je
ne les distingue pas le moins du monde, je faisais
passer les choses par où l'envie m'en prenait, du
dehors au dedans, ou vice versa : c'était pareil, les
différences et les chichis sont venus longtemps,
longtemps après. De temps à autre j'avais des fan-
taisies, cela oui, par exemple de me gratter sous les
aisselles, ou de croiser les jambes, une fois même de
me laisser pousser les moustaches en brosse. Ici
avec vous, j'emploie ces mots pour me faire comprendre : alors, je ne pouvais prévoir ces détails-là,
j'avais des cellules, toutes pareilles à peu près, et
qui faisaient toujours le même travail, l'un dans
l'autre. Mais étant donné que je n'avais pas de
forme je me sentais bien dans toutes les formes

possibles et tous les gestes et toutes les grimaces et
tous les moyens de faire du bruit, même malséants.
En somme, je ne connaissais pas de limites à mes
pensées, qui d'ailleurs n'étaient pas des pensées
puisque je n'avais pas de cerveau pour les penser,
et chaque cellule pensait pour son propre compte
tout ce qui était pensable à la fois, non à travers
des images, car nous n'en avions d'aucun genre à
notre disposition, mais simplement de cette façon
indéterminée de se sentir là qui n'excluait aucune
façon de se sentir là d'une autre façon.

C'était une condition riche et libre et satisfaite
que ma condition d'alors, tout le contraire de ce
que vous pouvez croire. J'étais célibataire (le système de reproduction d'alors ne réclamait aucun
accouplement, même temporaire), j'étais sain, sans
trop de prétentions. Quand on est jeune, on a
devant soi l'évolution tout entière avec toutes les
voies ouvertes ; et en même temps on peut se
réjouir d'être là, sur le rocher, pulpe de mollusque
plate, humide et béate. Si l'on se rapporte aux limi-
tations qui sont venues par la suite, si l'on pense au
fait qu'avoir une forme exclut toutes les autres formes, si l'on pense au train-train sans imprévu auquel,
à un certain stade, on finit par se sentir assujetti, eh
bien ! je peux le dire, alors c'était la belle vie.

Sans doute, je vivais un peu replié sur moi-
même, c'est vrai, il n'y avait aucune comparaison
avec la vie de relations qui a cours maintenant, et
je dois admettre que j'ai été — un peu à cause de
mon âge, un peu sous la poussée de l'environne-

ment —, comme on dit, légèrement narcissique ; en somme, je restais là à m'observer à longueur de temps, je voyais toutes mes qualités et tous mes défauts, et je me complaisais, soit aux unes, soit aux autres, je n'avais aucun terme de comparaison, il faut aussi en tenir compte.

Mais j'étais loin d'être arriéré au point d'ignorer qu'à part moi il existait autre chose, le rocher sur lequel j'étais collé, bien sûr, et aussi l'eau qui venait jusqu'à moi à chaque vague montante, mais encore autre chose, plus loin, c'est-à-dire le monde. L'eau était un moyen d'information fiable et précis, elle m'apportait des substances comestibles que j'absorbais à travers toute ma surface, et des substances aussi qui étaient immangeables, mais à partir desquelles je me faisais une idée de ce qu'il y avait autour de moi. Le système était le suivant : une vague arrivait et moi, qui étais attaché au rocher, je me soulevais un petit peu, là, imperceptiblement, il me suffisait de relâcher un peu la pression, et schlaff, l'eau passait par-dessous, toute pleine de substances, de sensations, de stimulations. Ces stimulants, tu ne savais jamais comme ils allaient tourner, ça pouvait être un chatouillement à mourir de rire ; ou parfois un frisson, une inflammation, un prurit, si bien que c'était une alternative perpétuelle de divertissements et d'émotions. Mais ne croyez pas que je restais là passivement, acceptant, la bouche ouverte, tout ce qui arrivait : au bout de quelque temps j'avais fait mon expérience et j'étais habile à analyser quelle sorte de chose

était en train de m'arriver et à décider ce que devait
être mon comportement, afin de profiter au mieux
de la chose en question, ou bien pour éviter les
conséquences les plus désagréables. Tout tenait dans
un jeu de contractions, en chacune de mes cellules,
ou dans un relâchement de la tension, au bon
moment, et je pouvais faire mon choix, refuser,
attirer ; je pouvais même cracher.

Ainsi j'appris qu'il y avait *les autres*, l'élément
qui m'entourait ruisselait de leurs signes, *les autres*,
différents de moi avec hostilité, ou bien déplaisam-
ment semblables. Non, voilà que je suis en train de
vous donner de moi en somme l'idée d'un caractère
grincheux et ce n'est pas vrai ; sans doute chacun
continuait à s'occuper de ses affaires, mais la présence des *autres* me rassurait, elle décrivait autour
de moi un espace habité, elle me libérait du soupçon que j'éprouvais de constituer une exception
alarmante, du fait qu'il ne serait arrivé qu'à moi
seul d'exister, une sorte d'exil.

Et il y avait *les autres*, au féminin. L'eau trans-
mettait une vibration spéciale, une sorte de frin frin
frin, je me rappelle quand je m'en aperçus pour la
première fois, ou, si vous voulez, non pas la première fois, mais la fois que je m'aperçus que je
m'en apercevais comme d'une chose que j'avais
toujours connue. À la découverte de leur existence,
je fus pris d'une grande curiosité, non pas de les
voir, et moins encore de me faire voir d'elles —
étant donné que, d'abord, nous ne disposions pas
de la vue, et, ensuite, que les sexes n'étaient pas

encore différenciés, chaque individu étant identique à tous les autres individus, et à regarder un autre ou une autre je n'aurais eu d'autre plaisir que celui de me regarder moi-même — mais de la curiosité de savoir si, entre elles et moi, quelque chose pouvait arriver. L'envie me prit, non pas de faire quelque chose de spécial, la question ne se posait pas, car je ne savais pas qu'il y eût précisément à faire quelque chose, de spécial ou non, mais il fallait en quelque sorte répondre à cette vibration par une vibration correspondante, ou pour mieux dire : une vibration particulière à moi, parce que là ce qui en résultait était quelque chose qui n'était pas exactement la même chose qu'une autre, c'est-à-dire qu'à présent vous pouvez parler d'hormones, mais pour moi c'était en réalité tout à fait merveilleux.

En somme, l'une d'entre elles, sfliff, sfliff, sfliff, émettait ses œufs, et moi, sflouff, sflouff, sflouff, je les fécondais, tout dans la mer, en bas, tout mélangé, dans l'eau tiède sous le soleil, je ne vous ai pas dit que je sentais le soleil, il tiédissait la mer et réchauffait la roche.

L'une d'entre elles, ai-je dit. Parce que, parmi tous ces messages féminins que la mer me lançait dessus, au début comme une sorte de bouillon indifférencié dans lequel pour moi tout était bon et où je fourrais mon nez sans me soucier de savoir comment était l'une ou l'autre, voilà qu'à partir d'un certain moment j'avais compris ce qui répondait le mieux à mes goûts, goûts que bien entendu je ne connaissais pas jusqu'alors. En somme j'étais tombé amoureux. Ce qui veut dire que j'avais commencé à isoler, à reconnaître les signes de l'une parmi ceux de toutes les autres, et que même je les attendais, ces signes que j'avais commencé à reconnaître, je les cherchais, et même j'allais jusqu'à les provoquer, ces signes à elle auxquels moi-même je répondais par des signes à moi, ce qui veut dire que j'étais amoureux d'elle et elle de moi ; que pouvait-on désirer de plus dans la vie ?

À présent les manières ont changé, et il vous paraît déjà inconcevable, à vous autres, que l'on puisse tomber amoureux de cette façon d'une personne quelconque, sans l'avoir fréquentée. Et pourtant à travers tout ce qui d'elle ne pouvait être confondu, restant en solution dans l'eau de mer, tout ce que les vagues mettaient à ma disposition, je recevais une quantité d'informations sur elle, à un point que vous ne pouvez pas imaginer ; non pas les informations superficielles et génériques que l'on a maintenant en voyant, en humant, en touchant, en écoutant la voix, mais des informations sur l'essentiel, informations sur lesquelles ensuite je pouvais faire travailler longuement mon imagination. Je pouvais penser à elle avec une précision minutieuse, et pas tellement penser à elle comme elle était faite, ce qui aurait été une façon banale et grossière de penser à elle, mais penser à elle qui n'avait aucune forme, et donc comme elle se serait transformée si elle avait pris l'une de ces formes indéfiniment possibles, tout en restant cependant toujours elle-même. Si vous voulez, ce n'est pas que j'imaginais les formes qu'elle aurait pu prendre, c'est que j'imaginais la qualité particulière qu'elle aurait donnée à ces formes en les prenant.

Je la connaissais bien, en somme. Mais je n'étais pas sûr d'elle. De temps à autre me venaient des soupçons, des angoisses, des idées fixes. Je n'en laissais rien voir, vous connaissez mon caractère, mais sous ce masque d'impassibilité passaient des suppositions que même aujourd'hui je me refuse à confesser. Plus d'une fois j'ai soupçonné qu'elle me trompait, qu'elle envoyait des messages non seulement à moi-même mais aussi à d'autres ; plus d'une fois j'ai cru en avoir intercepté un, ou avoir découvert dans un message à moi adressé des accents hypocrites. J'étais jaloux, aujourd'hui je peux le dire, jaloux non seulement par défiance envers elle, mais par incertitude envers moi-même ; qu'est-ce qui me garantissait qu'elle avait bien compris qui j'étais ? Et même qu'elle avait seulement compris que j'existais ? Ce rapport qui s'établissait entre nous deux à travers l'eau de la mer — un rapport plein, complet, à quoi pouvais-je prétendre de plus ? — était pour moi absolument personnel, propre à deux individus uniques et distincts ; mais pour elle ? Qu'est-ce qui me garantissait que ce qu'elle pouvait trouver en moi, elle ne le trouvait pas aussi chez un autre, un ou deux autres, ou trois, ou dix, ou cent pareils à moi ? Qu'est-ce qui m'assurait que l'abandon avec lequel elle participait à notre rapport n'était pas indiscriminé, à la bonne franquette, une fête — « à qui le tour ? » — collective ?

Que ces soupçons ne correspondissent à rien de réel, la vibration douce, intime, me le confirmait, avec ses moments de pudeur tremblante qu'avaient nos correspondances ; mais précisément, si par timidité et inexpérience elle allait ne pas faire suffisamment attention à mes caractéristiques, pour que d'autres en profitent et s'immiscent ? et elle, trop jeune, croyant que c'est toujours moi, ne distinguait pas l'un de l'autre, et de telle façon que nos jeux les plus intimes s'étendraient à tout un cercle d'inconnus… ?

Ce fut alors que je me mis à sécréter de la matière calcaire. Je voulais faire quelque chose qui marquât ma présence de façon non équivoque, qui défendît cette individuelle présence, de la fragilité indifférenciée de tout le reste. Il est aujourd'hui inutile de chercher à expliquer en accumulant les mots la nouveauté de mon intention, le premier mot que j'ai dit suffit amplement : *faire*, je voulais *faire*, et si l'on considère que je n'avais jamais rien fait ni jamais pensé qu'on pût faire quelque chose, c'était déjà là un grand événement. Je commençai donc à faire la première chose qui me vint à l'esprit, et c'était une coquille. Du bord de ce manteau charnu que j'avais sur le corps, à l'aide de certaines glandes je commençai à faire sortir des sécrétions qui prenaient une courbe bien circulaire, tout autour, jusqu'à ce que je fusse couvert d'un bouclier dur et bariolé, raboteux au-dehors et lisse et brillant à l'intérieur. Naturellement je n'avais aucun moyen de contrôler la forme qu'avait ce que j'étais en train de faire, je me tenais là toujours accroupi sur moi-même, silencieux et lent, et je sécrétais. Je continuai même après que la coquille m'eut recouvert tout le corps, et ainsi je commençai un autre tour ; en somme ce qui me venait, c'était une coquille de celles qui sont tout entortillées en spirale, de celles dont vous croyez quand vous les voyez qu'elles sont très difficiles à faire et, au contraire, il suffit d'insister et de sortir tout doucement une matière toujours pareille sans interruption, et elles grandissent ainsi un tour après l'autre.

Du moment où elle fut là, cette coquille fut aussi un endroit nécessaire et indispensable pour se tenir à l'intérieur, une défense pour ma survie, quel malheur si je ne me l'étais pas faite, mais pendant que je la faisais il ne me venait pas le moins du monde à l'esprit de la faire parce qu'elle m'était utile ; au contraire, comme il arrive à l'un ou l'autre de pousser une exclamation qu'il pourrait très bien ne pas pousser et pourtant il le fait, comme quelqu'un qui dit « bah ! » ou encore « bof ! », c'est ainsi que je faisais ma coquille, c'est-à-dire seulement afin de m'exprimer. Et dans ce mode d'expression je mettais toutes les pensées que j'avais pour elle, l'épanchement de la colère qu'elle me causait, ma façon amoureuse de penser à elle, la volonté d'être pour elle, d'être moi, et bien moi-même, et qu'elle soit elle-même, et l'amour pour moi-même que je mettais dans mon amour pour elle, toutes les choses qui peuvent être dites seulement par cette enveloppe de coquille montée en spirale.

À intervalles réguliers la matière calcaire que je sécrétais se colorait ; ainsi se formaient de belles stries qui continuaient tout droit à travers les spirales, et cette coquille était une chose différente de moi mais aussi la partie de moi la plus vraie, l'explication de ce que j'étais, mon portrait traduit dans un système rythmique de volumes et de stries et de couleurs et d'une matière dure, et c'était aussi son portrait à elle traduit dans le même système, mais aussi bien son portrait tout à fait véritable telle qu'elle était, parce que dans le même temps elle était en train de se fabriquer une coquille identique à la mienne, et moi sans le savoir j'étais en train de copier ce qu'elle faisait elle-même, et elle sans le savoir copiait ce que je faisais, et tous les autres étaient en train de copier tous les autres et ils se construisaient ces coquilles toutes pareilles, et ainsi on en serait resté au point de départ, s'il n'était trop vite dit de ces coquilles qu'elles étaient toutes pareilles, car si on les regarde bien on y découvre beaucoup de petites différences qui pourront bien, par la suite, devenir très considérables.

Je peux dire par conséquent que ma coquille se faisait toute seule, sans que je misse un soin particulier à la réussir d'une façon plutôt que d'une autre ; mais cela ne veut pas dire que pendant ce temps j'étais distrait ni l'esprit libre, je m'y appliquais au contraire, en cette activité de sécrétion,

sans me distraire une seconde, sans jamais penser à
rien d'autre, ou, si vous voulez, pensant toujours à
autre chose, étant donné que je ne savais pas penser la coquille, tout comme du reste je ne savais
penser à quoi que ce fût, mais accompagnant mon
effort à faire la coquille de l'effort de penser à faire
quelque chose, et si vous voulez n'importe quelle
chose, ou si vous voulez toutes les choses qui pouvaient être faites, en somme. Si bien que ce n'était
même pas un travail monotone, parce que l'effort
de pensée qui l'accompagnait se diversifiait en
d'innombrables types d'action qui pouvaient chacun faire d'innombrables choses, et la fabrication
de toutes ces choses était impliquée dans la façon
de faire grandir la coquille, tour après tour…

II.

*(Si bien qu'à présent, après cinquante millions
d'années, je regarde autour de moi et je vois sur le
rocher le talus de la voie ferrée et le train qui passe
dessus avec un groupe de jeunes filles hollandaises
penchées à la fenêtre et dans le dernier compartiment
un voyageur seul qui lit Hérodote dans une édition
bilingue, et il disparaît dans le tunnel au-dessus duquel
passe la route pour les poids lourds avec le panneau
« Volez sur Egypt-air » qui représente les pyramides,
et la moto-fourgonnette du marchand de glaces tente
de dépasser un camion chargé d'exemplaires de la
livraison « Rh-Stijl » d'une encyclopédie par fascicu-*

*les, mais ensuite elle freine et se remet dans la file parce
que la visibilité est bouchée par un nuage d'abeilles
qui traverse la route en provenance d'un alignement
de ruches situées dans un champ d'où très certainement une abeille reine s'éloigne en ce moment entraî-
nant derrière elle tout un essaim qui va en sens
contraire de la fumée du train sorti de nouveau à
l'autre extrémité du tunnel, si bien que l'on ne voit
plus rien par la faute de cette couche nébuleuse
d'abeilles et de fumée de charbon, sinon quelques
mètres au-dessus un paysan qui casse la terre à coups
de pioche et sans s'en apercevoir ramène au jour et
remet sous terre un fragment d'une pioche néolithi-
que semblable à la sienne, dans un jardin qui entoure
un observatoire astronomique avec ses télescopes
pointés vers le ciel et sur le seuil duquel la fille du
gardien est assise lisant les horoscopes d'un hebdo-
madaire qui a en couverture le portrait de la protagoniste du film,* Cléopâtre, *je vois tout cela et je n'en
ressens aucun étonnement parce que faire ma coquille
impliquait aussi bien faire du miel dans le rayon de
cire et le charbon et les télescopes et le règne de
Cléopâtre et les films sur Cléopâtre et les pyramides
et le dessin du zodiaque des astrologues chaldéens et
les guerres et les empires dont parle Hérodote et les
mots écrits par Hérodote et les œuvres écrites dans
toutes les langues y compris celle de Spinoza en hol-
landais et le résumé en quatorze lignes de la vie et
des œuvres de Spinoza dans le fascicule « Rh-Stijl »
de l'encyclopédie dans le camion dépassé par la moto-
fourgonnette du marchand de glaces et ainsi en fai-*

*sant ma coquille il me semble que j'ai aussi fait le
reste.*

*Je regarde autour de moi et qu'est-ce que je cher-
che ? c'est toujours elle que je cherche amoureux
depuis cinquante millions d'années et je vois sur la
plage une baigneuse hollandaise à qui un maître baigneur avec une gourmette en or montre pour lui faire
peur l'essaim d'abeilles dans le ciel, et je la reconnais,
c'est elle, je la reconnais à sa façon sans pareille de
lever l'épaule au point de se toucher la joue avec, j'en
suis presque sûr, et je dirais absolument sûr n'était
une certaine ressemblance que je retrouve aussi chez
la fille du gardien de l'observatoire astronomique, et
sur la photographie de l'actrice déguisée en Cléopâtre, ou peut-être chez Cléopâtre telle qu'elle était
vraiment en personne, pour autant qu'il y a quelque
chose de la Cléopâtre réputée vraie qui se continue dans
chaque représentation, ou chez la reine des abeilles
qui vole en tête de l'essaim pour l'élan inflexible avec
lequel elle avance, ou chez la femme de papier décou-
pée et collée sur le pare-brise de plastique de la moto-
fourgonnette du marchand de glaces, dans un cos-
tume de bain pareil à celui de la baigneuse sur la
plage, laquelle à présent écoute à un petit poste de
radio à transistors une voix de femme qui chante, la
même voix qu'entend à sa radio le camionneur de
l'encyclopédie, et aussi la même que pour ma part
désormais je suis certain d'avoir entendue cinquante
millions d'années durant, c'est certainement elle que
j'entends chanter et dont je cherche autour de moi
une image et je ne vois rien d'autre que des mouettes*

planer au-dessus de la surface de la mer où affleure
le scintillement d'un banc d'anchois et un instant je
suis sûr de la reconnaître en une mouette femelle et
l'instant d'après au contraire qu'elle est un anchois,
mais elle pourrait être également une quelconque reine
ou esclave citée par Hérodote ou seulement sous-
entendue dans les pages du volume posé sur la ban-
quette pour marquer la place du lecteur sorti dans le
couloir du train afin d'engager la conversation avec
les touristes hollandaises, ou l'une quelconque des
touristes hollandaises, de chacune d'elles je peux me
dire amoureux et dans le même temps sûr de n'être
toujours amoureux que d'elle seule.

Et plus je me ronge d'amour pour chacune, moins
je me décide à leur dire : « C'est moi ! », craignant
de me tromper et plus encore que ce ne soit elle qui
se trompe, qui me prenne pour quelque autre, pour
l'un de ceux qui d'après le peu qu'elle sait de moi
pourrait bien être pris pour moi, par exemple le maître baigneur avec la gourmette en or, ou le directeur
de l'observatoire astronomique, ou un goéland, ou un
anchois mâle, ou le lecteur d'Hérodote, ou Hérodote
en personne, ou le marchand de glaces motocycliste
qui maintenant est descendu sur la plage par un sentier poussiéreux entre les figuiers de Barbarie et se
trouve entouré par les touristes hollandaises en cos-
tume de bain, ou Spinoza, ou le camionneur qui a dans
son chargement la vie et l'œuvre de Spinoza en résumé
répétées deux mille fois, ou l'un des faux bourdons qui
agonisent au fond de la ruche après avoir accompli
leur devoir de perpétuation de l'espèce.)

III.

… Cela n'empêche pas que la coquille ne fût par-dessus tout une coquille, avec sa forme particulière, qui ne pouvait être différente parce que c'était précisément la forme que je lui avais donnée, c'est-à-dire l'unique forme que je susse et voulusse lui donner. La coquille ayant une forme, c'est la forme même du monde qui avait changé, dans le sens que désormais elle comprenait la forme du monde tel qu'il était sans la coquille plus la forme de la coquille.

Et cela avait de grandes conséquences : parce que les vibrations ondulatoires de la lumière, en touchant les corps, en tirent des effets spéciaux, la couleur avant tout, c'est-à-dire cette chose que j'utilisais pour faire mes stries et qui vibrait d'une manière différente du reste, mais encore le fait qu'un volume entre dans un rapport spécifique de volume avec les autres volumes, tous phénomènes dont quant à moi je ne pouvais me rendre compte et qui pourtant existaient.

La coquille ainsi était en mesure de produire des images visuelles de coquilles, qui sont des choses très semblables — pour ce qu'on en sait — à la coquille elle-même, sauf que, tandis que la coquille est ici, elles se forment par ailleurs, et autant que possible sur une rétine. Une image présupposait par conséquent une rétine, laquelle à son tour présup-

pose un système compliqué qui aboutit à un
encéphale. C'est-à-dire que moi, en produisant la
coquille j'en produisais aussi l'image — et même
non seulement une mais de très nombreuses parce
qu'avec une seule coquille on peut faire autant
d'images de coquilles qu'on veut — mais seulement
des images en puissance parce que pour former une
image il faut tout le nécessaire, comme je disais
précédemment : un encéphale avec ses propres gan-
glions optiques, qui porte les vibrations du dehors
au dedans, lequel nerf optique en son autre extrémité se termine par un quelque chose fait exprès
pour voir ce qu'il y a dehors, et qui serait un œil.
Maintenant il est ridicule de penser qu'un être
pourvu d'un encéphale en fasse partir un nerf un
peu comme une sonde qu'on lancerait dans le noir
et que, aussi longtemps qu'il n'aura pas d'yeux il
ne pourra pas savoir s'il y a dehors quelque chose
à voir ou non. Pour moi je ne possédais rien de ce
matériel, et donc j'étais le dernier à pouvoir en parler ; pourtant je m'étais fait mon idée, à savoir que
l'important était de constituer des images visuelles,
et ensuite les yeux viendraient par voie de conséquence. Ainsi donc je me concentrais pour faire en
sorte que tout ce qui de moi se trouvait dehors (et
aussi tout ce qui en mon intérieur conditionnait
l'extérieur) pût donner lieu à une image, et même
une image dont on pourrait dire par la suite qu'elle
est belle (par comparaison avec d'autres images
jugées moins belles, ou pas très jolies, ou laides à
faire peur).

Un corps qui réussit à émettre ou à refléter des vibrations lumineuses dans un ordre distinct et reconnaissable, pensais-je, que fait-il de ces vibrations ? Il les met dans ses poches ? Non, il s'en décharge sur le dos du premier venu qui passe dans son voisinage. Et comment se comportera celui-là devant des vibrations qu'il ne peut pas utiliser et qui ainsi prises causent peut-être quelque désagrément ? Il se cachera la tête dans un trou ? Non, il la tournera dans cette direction jusqu'à ce que le point le plus exposé aux vibrations optiques se sensibilise et développe le dispositif pour en jouir sous forme d'images. En somme le complexe œil-encéphale, je le pensais quant à moi comme un tunnel creusé depuis l'extérieur, sous l'action de ce qui était prêt à devenir image, plutôt que depuis l'intérieur, c'est-à-dire à partir de l'intention de capter une image quelconque.

Et je ne me trompais pas ; encore aujourd'hui, je suis sûr que le projet — dans ses grandes lignes — était juste. Mais mon erreur venait de ce que je pensais que la vue nous serait donnée à nous, c'est-à-dire à elle et à moi. J'élaborais une image de moi harmonieuse et colorée afin d'entrer dans son domaine de réceptivité visuelle à elle, et d'en occuper le centre, et de m'y stabiliser, de telle sorte qu'elle puisse jouir continuellement de moi, non seulement par la vue, mais encore par le rêve, par le souvenir et par la pensée. Et je sentais que dans le même temps elle de son côté irradiait d'elle-même une image tellement parfaite qu'elle s'imposerait à mes sens obs-

curcis et retardataires, développant en moi un champ
visuel intérieur où elle resplendirait à tout jamais.

Ainsi nos efforts nous portaient à devenir ces
objets parfaits d'un sens dont on ne savait pas bien
encore ce qu'il était, et qui par la suite devint parfait
précisément en fonction de la perfection de son
objet, que précisément nous étions. Je dis la vue, je
dis les yeux ; seulement, je n'avais pas prévu une
chose : les yeux qui finalement s'ouvrirent pour nous
voir n'étaient pas les nôtres, mais ceux des autres.

Êtres informes, incolores, sacs de viscères élaborés
au petit bonheur, ils peuplaient le milieu ambiant,
sans s'inquiéter le moins du monde de ce qu'ils
pouvaient faire de leurs personnes, sans chercher à
s'exprimer ni à se représenter sous une forme stable
et accomplie et capable d'enrichir les possibilités
visuelles de quiconque l'aurait vue. Ils vont et ils
viennent, ils s'enfoncent et ils émergent plus ou
moins, dans cet espace aérien, aqueux et rocheux ; ils
tournent distraitement en rond, ils se promènent ; et
nous pendant ce temps, elle et moi, et nous tous
autant que nous étions, appliqués à exprimer chacun
sa forme, nous restions là à peiner dans notre obscurité. Grâce à nous, cet espace mal différencié devenait un champ visuel : et à qui profitait-il ? À ces
intrus, ces gens qui pour commencer n'avaient jamais
pensé à la possibilité de la vue (parce que, laids
comme ils l'étaient, ils n'auraient rien gagné à se voir
les uns les autres), ces gens qui avaient été les plus
sourds à la vocation de la forme. Tandis que nous,
nous étions acharnés à faire le plus gros du travail,

c'est-à-dire à faire en sorte qu'il y eût quelque chose
à voir, eux sans en avoir l'air s'occupaient du plus
facile : adapter leurs organes récepteurs paresseux et
embryonnaires à ce qu'il y avait à capter, c'est-à-dire
nos images. Et qu'on ne vienne pas me dire que leur
tâche fut ardue : tout pouvait sortir de cette bouillie
mucilagineuse dont leurs têtes étaient pleines, et il
n'est guère malaisé de tirer de là un dispositif sensible
à la lumière. Mais pour ce qui est de le perfectionner,
je voudrais vous y voir ! Comment faire, si l'on n'a
pas à voir des objets visibles, et même éclatants,
capables enfin de s'imposer au regard ? En somme,
ils se firent des yeux à nos dépens.

Ainsi, la vue, *notre* vue, qu'obscurément nous
attendions, fut en réalité la vue que les autres eurent
de nous. D'une façon ou d'une autre, la grande révolution était advenue : tout à coup, autour de nous,
des yeux s'ouvrirent, munis de cornées, d'iris et de
pupilles : œil enflé et délavé des poulpes et des sei-
ches, œil atone et gélatineux des dorades et des rou-
gets, œil saillant et pédonculé des écrevisses et des
langoustes, œil bouffi et taillé à facettes des mouches
et des fourmis. Un phoque noir et luisant s'approche
en clignant des yeux, qu'il a petits comme des têtes
d'épingle. Un escargot tend ses yeux globuleux au
bout de longues antennes. Les yeux inexpressifs d'un
goéland scrutent la surface de l'eau. Au travers d'un
masque vitré, les yeux d'un pêcheur sous-marin,
sourcils froncés, explorent le fond de la mer. Derrière
des lentilles de longue-vue, les yeux d'un capitaine au
long cours, et derrière des lunettes noires les yeux

d'une baigneuse font converger leurs regards sur ma coquille, puis ce sont les regards qui s'entrecroisent, en m'oubliant. Encadrés par des verres de presbyte, je sens peser sur moi les yeux presbytes d'un zoologue qui cherche à me centrer dans l'objectif d'un Rolleiflex. À ce moment un banc de minuscules anchois tout juste nés passe devant moi, tellement minuscules que, semble-t-il, il n'y a en chacun de ces poissons blancs que la place du tout petit point noir de l'œil, et c'est une poussière d'yeux qui traverse la mer.

Tous ces yeux étaient les miens. C'est moi qui les avais rendus possibles ; j'avais eu le rôle actif ; je leur fournissais la matière première, l'image. Avec les yeux tout le reste était venu ; de là tout ce que les autres, ayant des yeux, étaient devenus, en toutes leurs formes et fonctions, et la quantité de choses qu'ayant des yeux ils avaient réussi à faire, en toutes leurs formes et fonctions, provenait de ce que moi j'avais fait. Ce n'était pas pour rien qu'ils étaient implicites dans ma façon d'être, dans mes relations avec tous et toutes et cætera, dans ma mise en fabrication de la coquille et cætera. En somme j'avais proprement tout prévu.

Et au fond de chacun de ces yeux j'habitais, ou, si vous voulez, un autre moi-même y logeait, une de mes images, et elle se rencontrait avec son image à elle, la plus fidèle de ses images à elle, dans l'outre-monde qui s'ouvre en traversant la sphère semi-liquide des iris, le noir des pupilles, le palais de glaces des rétines, dans notre véritable élément qui s'étend sans rives ni frontières.

TEMPS ZÉRO

RÉCITS

Traduction de l'italien
par Jean Thibaudeau
revue par Mario Fusco

PREMIÈRE PARTIE

Autres Qfwfq

La Lune molle

Selon les calculs de H. Gerstenkorn, développés par H. Alfvén, les continents terrestres ne seraient que des morceaux de la Lune tombés sur notre planète. La Lune à l'origine aurait été elle aussi une planète, gravitant autour du Soleil, jusqu'au moment où la proximité de la Terre l'aurait fait dévier de son orbite. Entraînée par la gravitation terrestre, la Lune s'approcha toujours davantage, resserrant son orbite autour de nous. À un certain moment, l'attraction réciproque commença de déformer la surface des deux corps célestes, soulevant de très hautes vagues d'où se détachaient des morceaux qui tournoyaient dans l'espace entre Terre et Lune, surtout des morceaux de matière lunaire qui finissaient par tomber sur la Terre. Par la suite, et sous l'influence de nos marées, la Lune fut poussée à s'éloigner de nouveau, jusqu'à adopter son orbite actuelle. Mais une partie de la masse lunaire, peut-être bien la moitié, était restée sur Terre, formant les continents.

Elle s'approchait — *se rappela Qfwfq* —, je m'en aperçus alors que je rentrais à la maison, levant les yeux entre les murs de verre et d'acier, et je la vis, non plus une lumière comme il y en a tant qui brillent le soir : celles qui s'allument sur la Terre quand, à une heure donnée, à la centrale, on abaisse un levier, et celles du ciel, plus lointaines mais pas différentes, ou du moins ne détonnant pas dans l'ensemble — je parle au présent, mais je me réfère toujours à ces temps révolus —, je la vis qui se détachait de toutes les autres lumières célestes ou de la voirie, et prenait du relief sur la carte concave des ténèbres, occupant non plus un point, même assez gros, du genre Mars ou Vénus, comme un crible à partir de quoi la lumière s'irradie, mais bel et bien une portion d'espace, et elle prenait forme, une forme pas bien définie parce que les yeux ne s'étaient pas encore habitués à la définir mais aussi parce que ses contours n'étaient pas suffisamment précis pour délimiter une figure régulière ; en somme, je vis qu'elle devenait une chose.

Et elle me fit impression. Parce que c'était une chose qui, bien qu'on ne comprît pas de quoi elle était faite, ou peut-être précisément parce qu'on ne le comprenait pas, paraissait différente de toutes les choses de notre vie, nos bonnes choses de plastique, de nylon, d'acier chromé, de vinyle, de résines synthétiques, de plexiglas, d'aluminium, de vinavyl, de formica, de zinc, d'asphalte, d'amiante, de ciment, les vieilles choses dans lesquelles nous étions

nés et où nous avions grandi. C'était quelque chose
d'incompatible, d'étranger. Je la voyais s'approcher
comme pour prendre en enfilade les gratte-ciel de
Madison Avenue (je parle de celle d'alors, à laquelle
on ne peut comparer la Madison Avenue d'à présent), dans ce couloir de ciel nocturne, auréolé de
lumière au-delà de la ligne brisée des corniches ; et se
dilater, imposant à notre paysage familier non seulement sa lumière, d'une couleur inconvenante, mais
son volume, son poids, sa substance incongrue. Et
alors, sur toute la face de la Terre — surfaces de tôle,
armatures de fer, pavés de caoutchouc, coupoles de
cristal —, sur tout ce qui, nous appartenant, était
tourné vers l'extérieur, je sentis passer un frisson.

Aussi vite que me le permettait la circulation, je
pris le tunnel, en direction de l'Observatoire. Sibyl
y était, l'œil rivé au télescope. Habituellement, elle
ne voulait pas que je vienne la trouver pendant ses
heures de travail, et à peine me voyait-elle qu'elle
me montrait un visage contrarié ; ce soir, non, et
elle ne leva même pas la tête, il était clair qu'elle
s'attendait à ma visite. « Tu as vu ? » aurait été une
question stupide mais je dus me mordre la langue
pour ne pas la poser, tellement j'étais impatient de
savoir ce qu'elle en pensait.

— Oui, la planète Lune s'est encore approchée,
dit Sibyl avant même que je lui eusse rien demandé,
le phénomène était prévu.

Je me sentis un peu soulagé.

— Est-ce qu'il est également prévu qu'elle s'en
retourne ? demandai-je.

Sibyl continuait à baisser une paupière et à scruter dans le télescope.

— Non, dit-elle, non, elle ne s'éloignera plus.

Je ne comprenais pas.

— Tu veux dire que la Terre et la Lune sont devenues des planètes jumelles ?

— Je veux dire que la Lune n'est plus une planète et que la Terre a une Lune.

Sibyl avait une façon de détourner les questions qui réussissait chaque fois à m'irriter.

— Mais qu'est-ce que cette façon de raisonner ? protestai-je. Chaque planète est autant une planète que toutes les autres, non ?

— Parce que tu appellerais ça une planète ? Je veux dire : une planète comme la Terre en est une ? Regarde ! (Et Sibyl laissa le télescope, me faisant signe de m'y mettre.) La Lune n'aurait jamais réussi à devenir une planète comme la nôtre.

Moi, je n'écoutais pas son explication : la Lune, agrandie par le télescope, m'apparaissait dans tous ses détails, ou plutôt de nombreux détails m'apparaissaient à la fois, tellement mélangés les uns dans les autres que plus je l'observais moins j'étais conscient de la façon dont elle était faite, et je pouvais seulement témoigner de l'effet que cette vision provoquait en moi, un effet de dégoût fasciné. En premier lieu, je pourrais parler des veines vertes qui la parcouraient, plus serrées en certaines régions, comme un filet ; mais cela à vrai dire était le détail le plus insignifiant, le moins voyant ; car pour ce qui était, dirons-nous, de ses propriétés générales,

elles échappaient au regard, peut-être à cause d'un
miroitement un peu visqueux qui transpirait par une
myriade de pores, aurait-on dit, ou d'opercules, et
même en certains points de tuméfactions étendues
de la surface, comme des bubons ou encore des
ventouses. Et voilà que je suis de nouveau en train
de m'arrêter à des détails, méthode de description
plus suggestive en apparence, mais en réalité d'efficacité limitée, parce que c'est seulement en les con-
sidérant dans tout l'ensemble — comme une enflure
de la pulpe sublunaire, qui tendait ses pâles tissus
externes, mais aussi les repliait sur eux-mêmes en
boucles ou bourrelets à l'aspect de cicatrices (si bien
qu'elle pouvait être, cette Lune, composée de fragments pressés les uns contre les autres et mal collés) — c'est, dis-je, dans tout l'ensemble, comme
pour qui souffre de viscères malades, que doivent être
considérés les détails singuliers : par exemple, une
forêt très touffue, faite comme de poils noirs, qui
sortait d'une déchirure.

— Il te semblerait juste qu'elle continue à tourner autour du Soleil au même titre que nous ? demandait Sibyl. La Terre est beaucoup trop forte : elle
finira par tirer la Lune hors de son orbite pour la
faire tourner autour d'elle-même. Et nous aurons un
satellite.

L'angoisse que j'éprouvais, je me gardai bien de
l'exprimer. Je savais comment Sibyl réagissait alors :
manifestant une attitude de supériorité, sinon de
cynisme, comme quelqu'un qui ne s'étonne jamais de
rien. Elle se conduisait de la sorte pour me provo-

quer, je crois (même : je l'espère ; il est hors de doute
que j'aurais éprouvé encore davantage d'angoisse
si j'avais pu penser qu'elle agissait par indifférence).

— Et... et..., me pris-je à dire, en me maîtrisant
de manière à formuler une question qui ne mani-
festât rien d'autre qu'une curiosité d'ordre objectif,
mais qui cependant obligeât Sibyl à me répondre
quelque chose pour apaiser mon anxiété (et donc
j'attendais encore cela d'elle, je m'attendais encore
à ce que son calme me rassurât) — et nous l'aurons
toujours comme ça sous les yeux ?

— Cela, ce n'est rien, répondit-elle. Elle se rappro-
chera encore. Et, pour la première fois, elle sourit.
Ça ne te plaît pas ? Pourtant, de la voir, là, tellement différente, tellement éloignée de toute forme
connue, sachant qu'elle est à nous, que la Terre l'a
capturée et qu'elle la tient, je ne sais pas, elle me
plaît, à moi, elle me paraît belle.

Alors, je perdis le souci de lui cacher mon état
d'esprit.

— Mais ce ne sera pas un danger, pour nous ?
demandai-je.

Sibyl eut un mouvement des lèvres, celle de ses
expressions que j'aimais le moins.

— Nous sommes sur la Terre, la Terre a une
force qui suffit à retenir autour d'elle des planètes
pour son propre compte, comme fait le Soleil. Et la
Lune n'y peut rien, avec sa masse, son champ de
gravitation, sa tenue d'orbite, sa consistance. Tu veux
peut-être la comparer ? La Lune est molle, toute

molle, et la Terre est dure, elle est solide, la Terre, elle tient.

— Et si la Lune ne tient pas ?

— Oh, la force de la Terre saura bien la faire rester à sa place.

J'attendis que Sibyl eût fini son tour de garde à l'Observatoire pour l'emmener à la maison. À peine hors de la ville, il y a cet échangeur où les autoroutes se divisent, se jetant sur des ponts qui se chevauchent les uns les autres avec des tracés en spirales tout en l'air sur des piliers en ciment de toutes les hauteurs, et on ne sait jamais dans quelle direction on est en train de tourner, alors qu'on suit les flèches blanches et brillantes peintes sur l'asphalte, et par moment la ville, que tu laisses dans ton dos, tu la trouves devant toi, qui se rapproche, toute quadrillée de lumières, entre les piliers et les volutes de la spirale. La Lune était précisément au-dessus : et la ville me parut fragile, suspendue là comme une toile d'araignée, avec ses petites vitres cristallines, et ses minces dentelles lumineuses, sous cette excroissance qui gonflait le ciel.

Je viens de dire excroissance pour désigner la Lune, mais je dois maintenant le redire pour indiquer la nouveauté que je découvris à ce moment : je veux dire qu'une excroissance était en train de sortir de cette Lune-excroissance, et elle était en train de s'allonger vers la Terre comme une larme de bougie.

— Qu'est-ce que c'est ? Qu'est-ce qui arrive ? demandai-je.

Mais déjà une nouvelle courbe avait ramené notre voiture en direction de l'obscurité.

— C'est l'attraction terrestre qui provoque des marées solides sur la surface lunaire, répondit Sibyl. Comme je te l'avais dit : jolie consistance !

L'échangeur de l'autoroute ramena une nouvelle fois la Lune en face de nous, et la larme s'était encore allongée vers la Terre, se terminant en pointe, comme une moustache, et aussi son attache s'amenuisait, comme pour un pédoncule, lui donnant l'aspect d'un champignon.

Nous habitions dans un cottage, aligné avec tous les autres le long d'une des innombrables rues d'une Ceinture Verte interminable. Nous nous assîmes comme à l'accoutumée dans les fauteuils à bascule de la véranda qui donnait sur le *backyard ;* mais cette fois nous ne regardions pas le demi-acre de dalles vitrifiées qui constituait notre part d'espace vert ; nos yeux restaient fixés en haut, comme aimantés par cette espèce de poulpe qui nous surplombait. Parce que maintenant, les larmes de la Lune étaient devenues très nombreuses, et elles s'étendaient vers la Terre à la façon de tentacules visqueux, et chacune semblait sur le point de verser à son tour une matière faite de gélatine, de poils, de bave et de moisi.

— Penses-tu vraiment qu'un corps céleste pourrait se désagréger de cette façon ? insistait Sibyl. Tu te rends compte, maintenant, de la supériorité de notre planète. La Lune peut bien nous arriver dessus : et le moment va venir où elle s'arrêtera. Le

champ gravitationnel de la Terre a cette force-là,
telle qu'après avoir attiré la planète Lune jusque
sur nous ou presque, il l'arrête tout d'un coup, la
ramène en arrière à la distance juste, et la main-
tient là, en la faisant tourner, et la comprime en
une boule compacte. La Lune pourra nous remer-
cier, si elle ne s'écrabouille pas !

Les raisonnements de Sibyl, je les trouvais con-
vaincants, parce que la Lune me semblait, à moi
aussi, quelque chose d'inférieur et de répugnant ;
pourtant ils ne réussissaient pas à calmer mon appréhension. Je voyais les ramifications lunaires se tor-
dre dans le ciel en mouvements sinueux, comme si
elles avaient cherché à rejoindre ou envelopper quelque chose : il y avait la ville, là-dessous, sous un
halo de lumière que nous voyions affleurer à l'horizon, dentelé par l'ombre de la *skyline*. La Lune
s'arrêterait-elle à temps, comme le disait Sibyl,
avant que l'un de ses tentacules n'en arrive à attraper la flèche d'un gratte-ciel ? Et si, d'abord, une
de ces stalactites qui continuaient à s'allonger et
s'amenuiser se détachait pour nous tomber dessus ?

— Il est possible que quelque chose tombe,
admit Sibyl sans attendre ma question, mais quelle
importance ? La Terre est tout entière revêtue de
matériaux imperméables, indéformables et lavables ;
même si un peu de cette purée lunaire nous coule
dessus, on aura vite fait de tout nettoyer.

Comme si l'assurance de Sibyl m'avait rendu capable de voir ce qui probablement était déjà en train
de se produire, je m'exclamai :

— Voilà, ça tombe ! Et je levai le bras pour indiquer une suspension de grosses gouttes de bouillie crémeuse dans l'air.

Mais juste au même moment, une vibration partit de la Terre, un tintement : et à travers le ciel, dans la direction opposée aux flocons de sécrétion planétaire qui tombaient, s'éleva un vol tout menu de fragments solides, les écailles du revêtement terrestre qui partaient en miettes : vitres incassables et tôles d'acier et revêtements de matériaux isolants aspirés par l'attraction de la Lune comme dans un tourbillon de grains de sable.

— Petits dommages, constata Sibyl, et seulement à la surface. Nous pourrons réparer les dégâts en peu de temps. Que la capture d'un satellite nous coûte quelques ennuis, c'est logique : mais ça en vaut la peine, il n'y a même pas à faire de comparaisons !

Ce fut alors que nous entendîmes le premier claquement d'une météorite lunaire qui tombait sur la Terre : un « splash ! » très fort, un fracas assourdissant et dans le même temps d'une mollesse dégoûtante, qui ne resta pas isolé mais fut suivi par une série comme d'écrasements explosifs, des coups de fouet caramélisés qui étaient en train de tomber de tous les côtés. Avant que les yeux se fussent habitués à percevoir ce qui tombait, il se passa un peu de temps : pour tout dire, ce fut moi qui tardai parce que je m'attendais à ce que les morceaux de la Lune soient eux aussi lumineux ; tandis que Sibyl déjà les voyait et commentait, de son ton mépri-

sant, mais avec en même temps une indulgence insolite :

— Des météorites mous, je me demande si on a
jamais vu chose pareille ; c'est bien un truc de la
Lune… intéressant, pourtant, à sa façon…

L'un d'eux resta suspendu au filet métallique de
la haie à moitié recroquevillée sous le poids, débor-
dant sur le terrain pour s'y mélanger tout de suite,
et moi, je commençai à voir de quoi il s'agissait, ou
c'est-à-dire que je commençai à recueillir des sensations qui devaient me permettre de me former une
image visuelle de ce que j'avais devant moi, et alors
je me rendis compte qu'il y avait d'autres taches plus
petites disséminées sur tout le dallage : quelque chose
comme une vase de mucus acide qui pénétrait dans
les couches terrestres, ou, mieux, comme un parasite
végétal qui absorbait tout ce qu'il touchait, l'incorpo-
rant à sa chair mucilagineuse, ou encore comme un
sérum où étaient agglomérées des colonies de micro-
organismes tourbillonnants et invraisemblablement
voraces, ou encore un pancréas coupé en morceaux
qui s'efforçaient de se souder de nouveau ensemble, ouvrant comme des ventouses les cellules de ses
rebords taillades, ou encore…

J'aurais voulu fermer les yeux et je ne le pouvais
pas ; mais quand j'entendis la voix de Sibyl qui
disait :

— Bien sûr ça me fait horreur à moi aussi, mais
si tu penses que finalement il est établi que la Terre
est différente et supérieure, et que nous sommes de
ce côté, je crois que nous pouvons pour un temps

arriver à y prendre goût, et y entrer, puisque aussi bien...

Je me tournai d'un coup vers elle. Sa bouche s'ouvrait en un sourire que je ne lui avais jamais vu : un sourire humide, un peu animal...

La sensation que j'éprouvai à la voir ainsi se confondit avec l'épouvante provoquée presque au même instant par la chute du grand fragment lunaire, celui-là même qui submergea et détruisit notre cottage, et la rue tout entière, et toute la banlieue résidentielle et la plus grande partie du comté, en un unique étourdissement chaud et mielleux. Creusant toute la nuit dans la matière lunaire, nous réussîmes à revoir la lumière. C'était l'aube ; la tempête de météorites était terminée ; la Terre autour de nous était méconnaissable, toute recouverte par une couche très haute de boue ; mélangée de proliférations vertes et d'organismes tout glissants. Plus aucune trace de nos vieilles matières terrestres n'était visible. La Lune était en train de s'éloigner dans le ciel, pâle, méconnaissable elle aussi : en plissant les yeux, on distinguait qu'elle était couverte partout de débris, fragments et morceaux brillants, coupants, propres.

La suite est connue. Finalement, après des centaines de milliers de siècles, nous tentons de rendre à la Terre son aspect naturel, celui d'autrefois, nous reconstruisons la croûte terrestre primitive, de plastique, ciment, tôle, verre, émail, pégamoïde. Mais nous sommes loin du compte. Qui dira combien de temps encore nous sommes condamnés à nous enfoncer dans la déjection lunaire, pourrie de chlorophylle, de sucs gastriques, de rosée, de graisses azotées, de crème, de larmes ? Et nous ne sommes pas près de faire se rejoindre les plaques lisses et exactes du bouclier terrestre originel de manière à effacer — ou tout au moins cacher — ces apports étrangers et hostiles. Et d'autant plus avec les matériaux d'aujourd'hui, mis ensemble au petit bonheur, produits d'une Terre corrompue, qui cherchent en vain à imiter les premières et inégalables substances.

Les matériaux véritables, ceux d'alors, on dit que désormais ils ne se trouvent plus que sur la Lune, inutilisés, en vrac, et que rien que pour cela il faudrait y aller : pour les récupérer. Je ne voudrais pas pour ma part faire celui qui vient toujours dire des choses désagréables, mais la Lune, nous savons tous dans quel état elle est, exposée aux tempêtes cosmiques, criblée de trous, corrodée, usée. Y allant, nous y gagnerions seulement la désillusion d'apprendre que notre matériel d'alors — la grande raison et la preuve de la supériorité terrestre — était lui aussi quelque chose de mauvais, de périssable, plus même bon à faire de la ferraille. Des soupçons comme ceux-là, je me serais, autrefois, bien gardé d'en faire part à Sibyl. Mais maintenant — grasse, dépeignée, paresseuse, friande de pâtisseries à la crème —, que peut-elle encore me dire, Sibyl ?

L'origine des Oiseaux

L'apparition des Oiseaux est relativement tardive, dans l'histoire de l'évolution : elle est postérieure à celle de toutes les autres classes du règne animal. L'ancêtre des Oiseaux — ou du moins le premier dont les paléontologistes aient trouvé trace, l'Archéoptéryx (encore doté de quelques-unes des caractéristiques des Reptiles de qui il descend), remonte au Jurassique, des dizaines de millions d'années après les premiers Mammifères. C'est là l'unique exception à l'apparition successive de groupes animaux toujours plus évolués dans l'échelle zoologique.

Il y avait des jours où nous n'attendions plus aucune surprise — *raconta Qfwfq* —, la suite des événements était désormais claire. Ce qui était était, et c'est parmi nous que nous devions voir qui arriverait plus loin, qui devait en rester où il en était, qui ne devait pas survivre. Le choix était entre un nombre limité de possibilités.

Or, un matin, j'entendis un chant, venant de dehors, que je n'avais jamais entendu. Ou, mieux (étant donné qu'on ne savait pas encore ce qu'était un chant) : j'entends pousser un cri que jamais personne n'avait poussé. Je me penche. Je vois un animal inconnu qui chantait sur une branche. Il avait des ailes des pattes une queue des ongles des ergots des pennes des plumes des nageoires des dards un bec des dents un jabot des cornes une crête des barbillons et une étoile au front. C'était un Oiseau ; vous l'avez déjà compris, vous autres ; moi, pas ; on n'en avait jamais vu. Il chanta : « Koaxpf... Koaxpf... Koaaaccch... », il battit des ailes, qu'il avait striées de couleurs changeantes, s'éleva en volant, alla se poser un peu plus loin, recommença à chanter.

À présent, ce genre d'histoire se raconte mieux en bande dessinée que par un récit fait de phrases l'une après l'autre. Mais pour réussir le dessin avec l'Oiseau sur la branche et moi penché et tous les autres le nez en l'air, il faudrait que je me rappelle mieux comment étaient faites tant de choses que depuis tant de temps j'ai oubliées : premièrement celui que maintenant j'appelle un Oiseau, deuxièmement celui que maintenant j'appelle « moi », troisièmement la branche, quatrièmement l'endroit d'où j'étais penché, cinquièmement tous les autres. De tous ces éléments je me rappelle seulement qu'ils étaient très différents de comme nous les représenterions à présent. Il est préférable que vous cherchiez vous-mêmes à imaginer la série des dessins, avec toutes les figures des personnages à leur place, sur un fond convenablement hachuré, mais en essayant par la même occasion de ne pas vous imaginer les figures, ni même le fond. Chaque figure aura sa bulle, avec les mots qu'elle prononce, et avec les bruits qu'elle fait, mais il n'est pas nécessaire que vous lisiez lettre par lettre tout ce qui est écrit, il suffit que vous en ayez une idée générale, selon ce que je vous dirai.

Pour commencer, vous pouvez lire beaucoup de points d'exclamation et d'interrogation qui jaillissent de nos têtes, et cela veut dire que nous regardons l'Oiseau, et que nous sommes pleins d'étonnement — un étonnement joyeux, avec l'envie de chanter, nous aussi, d'imiter ce premier gazouillis, et de sauter, quand nous le voyons prendre son vol — mais aussi pleins de trouble, parce que l'existence des Oiseaux envoyait en l'air la façon de penser selon laquelle nous avions grandi.

Dans la bande qui vient à la suite, on voit le plus sage de nous tous, le vieux U(h), qui se détache du groupe des autres, et dit :

— Ne le regardez pas ! C'est une erreur !

Et il écarte ses mains comme s'il voulait boucher les yeux des assistants.

— À présent je l'efface ! dit-il, ou pense-t-il. Et pour représenter son désir nous pourrions lui faire tracer un trait en diagonale sur le dessin. L'Oiseau bat des ailes, évite la diagonale et se met à l'abri dans l'angle opposé. U(h) se réjouit parce qu'avec cette diagonale au milieu, il ne le voit plus. L'Oiseau donne un coup de bec au trait, le casse, et vole vers le vieux U(h). Le vieux U(h), pour le raturer, essaie de tracer dessus deux barres croisées. Au point où les deux lignes se rencontrent, l'Oiseau se pose pour faire un œuf. Le vieux U(h) le lui enlève par en dessous, l'œuf tombe, l'Oiseau s'envole. Il y a un dessin tout barbouillé de jaune d'œuf.

Raconter avec des bandes dessinées, cela me plaît beaucoup, mais j'aurais besoin de faire alterner dessins d'actions et dessins d'idées, pour expliquer par exemple cette obstination de U(h) à ne pas vouloir admettre l'existence de l'Oiseau. Imaginez par conséquent un carré comme ceux qui sont tout écrits, qui servent à informer synthétiquement des antécédents de l'action : *Après l'échec des Ptérosaures, toute trace d'animaux avec des ailes s'était perdue depuis des millions et des millions d'années.* (« Excepté les insectes », peut préciser une note en bas de page.)

Le chapitre des Volatiles était considéré désormais comme achevé. Ne s'était-il pas dit et répété que tout ce qui pouvait naître des Reptiles était né ? Au cours de millions d'années, il n'y avait eu forme d'être vivant qui n'ait eu l'occasion de venir au monde, de peupler la terre, puis — dans quatre-vingt-dix-neuf cas sur cent — de dégénérer et disparaître. Là-dessus, nous étions tous d'accord : les espèces survivantes étaient les seules à le mériter, et elles étaient destinées à donner la vie à des progénitures toujours plus sélectionnées et mieux adaptées au milieu. Longtemps, la question de savoir qui était un Monstre et qui n'en était pas un nous avait tourmentés, mais désormais la chose était bien établie : nous tous qui existons nous sommes des Non-monstres, et les Monstres au contraire ce sont tous ceux qui pouvaient être et qui au contraire ne sont pas, parce que la succession des causes et des effets nous a clairement favorisés, nous les Non-monstres, et non les autres.

Mais si à présent cela recommençait, les animaux étranges, si les Reptiles, anciens comme ils l'étaient, se remettaient à mettre au monde des membres et des téguments dont jusqu'alors la nécessité ne s'était jamais fait sentir, si en somme une créature par définition impossible, comme un Oiseau, était possible (et en plus ce pouvait être un bel Oiseau, comme celui-là, agréable à la vue quand il se balançait sur les feuilles de fougères, et à l'ouïe quand il lançait ses gazouillis), alors, la barrière entre Monstres et Non-monstres sautait, et tout redevenait possible.

L'Oiseau vola au loin. (Sur le dessin on voit une ombre noire contre les nuages du ciel : non que l'Oiseau soit noir, mais parce que les Oiseaux au loin se représentent de cette manière.) Et moi je lui courus après. (On me voit de dos, quand je pénètre dans un paysage infini de montagnes et de forêts.) Le vieux U(h) criait derrière moi :

— Reviens, Qfwfq !

Je traversai des régions inconnues. Plusieurs fois, je crus que je m'étais perdu (dans la B.D., une seule vignette suffit) mais j'entendais un « Koaxpf... » et en levant les yeux je voyais l'Oiseau arrêté sur une plante, on aurait dit qu'il m'attendait.

Ainsi, en le suivant, j'arrivai à un endroit où les buissons m'empêchaient de voir. Je m'ouvris un passage : sous mes pieds je vis le vide. La terre s'arrêtait là ; et moi, je me tenais en équilibre sur le bord. (La ligne en spirale qui sort de ma tête représente le vertige.) En bas, on ne distinguait rien ; quelques nuages, seulement. Et l'Oiseau, dans ce vide, s'éloignait en volant, et de temps en temps il tournait son cou vers moi comme pour m'inviter à le suivre. Mais le suivre où, s'il n'y avait plus rien, là devant ?

Et voici que du lointain blanchâtre émergea une ombre, comme un horizon de brume, qui peu à peu se dessinait selon des contours toujours plus précis. C'était un continent qui approchait, dans le vide : on en apercevait les rivages, les vallées, les hauteurs, et déjà l'oiseau les survolait. Mais quel Oiseau ? Il n'était plus seul, tout le ciel là au-dessus n'était que battements d'ailes de toutes les couleurs et de toutes les formes.

Me penchant sur le bord de notre terre, je regardais s'approcher le continent à la dérive.

— Il vient sur nous ! criai-je.

Et à ce moment le sol trembla. (Un « bang ! » écrit en lettres énormes.) Les deux mondes, après s'être touchés, recommencèrent à s'éloigner l'un de l'autre, à cause du rebond, et ensuite à se rejoindre, et à se détacher de nouveau. Moi, dans un de ces chocs, je fus envoyé de l'autre côté, cependant que l'abîme vide recommençait à s'ouvrir, et me séparait de mon monde.

Je regardai tout autour : je ne reconnaissais rien. Arbres, cristaux, bêtes, herbes, tout était différent. Et les branches étaient peuplées non seulement d'Oiseaux, mais encore de poissons (je dis ça comme ça) avec des pattes d'araignée, et de vers emplumés (disons). Ce n'est pas qu'à présent je veuille vous décrire les formes de la vie comme elles étaient là-bas ; imaginez-vous-les selon ce que vous préférerez, plus ou moins étranges, cela n'importe guère. Ce qui importe, c'est que tout autour de moi se déployaient toutes les formes que le monde aurait pu prendre dans ses transformations et qu'au contraire il n'avait pas prises, pour quelque raison accidentelle, ou par incompatibilité fondamentale : toutes les formes refusées, irrécupérables, perdues.

(Pour rendre l'idée, il faudrait que la bande soit dessinée ici en négatif : avec des figures pas différentes des autres, mais blanches sur noir ; ou bien, à l'envers — si l'on admet que l'on peut décider, pour n'importe quelle de ces figures, où est le haut, où est le bas.)

Le désarroi me gelait les os (sur le dessin, des gouttes de sueur froide jaillissent de ma silhouette), à voir ces images toujours de quelque façon familières et toujours, de quelque façon, bouleversées, dans leurs proportions ou leurs combinaisons (mon personnage en tout petit, en blanc, sur les ombres noires qui occupent toute la vignette), mais cela ne m'empêchait pas d'explorer avidement ce qui m'entourait. On aurait dit que mon regard, plutôt que d'éviter ces monstres, les cherchait au contraire, comme pour se convaincre de ce qu'au fond ce n'était pas tout à fait des monstres, et qu'à un certain point l'horreur faisait place à une sensation pas déplaisante (représentée sur le dessin par des rayons lumineux qui traversent le fond noir) : la beauté, qui existait aussi, là au milieu, pour qui savait la reconnaître.

Cette curiosité m'avait conduit à m'éloigner de la côte et à m'engager entre des collines épineuses comme d'énormes oursins. Désormais j'étais perdu, au cœur du continent inconnu. (Le personnage qui me représente est devenu minuscule.) Les Oiseaux qui un peu auparavant étaient pour moi la plus étrange des apparitions, devenaient déjà des présences familières. Ils étaient très nombreux à former autour de moi comme une coupole, levant et baissant leurs ailes tous à la fois (un dessin rempli d'Oiseaux ; c'est à peine si l'on distingue ma silhouette). D'autres étaient posés sur le sol, perchés sur les arbustes, et à mesure que j'avançais ils se déplaçaient. Étais-je leur prisonnier ? Je fis demi-tour pour m'échapper : j'étais entouré de murs d'Oiseaux qui ne me laissaient aucun passage, sauf dans une seule direction. Ils me poussaient où ils volaient, tous leurs mouvements conduisaient en un point. Qu'y avait-il, là, au fond ? Je ne réussissais pas à distinguer autre chose qu'une espèce d'œuf énorme, couché en long, qui s'entrouvrait lentement comme un coquillage.

Il s'ouvrit en grand tout d'un coup. Je souris. Sous

le choc, mes yeux s'emplirent de larmes. (Je suis représenté seul, de profil ; ce que je vois reste hors de la vignette.) J'avais devant moi une créature d'une beauté comme on n'en avait jamais vu. Une beauté *différente*, qu'il était impossible de confondre avec aucune des formes où nous avions reconnu la beauté (dans la bande dessinée, elle est toujours située de telle sorte que je suis le seul à l'avoir en face de moi, jamais le lecteur), et cependant, *nôtre*, ce qu'il y avait de plus *nôtre* dans notre monde, (dans la B.D., on pourrait recourir à une représentation symbolique, une main de femme, ou un pied, ou un sein, qui sortirait d'un grand manteau de plumes), et telle que sans elle notre monde avait toujours manqué de quelque chose. Je sentais que j'étais arrivé au point où tout convergeait (un œil, on pourrait dessiner un œil aux longs cils en éventail, qui deviennent un tourbillon) et où j'allais m'engloutir (ou bien une bouche, quand les deux lèvres délicatement dessinées vont s'ouvrir, aussi grandes que moi, et j'y vole, aspiré par la langue qui sort des ténèbres).

Autour, des Oiseaux : coups de bec, ailes qui s'agitent, serres tendues, et le cri : « Koaxpf… Koaxpf… Koaaaccch… »

— Qui es-tu ? demandai-je.

Un sous-titre explique : *Qfwfq devant la belle Org-Onir-Ornit-Or*, et rend ma question inutile ; à la bulle qui la contient, en est superposée une autre, sortie de ma bouche elle aussi, avec les mots : « Je t'aime ! », affirmation à son tour superflue, et tout de suite suivie par une autre bulle contenant la question : « Es-tu prisonnière ? », dont je n'attends pas la réponse, puis dans une quatrième, qui passe par-dessus les précédentes, j'ajoute : « Je te sauverai. Cette nuit nous nous enfuirons ensemble. »

La bande dessinée qui suit est tout entière consacrée aux préparatifs de la fuite, au sommeil des Oiseaux et des Monstres, par une nuit qu'éclaire un firmament inconnu. Un carré noir, et ma voix : « Tu me suis ? » La voix d'Or répond : « Oui. »

Ici, vous pouvez imaginer une série passionnante : *Qfwfq et Or en fuite à travers le Continent des Oiseaux*. Alarmes, poursuites, dangers : je vous laisse faire. Pour raconter la chose, je devrais d'une manière ou d'une autre décrire Or, et je ne peux le faire. Imaginez un personnage dépassant de quelque façon le mien, mais que de quelque façon je cache et protège.

Nous arrivâmes au bord de l'abîme. C'était l'aube. Le soleil se levait, pâle, découvrant dans le lointain notre continent. Comment le rejoindre ? Je me tournai vers Or : Or ouvrit ses ailes. (Vous ne vous êtes pas rendu compte, sur les images précédentes, qu'elle en avait : deux ailes aussi grandes que des voiles de navire.) Je m'agrippai à son manteau. Or vola.

Dans les images qui suivent, on voit Or qui vole entre les nuages, avec ma tête qui passe le bout du nez, dans son giron. Ensuite, un triangle de petits triangles noirs dans le ciel : c'est une troupe d'Oiseaux qui nous poursuit. Nous sommes encore au milieu du vide, notre continent s'approche, mais leur troupe est plus rapide. Ce sont des Oiseaux rapaces, avec des becs recourbés, des yeux de feu. Si Or fait vite pour rejoindre la terre, nous serons parmi les nôtres avant que les rapaces ne nous assaillent. Courage, Or, encore quelques coups d'aile : sur la prochaine bande, nous serons sauvés.

Hélas : voici que la troupe nous a encerclés. Or vole au milieu des rapaces (un petit triangle blanc inscrit dans un autre triangle plein de petits triangles noirs). Nous survolons mon pays : il suffirait qu'Or referme ses ailes, et se laisse tomber, nous serions libres. Mais Or continue à voler très haut, avec les Oiseaux. Je m'écriai :

— Or, descends !

Elle ouvrit son manteau et me laissa tomber. (« Slaff ! ») La troupe, avec Or au milieu, tourne dans le ciel, puis fait demi-tour, se rapetisse à l'horizon. Je me retrouvai étendu par terre, seul.

(Sous-titre : *Durant l'absence de Qfwfq, beaucoup de changements étaient intervenus.*) À partir du moment où on avait découvert l'existence des Oiseaux, les idées qui réglaient notre monde étaient entrées en crise. Ce qu'auparavant nous pensions tous comprendre, l'ordre simple et régulier selon quoi les choses étaient comme elles étaient ne valait plus rien ; ou si vous voulez : ce n'était là qu'une des innombrables possibilités ; personne n'excluait que les choses pussent se produire d'autres façons toutes différentes. On aurait dit que maintenant, chacun avait honte d'être comme on attendait qu'il fût, et s'efforçait de mettre en valeur un aspect de sa per-

sonne irrégulier, imprévu : l'aspect un peu d'un
Oiseau, ou sinon précisément d'un Oiseau, tel qu'il
ne fît mauvaise figure en regard de l'étrangeté des
Oiseaux. Je ne reconnaissais plus mes voisins. Non
qu'ils eussent beaucoup changé : mais celui qui possédait une quelconque particularité inexplicable, alors
qu'auparavant il s'efforçait de la dissimuler, à présent
il la mettait en avant. Et tous avaient l'allure de
quelqu'un qui s'attend à quelque chose d'un moment
à l'autre : non plus la succession ponctuelle des causes et des effets, comme autrefois, mais l'inattendu.

Moi, je ne m'y retrouvais pas. Les autres me
regardaient comme quelqu'un qui en était resté aux
vieilles idées, du temps d'avant les Oiseaux ; ils ne
comprenaient pas que leurs velléités d'Oiseaux me
faisaient seulement rire : j'en avais vu bien d'autres,
j'avais visité le monde des choses qui auraient pu
être, et je n'arrivais pas à me les sortir de l'esprit.
Et j'avais connu la beauté prisonnière au cœur de
ce monde, la beauté perdue pour moi et pour nous
tous, et j'en étais tombé amoureux.

Je passais mes journées en haut d'une montagne,
à scruter le ciel pour voir si un Oiseau le traversait
en volant. Au sommet d'une montagne voisine, il y
avait le vieux U(h), qui lui aussi regardait le ciel.
Le vieux U(h) était toujours considéré comme le
plus sage d'entre nous, mais son attitude envers les
Oiseaux avait changé. Il croyait que les Oiseaux
étaient, non plus l'erreur, mais la vérité, la seule
vérité au monde. Il s'était mis à interpréter le vol
des Oiseaux, pour y lire l'avenir.

— Tu n'as rien vu ? me disait-il, depuis sa montagne.

— Rien en vue, disais-je.

— En voilà un ! criions-nous quelquefois, ou lui ou moi.

— D'où venait-il ? Je n'ai pas eu le temps de voir de quel côté du ciel il est apparu. Dis-moi : d'où venait-il ? demandait-il, essoufflé.

Selon la provenance du vol, U(h) tirait ses augures. Ou encore c'était moi qui demandais :

— Dans quelle direction volait-il ? Je ne l'ai pas vu ! Il a disparu par ici ou par là ?

Parce que de mon côté j'espérais que les Oiseaux me montreraient le chemin pour rejoindre Or.

Il n'est pas utile que je raconte avec tous les détails le stratagème grâce auquel je parvins à retourner dans le Continent des Oiseaux. Une bande dessinée le raconterait par un de ces trucs qui marchent à cause du dessin et rien d'autre. (Le carré est vide. Moi, j'arrive. J'enduis de colle l'angle en haut à droite. Je m'assois dans l'angle en bas à gauche. Entre un Oiseau qui vole, par la gauche, en haut. Au moment de sortir du cadre, il y reste collé par la queue. Il continue à voler et il tire derrière lui tout le carré, qui est fixé à sa queue, avec moi assis, au bout, et je me fais transporter. Ainsi, j'arrive au Pays des Oiseaux. Si cette histoire ne vous plaît pas, vous pouvez en imaginer une autre : l'important est de me faire arriver là-bas.)

J'arrivai et je sentis des griffes sur mes bras et mes jambes. J'étais encerclé par les Oiseaux ; l'un

d'eux s'était posé sur ma tête, un autre me becque-
tait le cou.

— Qfwfq, tu es en état d'arrestation ! Nous
t'avons pris, finalement !

Je fus enfermé dans une cellule.

— Me tueront-ils ? demandai-je à l'Oiseau-geôlier.

— Demain tu seras mis en jugement, et tu le
sauras, me répondit celui-là qui était perché sur les
barreaux.

— Qui me jugera ?

— La reine des Oiseaux.

Le lendemain, je fus introduit dans la salle du
trône. Mais cet énorme œuf-coquillage qui s'entrou-
vrait, je l'avais déjà vu. Je tressaillis.

— Alors, tu n'es pas prisonnière des Oiseaux !
m'exclamai-je.

Un coup de bec me blessa au cou.

— Incline-toi devant la reine Org-Onir-Ornit-
Or !

Or fit un signe. Tous les Oiseaux s'arrêtèrent. (Sur
le dessin on voit une main délicate et chargée de
bagues qui s'élève d'un trophée de plumes.)

— Épouse-moi et tu seras sauf, dit Or.

Les noces furent célébrées. Et de cela non plus je
ne peux rien raconter : tout ce qui m'est resté dans
la mémoire, c'est un kaléidoscope d'images emplu-
mées. Peut-être payais-je mon bonheur par mon
renoncement à comprendre ce que je vivais.

Je le demandai à Or.

— Je voudrais comprendre.

— Quoi ?

— Tout, tout ça.

J'indiquai ce qui nous entourait.

— Tu comprendras quand tu auras oublié ce que tu comprenais avant.

La nuit tomba. Le coquillage-œuf servait de trône et de lit nuptial.

— Tu as oublié ?

— Oui. Quoi ? Je ne sais plus quoi, je ne me rappelle plus rien.

(Bulle de la pensée de Qfwfq : *Non, je me rappelle encore, et je vais tout oublier, mais j'essaie de me rappeler !*)

— Viens.

Nous nous couchâmes ensemble.

(Bulle de la pensée de Qfwfq : *J'oublie… C'est beau d'oublier… Non, je veux me rappeler… Je veux oublier et à la fois me rappeler… Encore une seconde et je sens que j'aurai oublié… Attends… Oh !* Un éclair avec l'inscription « Flash ! » ou bien « Eurêka ! » en lettres majuscules.)

En une fraction de seconde, entre la perte de tout ce que je savais avant et l'acquisition de tout ce que je saurais après, je réussis à embrasser en une seule pensée le monde des choses comme elles étaient et celui des choses comme elles auraient pu être, et je m'aperçus qu'un seul système comprenait tout. Le monde des oiseaux, des monstres, de la beauté d'Or, était le même que celui dans lequel j'avais toujours vécu, et qu'aucun d'entre nous n'avait compris à fond.

— Or ! J'ai compris ! Toi ! Que c'est beau ! Vivat ! m'exclamai-je, et je me levai sur le lit.

Mon épouse lança un hurlement.

— Maintenant je vais t'expliquer ! dis-je, exultant.
Maintenant je vais tout expliquer à tout le monde !

— Tais-toi, cria Or. Il faut te taire !

— Le monde est un et ce qui y existe ne s'explique pas sans… proclamai-je.

Or était sur moi, elle essayait de me suffoquer
(sur la vignette : un sein qui m'écrase) :

— Tais-toi ! Tais-toi !

Des centaines de becs et de griffes lacéraient le
baldaquin du lit nuptial. Les Oiseaux descendaient
sur moi, mais au-delà de leurs ailes, je reconnaissais mon paysage natal en train de fondre avec le
continent étranger.

— Il n'y a pas de différences ! Les Monstres et
les Non-monstres ont toujours été proches ! Ce qui
n'a pas été continue à être…

Et je parlais non seulement aux Oiseaux et aux
Monstres mais encore à ceux que j'avais toujours
connus et qui accouraient de partout.

— Qfwfq ! Tu m'as perdue ! Oiseaux ! À vous !

Et la reine me repoussa.

Je vis trop tard les becs des Oiseaux occupés à
séparer les deux mondes que ma révélation avait
rassemblés.

— Non, Or, attends, ne pars pas, restons ensemble, Or, où es-tu ?

Mais déjà je roulais dans le vide parmi des morceaux de papier et des plumes.

(Les oiseaux déchirent à coups de becs et de griffes la page de dessins. Chacun s'envole au loin

avec, dans le bec, un peu de papier imprimé. La page de dessous est elle aussi une bande dessinée ; y est représenté le monde tel qu'il était avant l'apparition des Oiseaux avec ses développements prévisibles et successifs. Moi je me trouve au milieu des autres, avec un air égaré. Dans le ciel il y a toujours des Oiseaux, mais personne n'y fait plus attention.)

De ce qu'alors j'avais compris, j'ai tout oublié. Ce que je vous ai raconté constitue tout ce que je peux reconstruire, à l'aide de conjectures dans les passages lacunaires. Que les Oiseaux puissent me ramener un jour vers la reine Or, je n'ai jamais cessé de l'espérer. Mais sont-ils les Oiseaux véritables, ceux qui sont restés parmi nous ? Plus je les observe, et moins ils me rappellent ce dont je voudrais me souvenir. (La dernière bande de vignettes n'est faite que de photographies : un Oiseau, le même Oiseau en premier plan, la tête de l'Oiseau agrandie, un détail de la tête, l'œil…)

Les cristaux

Si les substances qui constituaient le globe terres-
tre à l'état incandescent avaient disposé d'un temps
suffisamment long pour se refroidir et d'une suffi-
sante liberté de mouvement, chacune d'entre elles se
serait séparée des autres, en un cristal unique,
énorme.

Ç'aurait pu être différent, je le sais — *commenta*
Qfwfq —, parlez-m'en : j'y ai tellement cru, en ce
monde de cristal qui devait naître, que je ne me
console pas de vivre en celui-ci, amorphe et effrité
et gommeux, ce qui au contraire est notre sort.
Moi aussi je cours, comme nous faisons tous, je
prends le train tous les matins (j'habite dans le
New Jersey) pour m'engouffrer dans l'agglomérer
tion de prismes que je vois émerger de l'autre côté
de l'Hudson, avec ses flèches acérées ; j'y passe la
journée, là-dedans, en montant et en descendant
selon les axes horizontaux et verticaux qui traver-

sent ce solide compact, ou le long des itinéraires obligatoires qui rasent angles et côtés. Mais je ne tombe pas dans le panneau : je sais qu'ils me font courir entre les parois lisses et transparentes, et les angles symétriques, pour que je croie être à l'intérieur d'un cristal, pour que j'y reconnaisse une forme régulière, un axe de rotation, une constance dans les dièdres, alors qu'il n'existe rien de tout cela. C'est le contraire, qui existe : le verre, ce sont des solides de verre qui bordent les rues, et non de cristal, c'est une pâtée de molécules en vrac qui a envahi et cimenté le monde, une couche de lave refroidie à l'improviste, qui s'est solidifiée selon des formes imposées de l'extérieur, tandis qu'au-dedans le magma se trouve tel quel, comme aux temps de la Terre incandescente.

Sans doute je ne les regrette pas, ces temps-là : si de me savoir mécontent des choses comme elles sont, vous vous attendez à ce que je regrette le passé avec nostalgie, vous vous trompez. Elle était horrible, sans croûte, la Terre, un éternel hiver incandescent, un bourbier minéral, avec de noirs tourbillons de fer et de nickel qui coulaient de toutes les crevasses vers le centre du globe, et des jets de mercure qui giclaient très haut. Nous nous frayions un passage au travers d'un brouillard bouillant, Vug et moi, et jamais nous ne réussissions à toucher un endroit solide. Une barrière de roches liquides que nous trouvions en face de nous s'évaporait tout d'un coup, devant nous, et disparaissait en un nuage acide ; nous nous élancions pour l'atteindre, et déjà nous la sentions qui se con-

densait et fondait sur nous comme une pluie métallique dans une tourmente, qui gonflait les vagues
épaisses d'un océan d'aluminium. La substance des
choses changeait autour de nous d'une minute à
l'autre, ou si vous voulez les atomes passaient d'un
état de désordre à un nouvel état de désordre et
ensuite encore à un autre : c'est-à-dire que pratiquement tout restait toujours pareil. Le seul changement
véritable aurait été la disposition des atomes selon
un ordre quelconque : c'était cela que Vug et moi
nous cherchions quand nous nous déplacions dans le
mélange des éléments sans aucun point de repère,
sans un avant, sans un après.

À présent la situation est différente, je l'admets :
j'ai un bracelet-montre, je compare l'angle de ses
aiguilles avec celui de toutes les aiguilles que je vois ;
j'ai un agenda dans lequel est consigné l'horaire de
mes rendez-vous de travail ; j'ai un carnet de chè-
ques sur les souches duquel je soustrais et addi-
tionne des nombres. À Penn Station je descends du
train, je prends le *subway*, je reste debout en me
tenant d'une main à une poignée et en tenant de
l'autre main mon journal levé et plié, dans lequel
je parcours des yeux les chiffres des cours de la
Bourse : je joue le jeu, en somme, ce jeu qui consiste à feindre qu'il y a un ordre dans la poussière,
une régularité dans le système, ou peut-être une
compénétration de systèmes divers mais mesurables,
bien qu'incongrus, de telle sorte qu'on puisse oppo-
ser à toute granule du désordre la facette d'un ordre
qui aussitôt s'effrite.

Avant c'était pire, sans doute. Le monde était une
solution de substances où tout était dissous en tout
et était le solvant de tout. Vug et moi nous continuions à nous égarer là au milieu, à nous égarer en
égarés que nous étions, en égarés que nous avions
toujours été, sans idée de ce que nous aurions pu
trouver (ou de ce qui aurait pu nous trouver) pour
n'être plus égarés.

Nous nous en aperçûmes d'un seul coup. Vug
dit :

— Là !

Elle indiquait, au milieu d'une coulée de lave,
quelque chose qui était en train de prendre forme.
C'était un solide aux faces régulières et lisses et aux
arêtes coupantes : et ces faces et arêtes très lentement grandissaient, on aurait dit aux frais de la
matière environnante, et de plus la forme du solide
se modifiait, mais en conservant toujours des proportions symétriques... Et il n'y avait pas que sa
forme qui se distinguât de tout le reste des choses ;
il y avait la manière dont la lumière le pénétrait, en
le traversant et en s'y réfractant. Vug dit :

— Ils brillent ! Il y en a des quantités !

Ce n'était pas le seul, en effet. Sur l'étendue
incandescente où autrefois affleuraient seulement des
bulles éphémères de gaz expulsées des entrailles terrestres, venaient maintenant au jour des cubes, des
octaèdres, des prismes, des figures tellement diaphanes qu'elles en paraissaient presque aériennes, vides
à l'intérieur, et qui au contraire, comme on le vit
très vite, concentraient en elles une densité et une

dureté incroyables. L'éblouissement de ces florai-
sons aiguës envahissait la Terre, et Vug dit :

— C'est le printemps !

Moi, je lui donnai un baiser.

À présent vous avez compris : si j'aime l'ordre,
ce n'est pas comme pour tant d'autres le signe d'un
caractère soumis à une discipline intérieure, à une
répression des instincts. Chez moi l'idée d'un monde
absolument régulier, symétrique, méthodique est
associée à ce premier mouvement d'exubérance de
la nature ; à la tension amoureuse, à ce que vous
appelez l'éros, alors que toutes vos images à vous,
celles qui selon vous associent la passion et le désordre, l'amour et le débordement immodéré — fleuve
feu tourbillon volcan —, ne sont pour moi que
souvenirs du néant, de l'inappétence et de l'ennui.

J'étais dans l'erreur, il ne m'en fallut pas beaucoup pour le comprendre. Nous voici au point
d'arrivée : Vug est perdue ; de l'éros de diamant, il
ne reste que la poussière ; le prétendu cristal qui
m'emprisonne à présent n'est que du verre vulgaire. Je suis les flèches sur l'asphalte, au feu rouge
je me range dans la file (aujourd'hui je suis venu à
New York en voiture) et je repars au vert (comme
chaque mercredi parce que j'accompagne) en passant la première (Dorothy chez son psychanalyste),
je cherche à garder une vitesse constante de manière
à toujours passer au vert dans Second Avenue. Ce
que vous autres appelez l'ordre est un rapiéçage
effiloché de la désagrégation ; j'ai trouvé une place
de parking mais dans deux heures je devrai descen-

dre pour remettre de la monnaie dans le compteur ;
si j'oublie, ils emporteront ma voiture avec une
grue.

Je rêvais d'un monde de cristal, en ces temps-là :
je n'en rêvais pas, je le vis, un printemps de quartz
glacé et indestructible. Les polyèdres poussaient
hauts comme des montagnes, et diaphanes : au travers de leur épaisseur apparaissait l'ombre de qui
se tenait de l'autre côté.

— Vug, c'est toi !

Pour la rejoindre je m'aventurais sur les parois
lisses comme des miroirs ; je glissais en arrière ; je
m'accrochais aux arêtes, m'y blessant ; je courais
le long de périmètres trompeurs, et à chaque changement de direction c'était une autre lumière —
irradiante, laiteuse, opaque — que la montagne
contenait.

— Où es-tu ?

— Dans le bois !

Les cristaux de l'argent étaient des arbres filiformes, avec des ramifications à angle droit. De
squelettiques feuillages d'étain et de plomb épais-
sissaient la forêt d'une végétation géométrique.

Là au milieu courait Vug.

— Qfwfq ! Par là c'est différent ! cria-t-elle. Or,
vert, bleu.

Une vallée de béryl s'ouvrait à l'air libre, entourée d'arêtes de toutes les couleurs, de l'aigue-marine
à l'émeraude. Moi je marchais sur les pas de Vug,
l'esprit partagé entre le bonheur et la crainte : bonheur de voir comment chaque substance qui compo-

sait le monde trouvait une forme à elle, définitive et solide, et crainte indéterminée à la pensée que ce triomphe si divers de l'ordre risquait de reproduire à une tout autre échelle le désordre que nous venions de laisser derrière nous. Un cristal total, voilà de quoi je rêvais, un topaze-monde, qui n'aurait rien laissé dehors : j'étais impatient que la Terre se séparât de la roue de gaz et de poussière dans quoi tourbillonnaient tous les corps célestes, et fût la première à échapper à cette déperdition inutile qu'est l'univers.

Sans doute, si on y tient, on peut bien se mettre en tête de trouver un ordre dans les étoiles, dans les galaxies, un ordre dans les fenêtres illuminées des gratte-ciel vides où le personnel du nettoyage, entre neuf heures et minuit, cire les bureaux. Justifier, voilà la grande tâche, justifiez si vous ne voulez pas que tout se défasse. Ce soir, nous dînons en ville, dans un restaurant, sur la terrasse d'un vingt-quatrième étage. C'est un repas d'affaires ; nous sommes six ; il y a en plus Dorothy, et la femme de Dick Bemberg. Je mange des huîtres, je regarde une étoile qui s'appelle (si c'est bien elle) Bételgeuse. Nous causons : nous, de production ; les dames, de consommation. Du reste, voir le ciel étoilé est difficile : les lumières de Manhattan se perdent en un halo qui se mélange à la luminosité propre du ciel.

La merveille des cristaux réside dans le réticule des atomes qui se répète sans cesse : c'était cela que Vug ne voulait pas comprendre. Ce qui lui plaisait, à elle — je le compris vite —, c'était de découvrir dans les cristaux des différences même minimes, des irrégularités, des imperfections.

— Mais que veux-tu que me fasse un atome qui n'est pas à sa place, un effritement un peu tordu, disais-je, dans un solide destiné à se développer infiniment, suivant un schéma régulier ? C'est au cristal unique que nous tendons, au cristal géant...

— À moi, ils me plaisent quand il y en a tellement de petits, disait-elle.

Pour me contredire, sans doute ; mais aussi parce qu'il était vrai que les cristaux apparaissaient par milliers tous à la fois et qu'ils se compénétraient les uns les autres, stoppant leur croissance là où ils se rencontraient, et ils n'arrivaient jamais à s'approprier entièrement la roche liquide d'où ils prenaient leur forme : le monde ne tendait pas à se composer une figure toujours plus simple mais il s'agglomérait en une masse vitreuse dans laquelle prismes, octaèdres et cubes semblaient lutter pour se libérer et amener à soi toute la matière...

Un cratère explosa : s'en échappa une cascade de diamants.

— Regarde ! Comme ils sont grands ! s'exclama Vug.

De tous les côtés c'étaient des éruptions de volcans : un continent de diamants réfléchissait la lumière du Soleil en une mosaïque d'éclats d'arc-en-ciel.

— N'avais-tu pas dit que plus ils sont petits, plus ils te plaisent ? lui rappelai-je.

— Non ! Ceux-là ! Énormes ! Je les veux !

Et elle s'élança.

— Il y en a de bien plus grands ! lui dis-je, en lui montrant vers en haut.

L'éblouissement aveuglait : moi je voyais déjà une montagne-diamant, une chaîne taillée en facettes et iridescente, un plateau-pierre-précieuse, un Himalaya-Koh-i-Nor.

— Qu'est-ce que tu veux que j'en fasse ? Moi j'aime ceux qu'on peut prendre ! Je veux les avoir !

Car déjà il y avait chez Vug le délire de la propriété.

— Ce sera le diamant qui nous aura : c'est lui le plus fort ! dis-je.

Je me trompais, comme d'habitude : le diamant fut pris, mais pas par nous. Quand je passe devant Tiffany's je m'arrête pour regarder les vitrines, je contemple les diamants prisonniers, fragments de notre règne perdu. Ils sont étendus dans des cercueils de velours, enchaînés avec de l'argent et du platine ; par l'imagination et la mémoire je les agrandis, je leur rends leurs dimensions de château, de jardin, de lac, j'imagine l'ombre azurée de Vug s'y mirant. Je ne l'imagine pas : c'est bien Vug, celle qui maintenant avance parmi les diamants. Je me retourne : c'est la jeune fille qui dans mon dos regarde la vitrine, sous ses cheveux obliques.

— Vug ! dis-je. Nos diamants ! Elle rit.

— C'est bien toi ? demandai-je. Quel est ton nom ?

Elle me donne son numéro de téléphone.

Nous sommes entre des parois de verre : je vis

dans l'ordre fictif, je voudrais le lui dire, j'ai un bureau dans l'East Side, j'habite dans le New Jersey, pour le week-end Dorothy a invité les Bemberg, contre l'ordre fictif le désordre fictif ne peut rien, il faudrait le diamant, non pour l'avoir, nous, mais afin que le diamant nous ait, le libre diamant dans lequel nous allions librement, Vug et moi...

— Je t'appellerai, lui dis-je.

Et c'est seulement par envie de recommencer à me quereller avec elle.

Où, dans un cristal d'aluminium, le hasard gaspille des atomes de chrome, là, la transparence se colore d'un rouge sombre : c'est ainsi que sous nos pas fleurissaient les rubis.

— Tu as vu ? demandait Vug. N'est-ce pas qu'ils sont beaux ?

Nous ne pouvions parcourir une vallée de rubis sans recommencer nos prises de bec.

— Oui, disais-je, parce que la régularité de l'hexagone...

— Ouh là là ! faisait-elle. Dis-moi donc si sans l'intrusion d'atomes étrangers ce seraient des rubis !

Moi, j'enrageais. Plus beau, moins beau, nous pouvions en discuter à l'infini. Mais le seul fait certain était que la Terre allait dans le sens des préférences de Vug. Le monde de Vug, c'étaient les fentes, les crevasses où la lave monte, défaisant la roche et mélangeant les minéraux en concrétions imprévisibles. En la regardant caresser des parois de granit, je regrettais tout ce qui dans cette roche s'était perdu de l'exactitude des feldspaths, des

micas, des quartz. Vug semblait se féliciter de la
grande variété dans l'infiniment petit que présentait la face du monde. Comment nous entendre ?
Pour moi, ne valait que ce qui était accroissement
homogène, indivisibilité, repos trouvé ; pour elle,
ce qui était séparation ou mélange, l'un ou l'autre
ou les deux ensemble. Nous deux aussi devions
acquérir un aspect (nous ne possédions encore ni
forme ni avenir) : moi, j'imaginais une lente expansion uniforme, sur le modèle des cristaux, jusqu'au
moment où le cristal-moi se serait pénétré et confondu avec le cristal-elle et peut-être ensemble
serions-nous devenus une seule et même chose avec
le cristal-monde ; tandis qu'elle semblait savoir,
déjà, que la loi de la matière vivante serait de sépa-
rations et d'unions à l'infini. C'était donc Vug qui
avait raison ?

Lundi ; je lui téléphone. C'est déjà presque l'été.
Nous passons une journée ensemble, à Staten Island,
étendus sur la plage. Vug regarde couler entre ses
doigts les grains de sable.

— Tant de minuscules cristaux… dit-elle.

Le monde broyé qui nous entoure est toujours
pour elle celui d'alors, celui dont nous attendions
qu'il naquît du monde incandescent. Sans doute,
les cristaux donnent encore sa forme au monde,
en se brisant, en se réduisant en fragments quasi
imperceptibles roulés par les vagues, incrustés de
tous les éléments défaits par la mer qui les refond
en roches escarpées, en écueils de grès, cent fois
dissous et recomposés, en schistes, ardoises, mar-

bres à la blancheur glabre, tous simulacres de ce
qu'ils auraient pu et ne pourront plus jamais être.

Et me reprend l'obstination du moment où il commença à être clair que la partie était perdue, que la
croûte de la Terre devenait un fatras de formes disparates, et je ne voulais pas m'y résigner, et à chaque
discontinuité du porphyre que Vug me montrait gaiement, à chaque vitrosité qui paraissait dans le basalte,
je voulais me convaincre de ce que ce n'étaient là
qu'irrégularités apparentes, qui toutes étaient compri-
ses dans une structure régulière beaucoup plus vaste,
dans laquelle, à toute asymétrie que nous pensions
observer, répondait en réalité un réseau de symétries
tellement compliqué qu'on ne pouvait s'en rendre
compte, et j'essayais de calculer combien de milliards de côtés et d'angles dièdres devait avoir ce
cristal labyrinthique, cet hyper-cristal qui contenait
en lui-même les cristaux et les non-cristaux.

Vug a amené sur la plage une petite radio à transistors.

— Tout vient du cristal, dis-je, même la musique que nous entendons.

Mais je sais bien que celui du transistor est un
cristal lacunaire, souillé, traversé d'impuretés, de
déchirures dans la maille des atomes.

Elle dit :

— Tu fais une fixation.

Et c'est notre vieille dispute qui continue : elle
veut me faire admettre que l'ordre véritable est
celui qui comporte l'impureté, la destruction.

Le bateau accoste à la Battery, c'est le soir, du

réseau éclairé des gratte-ciel prismatiques je regarde, maintenant, seulement les démaillages sombres, les brèches. J'accompagne Vug chez elle ; je monte. Elle habite Downtown, elle a un studio de photographie. En regardant autour de moi je ne vois que perturbations dans l'ordre des atomes : les tubes luminescents, l'écran de télévision, la condensation des minuscules cristaux d'argent sur les plaques photographiques. J'ouvre le réfrigérateur, je prends de la glace pour le whisky. Du transistor vient un solo de saxophone. Le cristal qui a réussi à être le monde, à rendre le monde transparent à lui-même, à le refléter en une infinité d'images spectrales, n'est pas le mien : c'est un cristal corrompu, taché, mêlé. La victoire des cristaux (et de Vug) a été en même temps leur défaite (et la mienne). Maintenant, j'attends que le disque de Thelonious Monk soit fini, et je le lui dis.

Le sang, la mer

Les conditions du temps où la vie n'était pas encore
sortie des océans ont peu changé pour les cellules du
corps humain, baigné par l'onde primordiale qui continue de courir dans nos artères. Notre sang, en effet,
possède une composition chimique analogue à celle de
la mer des origines, d'où les premières cellules vivantes et les premiers êtres pluricellulaires tiraient l'oxygène et les autres éléments nécessaires à la vie. Avec
l'évolution d'organismes plus complexes, le problème
qui consistait à maintenir le plus grand nombre de
cellules au contact de l'environnement liquide ne put
être résolu simplement par extension de la superficie
externe : les organismes doués de structures creuses, à
l'intérieur desquelles l'eau de la mer pouvait circuler,
se trouvèrent avantagés. Mais ce fut seulement avec la
ramification de cette cavité, devenue système de circulation sanguine, que la distribution de l'oxygène fut
enfin garantie à l'ensemble des cellules, rendant du
même coup possible la vie terrestre. La mer, dans
laquelle les êtres vivants étaient autrefois plongés, est
maintenant renfermée à l'intérieur de leurs corps.

Au fond, ce n'est pas que les choses aient beaucoup changé : je nage, je continue à nager dans la
même mer chaude — *dit Qfwfq* —, ou si vous voulez le dedans n'a pas changé, ce qui avant était le
dehors dans quoi je nageais, sous le soleil, et dans
quoi je nage, dans le noir, aujourd'hui, bien que ce
soit dedans ; ce qui a changé c'est le dehors, le
dehors d'à présent qui avant était le dedans d'avant,
celui-là il a bel et bien changé ; mais ce n'est pas
très important. J'ai dit : ce n'est pas très important,
et vous, aussitôt : comment, le dehors n'est pas très
important ? Je voulais dire qu'à bien regarder les
choses, du point de vue du dehors d'avant, c'est-à-
dire du dedans d'à présent, le dehors d'à présent,
qu'est-ce que c'est ? c'est là où il demeure au sec,
rien d'autre, là où n'arrivent ni flux ni reflux ; et
pour ce qui est d'avoir de l'importance, sans doute
qu'il en a, lui aussi, en tant que dehors, en tant que
ce dehors-là est dehors, et l'on croit qu'il est
davantage digne de considérations que le dedans,
mais en fin de compte déjà quand il était dedans
s'il importait, c'était dans des limites — ainsi
paraissait-il alors — plus réduites, et par conséquent moins dignes de considérations. En somme
nous en arrivons tout de suite à parler des autres,
c'est-à-dire de ceux qui ne sont pas moi, c'est-à-
dire du prochain, vu que vous posez le problème en
ces termes : un prochain on sait qu'il existe parce

qu'il est dehors, nous en sommes d'accord, dehors
comme le dehors d'à présent, mais avant, quand le
dehors était ce dans quoi on nageait, l'océan très
dense et très chaud, même alors les autres existaient, glissant, en ce dehors d'avant, et alors nous
disions qu'en sachant que les autres existent on
peut aussi y arriver par un dehors comme le dehors
d'avant, c'est-à-dire comme le dedans d'à présent,
et ainsi maintenant que nous nous sommes relayés
au volant, avec le docteur Cècere, à la station-service de Codogno, et devant, à côté de lui, est allée
s'asseoir Jenny Fumagalli, et moi je suis resté derrière
avec Zylphia, le dehors, qu'est-ce que le dehors ?
un environnement sec, privé de significations, un
peu écrasé (nous sommes quatre dans une Volkswagen), où tout est indifférent et remplaçable,
Jenny Fumagalli, Codogno, le docteur Cècere, la
station-service ; et quant à Zylphia, depuis que j'ai
posé une main, à quinze kilomètres plus ou moins
de Casalpusterlengo, sur son genou, ou encore
c'est elle qui la première m'a effleuré, je ne me rappelle pas, tellement les faits du dehors tendent à se
confondre, ce que j'ai ressenti, je parle de la sensation qui venait du dehors, était en vérité une pauvre chose, en comparaison de ce qui me passait
dans le sang et qu'auparavant j'avais ressenti au
temps où nous nagions ensemble dans un même
océan brûlant et enflammé, Zylphia et moi.

Les profondeurs sous-marines étaient d'un rouge
comme celui que maintenant nous ne voyons plus
que dans l'intérieur des paupières, et les rayons du

soleil venaient les éclaircir comme des jets de flammes, ou des faisceaux. Nous flottions sans idée d'aucune direction, entraînés par un courant sombre, mais léger jusqu'à en paraître impalpable, et à la fois fort, capable de nous tirer vers le haut dans de très grosses vagues et vers le bas dans des tourbillons. Tantôt Zylphia s'enfonçait à pic au-dessous de moi dans un bouillonnement violet, presque noir, tantôt elle me survolait remontant vers des bandes plutôt écarlates qui couraient sous la voûte lumineuse. Tout cela nous le sentions à travers les couches de notre superficie, dilatées de manière à assurer le contact le plus étendu possible avec cette mer substantielle, parce qu'à chaque plongée et à chaque remontée des vagues c'étaient toutes sortes de choses qui nous passaient du dehors au dedans, toutes substances de toutes les qualités, même le fer, quelque chose de très sain en somme, et cela est si vrai que jamais je ne me suis aussi bien porté qu'alors. Ou pour mieux dire : je me trouvais bien dans la mesure où dilatant ma superficie, j'augmentais les possibilités de contact entre moi et ce dehors de moi si précieux, mais dans le même temps, au fur et à mesure que s'étendaient les zones de mon corps pétries de solution marine, mon volume aussi grandissait, et à l'intérieur de moi-même une zone sans cesse plus volumineuse devenait inaccessible pour l'élément du dehors, elle était aride, étouffée, et le poids de cette épaisseur sèche, engourdie, que je portais au-dedans de moi était la seule ombre à mon bonheur, à notre bonheur, à Zylphia et à moi,

parce qu'aussi plus Zylphia prenait magnifique-
ment de place dans la mer, plus grandissait aussi,
en elle, une épaisseur inerte et opaque, ni arrosée ni
arrosable, à l'écart du flux vital, jamais rejointe par
les messages que moi je lui transmettais à travers la
vibration des vagues. Et voilà je pourrais dire que
maintenant je vais mieux qu'alors, à présent que les
couches de la superficie d'avant, alors dépliées à
l'extérieur, se sont retournées vers le dedans comme
on retourne un gant, à présent que tout le dehors
nous est retourné dedans et que pour nous irriguer
il est entré à travers des ramifications filiformes ;
on pourrait bien le dire, s'il n'y avait que, par le
fait, la zone étouffée s'est projetée au-dehors, s'est
dilatée dans toute la distance qui s'étend entre mon
complet de tweed et le paysage fuyant de la Bassa
Lodigiana, et m'entoure, gonflée de présences non
désirées comme celle du docteur Cècere, avec toute
son épaisseur qu'avant le docteur Cècere aurait renfermée au-dedans de lui-même — suivant sa manière
stupide de se dilater uniformément, comme une
boule —, maintenant déplié devant moi en une
superficie injustifiablement irrégulière et minutieuse,
surtout à la nuque, dodue et parsemée de boutons,
tendue dans le col semi-rigide au moment où disant :
« Eh, eh, vous deux là derrière ! », il a légèrement
déplacé le rétroviseur et sans aucun doute il a saisi
ce que sont en train de faire nos mains, à moi et à
Zylphia, nos petites mains externes, nos mains peti-
tement sensibles qui poursuivent le souvenir de nous
deux nageant, ou si vous voulez le souvenir de la

nage, ou si vous voulez la présence de tout ce qui
de moi et de Zylphia continue à nager ou à être
baigné, ensemble, comme alors.

Voilà une distinction qu'on pourrait introduire
pour améliorer l'idée de l'avant et celle de l'à-pré-
sent : avant nous nous baignions et à présent nous
sommes baignés, mais à y mieux penser je préfère
n'en pas user, parce qu'en réalité même quand la mer
était au-dehors, j'y nageais de la même manière
qu'à présent, sans intervention de ma volonté, c'est-
à-dire que même alors j'étais baigné, ni plus ni
moins qu'à présent, il y avait un courant qui m'enveloppait et qui me portait ici et là, un flux doux et
mœlleux, dans lequel Zylphia et moi lézardions en
nous retournant sur nous-mêmes, nous balançant sur
les abysses aux transparences couleur rubis, nous dissimulant entre des filaments couleur turquoise qui
se déroulaient depuis le fond, mais ces sensations
de mouvements étaient seulement — attendez que
je vous explique — étaient seulement dues à quoi ?
Elles étaient dues à une espèce de pulsation générale, non, je ne voudrais pas amener de confusion
avec ce qu'il en est à présent, parce que depuis que
nous contenons la mer au-dedans de nous-mêmes,
il est naturel que dans les mouvements se produise
cet effet de piston, mais en ce temps-là on ne pouvait pas bien sûr parler de piston, parce qu'il aurait
fallu imaginer un piston sans limites, une chambre
d'explosion d'un volume infini, comme nous paraissaient infinis la mer et même l'océan dans lequel
nous étions immergés, tandis que maintenant tout

est pulsation, battement, ronflement, crépitement, dans l'intérieur des artères et au-dehors : à l'intérieur des artères, avec la mer qui accélère son mouvement dès que je sens la main de Zylphia qui me cherche, ou mieux, dès que je sens l'accélération du mouvement dans les artères de Zylphia, quand elle sent ma main qui la cherche (et ces deux mouvements sont encore le même mouvement d'une même mer et ils se rejoignent de nouveau par-delà le contact du bout des doigts assoiffés) ; mais aussi au-dehors, avec ce dehors opaque et assoiffé, qui tente sourdement d'imiter le battement, le ronflement, le crépitement de l'intérieur, et qui vibre dans l'accélérateur sous le pied du docteur Cècere, et toute la file de voitures arrêtée à la sortie de l'autoroute tente de répéter la pulsation de l'océan maintenant enseveli au-dedans de nous-mêmes, ce rouge océan autrefois sans rivages, sous le soleil.

C'est une impression fallacieuse de mouvement que cette file d'automobiles maintenant arrêtée nous donne, en pétaradant ; puis elle bouge et c'est la même chose que si elle était arrêtée, le mouvement est fallacieux, il ne fait que répéter les panneaux et les bandes blanches et les talus ; et tout le voyage n'a été qu'un mouvement fallacieux dans l'immobilité et l'indifférence à tout ce qui est dehors. Seule la mer remuait et remue, au-dehors ou au-dedans, et c'est seulement dans ce mouvement-là que Zylphia et moi nous rendions compte l'un l'autre de notre présence, même si alors nous ne nous effleurions même pas, même si nous flottions

moi ici et elle là, mais il suffisait que la mer accélé-
rât son rythme et je percevais la présence de Zylphia, sa présence différente par exemple de celle du
docteur Cècere, lequel cependant était là lui aussi
déjà, et je la percevais quand je ressentais une accélération du même type que l'autre mais avec une
charge contraire, c'est-à-dire que l'accélération de
la mer (et maintenant du sang) en fonction de Zylphia était (est) comme le fait de nager à sa rencontre, ou encore comme de nager en se poursuivant
pour rire, tandis que l'accélération (de la mer et
maintenant du sang) en fonction du docteur Cècere
était (et est) comme le fait de nager au loin pour
l'éviter, ou encore comme de nager contre lui pour
l'obliger à s'enfuir, et tout cela sans que rien ne
change dans le rapport entre nos distances.

À présent il y a le docteur Cècere qui accélère
(les paroles dont on se sert sont les mêmes, mais les
significations changent) et dépasse une Flaminia dans
un virage, et c'est en fonction de Zylphia qu'il accélère, pour la distraire par une manœuvre risquée,
une fallacieuse manœuvre risquée, de la nage véritable qui nous rapproche, elle et moi : fallacieuse,
dis-je, cette manœuvre, non quant au risque car le
risque est bien véritable, c'est-à-dire qu'il regarde le
dedans de nous, qui pourrait dans un choc jaillir
au-dehors ; tandis que en tant que manœuvre, elle
ne change rien du tout : les distances entre la Flaminia, le virage, la Volkswagen peuvent assumer
des valeurs et entrer dans des rapports divers, rien
d'essentiel n'arrive, comme rien d'essentiel n'arrive

chez Zylphia qui lui importe tant soit peu quant aux dépassements du docteur Cècere, tout au plus il y aura la Fumagalli Jenny pour exulter : « Dieu qu'elle marche bien cette petite bagnole ! » et son exultation, dans la présomption que les bravades automobiles du docteur Cècere sont pour elle, est doublement injustifiée, premièrement parce que son dedans à elle ne lui transmet rien qui puisse justifier de l'exultation, deuxièmement parce qu'elle se trompe sur les intentions du docteur Cècere, lequel se trompe à son tour quand il croit faire qui sait quoi quand il fait le malin, de la même façon qu'avant elle se trompait, la Fumagalli Jenny, sur mes intentions, quand c'était moi qui étais au volant et elle à côté de moi, et que ici derrière avec Zylphia le docteur Cècere se trompait, lui aussi, tous les deux concentrés — la Fumagalli et lui — sur la fallacieuse disposition des couches d'épaisseur sèche, ignorant — grandis en boule comme ils l'étaient — que seul arrive véritablement ce qui arrive dans la nage de cette part de nous-mêmes qui est immergée ; et ainsi cette histoire stupide de dépassements qui ne signifient rien, comme un dépassement d'objets fixes immobiles cloués, continue à se superposer à notre nage libre et véritable, à chercher une signification qui interfère avec elle, de la seule stupide façon qu'elle connaît, du risque quant au sang, de la possibilité pour notre sang de redevenir une mer de sang, d'un retour fallacieux à une mer de sang qui ne serait plus ni mer ni sang.

Ici il faut spécifier très vite, avant que par un

dépassement inconsidéré d'un camion-remorque le
docteur Cècere rende vaine toute spécification, la
façon dont l'ancien sang-mer commun était commun et tout à la fois individuel en chacun de nous,
et comment on peut continuer à y nager en tant
qu'il est tel, et comment au contraire on ne peut
pas : un discours dont, à le précipiter, je ne sais s'il
fonctionne parce que comme toujours quand on
parle de cette substance générale le discours ne
peut être conduit en termes généraux mais doit
varier d'après le rapport qu'il y a entre un et les
autres, et autant tout reprendre au début. Donc :
cette affaire qui consistait à avoir en commun l'élément vital était une belle chose dans la mesure où
la séparation entre moi et Zylphia était pour ainsi
dire colmatée et où nous pouvions nous sentir dans
le même temps deux individus distincts et un tout
unique, situation qui a toujours ses avantages, mais
quand on saura que ce tout unique comprenait aussi
des présences absolument insipides comme celle de
la Fumagalli Jenny, ou, pire, insupportables comme
celle du docteur Cècere, alors merci, la chose perd
beaucoup de son intérêt. C'est là même qu'entre en
jeu l'instinct de reproduction : l'envie nous venait,
à Zylphia et à moi, ou tout au moins, l'envie me
venait, et je crois bien à elle aussi vu qu'elle n'était
pas contre, de multiplier notre présence dans la
mer-sang de manière à en profiter toujours plus, et
qu'en profitât toujours moins le docteur Cècere, et
comme nous avions pour ce faire à notre disposition des cellules reproductrices, nous procédions

avec beaucoup d'entrain à la fécondation, c'est-à-dire que moi je fécondais tout ce qui chez elle était fécondable, de manière que notre présence augmentât en valeur absolue et en pourcentage, et que le docteur Cècere restât en minorité, une minorité — c'était mon rêve, presque le délire qui me prenait — toujours plus exiguë, insignifiante, zéro virgule zéro zéro etc. pour cent, jusqu'à disparaître dans le nuage épais de notre progéniture comme dans un banc d'anchois extrêmement voraces et rapides qui le dévoreraient morceau par morceau, l'ensevelissant à l'intérieur de nos couches internes, sèches, petit morceau par petit morceau jusque-là où le courant marin ne le rattraperait plus, et alors la mer-sang deviendrait une seule et même chose que nous, c'est-à-dire que tout le sang serait finalement notre sang.

C'est précisément le secret désir que je nourris, en regardant la nuque du docteur Cècere, là devant : le faire disparaître, le manger, ou si vous voulez non pas le manger moi-même, parce qu'il me dégoûte un peu (étant donné les boutons), mais émettre, projeter, hors de moi (hors de l'ensemble Zylphia-moi) un banc d'anchois extrêmement voraces (de sardines-moi de Zylphia-sardines-moi) et dévorer le docteur Cècere, le priver de l'usage d'un système sanguin (en plus de celui d'un moteur à explosions, en plus de l'usage illusoire d'un moteur stupidement à explosions), et pendant que nous y sommes dévorer aussi cette emmerdeuse de Fumagalli, qui du fait qu'avant j'étais assis à côté d'elle s'est mis dans la tête que je lui avais fait je ne sais quelles galanteries, moi qui ne fais même pas attention à elle, et à présent elle dit avec sa petite voix : « Attention, Zylphia… » (pour tout gâcher) « je connais le monsieur… » pour faire croire que moi maintenant avec Zylphia comme avant avec elle, mais que peut-elle bien en savoir, elle, de ce qui véritablement se passe entre moi et Zylphia, de la manière dont moi et Zylphia nous continuons notre vieille nage dans les abysses écarlates ?

Je reprends le fil parce que j'ai l'impression qu'il s'est créé un peu de confusion : dévorer le docteur Cècere, l'ingurgiter, était la façon la meilleure pour l'enlever du sang-mer quand justement le sang était la mer, quand le dedans d'à présent était dehors et le dehors dedans ; mais à présent en réalité mon secret désir est de faire devenir le docteur Cècere un pur dehors, de le priver du dedans dont il jouit abusivement, de lui faire cracher la mer perdue dans sa personne pléonastique, en somme mon rêve est d'envoyer contre lui moins un banc d'anchois-moi qu'une rafale de projectiles, un ta-ta-ta qui le crible de la tête aux pieds, qui lui fasse jaillir son sang noir jusqu'à la dernière goutte, ce qui se retrouve bien d'ailleurs avec l'idée de me reproduire en compagnie de Zylphia, de multiplier en la compagnie de Zylphia notre circulation sanguine en un peloton ou un bataillon de descendants vengeurs armés de fusils automatiques pour cribler de balles le docteur Cècere, voilà au juste ce que me suggère à présent l'instinct sanguinaire (dans le plus

grand secret, étant donné la bonne tenue constante
de ma personne civile et éduquée exactement comme
vous-mêmes), l'instinct sanguinaire lié au sens du
sang comme « notre » sang, que moi je porte exactement comme vous-mêmes, avec éducation et civi-
lité.

Jusqu'ici il peut vous sembler que tout est clair :
pourtant vous devez tenir compte de ce que pour
tout rendre clair j'ai tellement simplifié les choses
que je me demande si le pas en avant qui vient
d'être accompli est véritablement un pas en avant.
Parce que du moment où le sang devient « notre
sang », le rapport entre nous et le sang change,
c'est-à-dire que ce qui compte c'est le sang en tant
qu'il est « notre sang », et tout le reste, nous compris, compte beaucoup moins. Si bien qu'il y avait
aussi dans l'impulsion qui me portait vers Zylphia,
outre le désir d'avoir pour nous tout l'océan, celui
aussi de le perdre, l'océan, de nous y anéantir, dans
l'océan, de nous y détruire, de nous y déchirer, ou
si vous voulez — du moins pour commencer — de
la déchirer, elle, Zylphia mon amour, de la mettre
en morceaux, de la manger. Pour elle de son côté
c'était la même chose : ce qu'elle voulait, c'était me
déchirer, me dévorer, m'engloutir, et rien d'autre.
La tache orange du Soleil vue depuis les profondeurs sous-marines ondoyait comme une méduse
et Zylphia glissait à travers les filaments lumineux,
dévorée donc par le désir de me dévorer, et moi, je
me contorsionnais dans les entrelacements d'obscurité qui montaient du fond comme de longues algues

que baguaient des reflets indigo, rendu furieux par l'envie de la mordre. Et finalement ici sur le siège arrière de la Volkswagen, à l'occasion d'un coup de volant assez brusque je suis tombé sur elle et j'ai enfoncé mes dents dans sa peau, à l'endroit où la coupe « à l'américaine » de ses manches découvre les épaules, et elle m'a planté ses ongles pointus entre les boutons de ma chemise, et cela c'est donc toujours l'impulsion d'avant, celle qui poussait à la soustraire (à me soustraire, aussi bien) de la population marine, et qui à présent pousse au contraire à soustraire la mer de son corps, du mien, et ainsi d'une façon ou d'une autre à passer de l'élément flamboyant de la vie à celui, pâle et opaque, qu'est notre absence loin de l'océan, l'absence de l'océan loin de nous.

La même impulsion joue donc avec un acharnement amoureux entre elle et moi, et avec un acharnement hostile contre le docteur Cècere : pour chacun de nous il n'y a d'autre façon d'entrer en rapport avec les autres, je veux dire : c'est toujours cette même impulsion qui nourrit en lui-même le rapport aux autres, dans ses formes les plus diverses, les plus méconnaissables, comme quand le docteur Cècere dépasse des voitures de cylindrée supérieure à la sienne, et même une Porsche, avec des intentions vexatoires à l'égard de ces voitures supérieures et avec des intentions inconsidérément amoureuses à l'égard de Zylphia en même temps que vindicatives à mon propre égard et en même temps encore autodestructives à l'égard de lui-même. Ainsi, grâce au risque couru, l'insignifiance du dehors réussit à interférer avec l'élément essentiel, avec la mer dans laquelle Zylphia et moi nous continuons à accomplir nos vols nuptiaux de fécondation et de destruction : dans la mesure où le risque menace directement le sang, notre sang, car s'il ne s'agissait que du sang du docteur Cècere (après tout, conducteur irrespectueux du code de la route) on lui souhaiterait (au moins) de sortir de la route, mais en fait il s'agit de nous tous, du risque d'un retour possible de notre sang depuis l'obscurité vers le soleil, depuis le séparé vers le mélangé, retour fallacieux, comme nous tous dans notre jeu ambigu nous feignons de l'oublier, car le dedans d'à présent dès qu'il se verse au-dehors devient le dehors d'à présent, et ne peut être de nouveau le dehors d'alors.

Ainsi Zylphia et moi en nous cognant l'un contre l'autre dans les virages nous jouions à nous provoquer des vibrations dans le sang, c'est-à-dire à permettre que les frissons feints de l'insipide dehors se soumettent à ceux qui vibrent depuis le fond des millénaires et des abysses marines, et alors le docteur Cècere dit : « On va manger un minestrone froid au Routier », dissimulant sous un généreux amour de la vie sa violence constamment sous-jacente, et la Jenny Fumagalli répondit, avec sa fourberie : « Mais il faut y arriver avant les routiers, au minestrone, parce qu'ils ne t'en laisseront pas », avec sa fourberie, toujours au service de la destruction la plus noire, et le camion noir immatriculé UD 38 96 21 était juste là devant nous tout ronflant avec ses

soixante kilomètres à l'heure, juste dans le virage,
et le docteur Cècere pensa (ou il dit, peut-être) :
« J'y arrive », et il se déporta à gauche et nous tous
nous pensions (mais nous ne disions pas) : « Tu n'y
arriveras pas », et de fait, la DS qui était embus-
quée derrière le virage arrivait déjà, comme un boulet de canon, et pour l'éviter la Volkswagen effleura
le parapet puis en rebondissant elle frôla du côté
droit le pare-chocs recourbé et chromé de l'autre,
puis en rebondissant encore le platane, puis fit un
tour sur elle-même en tombant dans le précipice, et
la mer de sang commun qui inonde la tôle tordue
n'est pas le sang-mer des origines mais seulement
un détail infinitésimal du dehors, de l'insignifiant
et aride dehors, un numéro dans la statistique des
accidents dans les journées de week-end.

DEUXIÈME PARTIE

Priscilla

Dans la reproduction asexuée, l'être simple qu'est la cellule se divise en un point de sa croissance. Il se forme deux noyaux, et d'un seul être il en résulte deux. Mais nous ne pouvons dire qu'un premier être a donné naissance à un second. Les deux êtres nouveaux sont au même titre les produits du premier. Le premier être a disparu. Essentiellement, il est mort, puisqu'il ne survit en aucun des deux êtres qu'il a produits. Il ne se décompose pas à la manière des animaux sexués qui meurent, mais il cesse d'être. Il cesse d'être dans la mesure où il était discontinu. Seulement, en un point de la reproduction, il y a eu continuité. Il existe un point où *l'un* primitif devient *deux*. Dès qu'il y en a deux, il y a de nouveau discontinuité de chacun des êtres. Mais le passage implique entre les deux un *instant* de continuité. Le premier meurt, mais il apparaît *dans sa mort* un instant fondamental de continuité de deux êtres.

GEORGES BATAILLE,
L'Érotisme, Introduction.

Les cellules germinales sont immortelles, les cellules somatiques ont seulement une durée de vie limitée. Par le

moyen de la ligne des cellules germinales, les organismes
d'aujourd'hui sont reliés aux formes vivantes plus anciennes, dont les corps sont morts. [...] Les divisions précoces
des cellules germinales — oogones et spermatogones — se
produisent par divisions caryocinétiques communes. Chaque cellule à ce moment contient le double fonds de chromosomes et à chaque division chaque chromosome se
fend longitudinalement en deux parties égales, qui se séparent et passent dans les cellules filles. Après un certain
nombre de divisions ordinaires, celles-ci rencontrent deux
divisions particulières, dont l'une où le nombre des chromosomes se divise à moitié. Ces dernières sont appelées
divisions de maturation ou méioses, par opposition aux
mitoses ou processus ordinaire de division. [...] Immédiatement avant la division de maturation des cellules spermatiques, les chromosomes reparaissent sous la forme de
fins filaments qui s'étendent dans le noyau volumineux ;
certains sont en forme de nœud, d'autres de bâtonnet. Ils
se collent l'un contre l'autre dans le sens de la longueur, il
semble qu'ils se fondent ensemble, mais l'expérience génétique montre qu'il n'en est rien. Il est probable qu'à ce
stade, soit dans les œufs, soit dans les spermatozoïdes, soit
dans les deux, les chromosomes échangent des fragments
de parts parfaitement équivalents. Le processus est appelé
crossing-over. [...] Durant les divisions de maturation, que
ce soit dans les œufs ou dans les cellules spermatiques, se
fait une redistribution des chromosomes d'origine paternelle et maternelle.

T. H. Morgan,
Embryology and Genetics, chap. III.

... au milieu des Énées qui portent sur le dos leurs An-
chises, je passe d'une rive à l'autre seul et détestant ces

géniteurs invisibles à cheval sur leurs fils pour toute la vie...

JEAN-PAUL SARTRE,
Les Mots.

Mais de quelle façon un composant de la cellule, un acide nucléique, en construit-il un autre, une protéine, si totalement différente par sa structure et sa fonction ? La découverte d'Avery, que l'on pourrait symboliser ainsi : ADN = information héréditaire, fut une révolution dans la biologie [...]. Avant que la cellule ne se divise, elle doit faire redoubler son contenu d'ADN de façon que les deux cellules filles contiennent deux copies exactes du matériel génétique global. Un ADN constitué de deux hélices identiques soudées ensemble par des « liens hydrogènes » fournit un modèle idéal pour cette duplication. Si les deux filaments se séparent comme les deux moitiés d'une fermeture éclair et si chaque spirale sert de modèle pour que se forme une spirale complémentaire, voilà garantie la duplication exacte de l'ADN et donc du gène.

ERNEST BOREK,
The Code of Life

Tout nous appelle à la mort : la nature, presque envieuse du bien qu'elle nous a fait, nous déclare souvent et nous fait signifier qu'elle ne peut pas nous laisser longtemps ce peu de matière qu'elle nous prête, qui ne doit pas demeurer dans les mêmes mains, et qui doit être éternellement dans le commerce : elle en a besoin pour d'autres formes, elle la redemande pour d'autres ouvrages.

BOSSUET,
Sermon sur la mort.

Il n'y a pas à se creuser la cervelle parce qu'un automate de ce type peut en produire d'autres plus grands et plus complexes que lui. Dans ce cas, les dimensions plus grandes et la complexité plus haute de l'objet à construire se refléteront avec une ampleur qu'on peut présumer encore plus large que les instructions I qu'il faut fournir. [...] Par suite, tous les automates construits par un automate du type A partageront avec A cette propriété. Ils auront tous un endroit où l'on peut insérer une instruction I. [...] Il est bien clair que l'instruction I accomplit *grosso modo* les fonctions d'un gène. Il est clair également que le mécanisme de copie B accomplit l'acte fondamental de la reproduction, la duplication du matériel génétique, qui est évidemment l'opération fondamentale dans la multiplication des cellules vivantes.

JOHANN VON NEUMANN,
The General and Logical Theory of Automata.

Ceux-là qui exaltent si bien l'incorruptibilité, l'inaltérabilité, je crois qu'ils en viennent à dire ces choses à cause de leur grand désir de survivre longtemps, et de la peur qu'ils ont de la mort. Et ils ne considèrent pas que, si les hommes avaient été immortels, ils n'auraient point eu l'heur de venir au monde. Ils mériteraient de rencontrer une tête de Méduse, qui les changerait en statue de jaspe ou de diamant, afin de les rendre plus parfaits qu'ils ne sont. [...] Et il est hors de doute que la Terre est bien plus parfaite, étant, comme elle l'est, altérable, changeante ; que si elle était une masse de pierre ; quand bien même elle serait tout entière un diamant très dur et impassible.

GALILEO GALILEI,
Dialogo sopra i due massimi sistemi, giornata I.

1. Mitose

... Et quand je dis « amoureux à en mourir » — *poursuivit Qfwfq* —, j'entends quelque chose dont vous n'avez pas idée, vous qui pensez que tomber amoureux veut forcément dire tomber amoureux d'une autre personne, ou chose, ou n'importe quoi, en somme moi je suis ici et ce dont je suis amoureux est là, c'est-à-dire qu'il s'agit d'une relation connexe à la vie de relation ; tout au contraire, je vous parle d'avant que je me mette en relation avec quoi que ce soit : il y avait une cellule et cette cellule-là c'était moi, et c'est tout, pour l'instant nous ne regardons pas si là autour il y en avait aussi d'autres, cela n'a pas d'importance, il y avait cette cellule-là qui était moi et c'est déjà beaucoup, une chose ainsi suffit, et amplement, pour remplir une vie, c'est précisément de ce sentiment de plénitude que je voulais parler, je ne dis pas plénitude à cause du protoplasme que j'avais, lequel bien qu'ayant crû en des proportions sensibles n'avait cependant rien d'exceptionnel — on sait que les cellules sont pleines de protoplasme et sinon de quoi voulez-vous qu'elles soient pleines —, moi je parle d'un sentiment de plénitude si vous permettez l'adjectif ouvrez les guillemets spirituelle fermez les guillemets, c'est-à-dire le fait d'avoir conscience que cette cellule-là c'était moi, la plénitude était cette conscience, la conscience était cette plénitude, une chose à ne pas te laisser dormir la nuit, une chose à ne pouvoir rester dans ta peau, c'est-à-dire précisément la situation dont je parlais pour commencer, de celui qui est « amoureux à en mourir ».

Maintenant je sais bien que vous allez me faire toute une histoire parce que l'amour présuppose non seulement la conscience de soi mais encore celle de l'autre etc., etc., et moi je vous réponds merci beaucoup, ça j'y arrive moi aussi, mais si vous n'êtes pas un peu patient il est inutile que j'essaie de vous expliquer, et par-dessus tout vous devez oublier pour un moment la façon dont vous tombez à présent amoureux, la façon dont à présent moi aussi je le suis, si vous permettez que je me laisse aller à des confidences de ce genre, je parle de confidences parce que je sais bien que si je vous racontais un de mes amours d'à présent vous pourriez dire que je manque de discrétion, tandis qu'un amour du moment où j'étais un organisme unicellulaire je peux en parler sans éprouver aucun scrupule, ou si vous voulez je peux en parler comme on dit objectivement, parce que désormais c'est du passé, et pour moi-même c'est déjà beaucoup si seulement je m'en souviens, et cependant ce dont je me souviens suffit déjà pour me bouleverser de la

tête aux pieds ; car si je disais : objectivement, je
disais cela pour dire, comme il arrive quand on
dit : objectivement, et qu'ensuite voilà voilà tu finis
toujours par donner dans le subjectif, et ainsi ce
discours que je veux vous tenir m'est difficile précisément parce que tout entier dans le subjectif, dans
le subjectif d'alors qui pour autant que je me le
rappelle est une chose qui bouleverse de la tête aux
pieds tout à fait de la même manière que le subjectif d'à présent, et c'est pour cette raison que je me suis
servi d'expressions qui ont l'inconvénient d'amener
des confusions avec ce qu'il y a de différent à présent mais qui ont aussi l'avantage de mettre en
lumière ce qu'il y a de commun.

En premier lieu je dois mieux spécifier ce que je
disais sur mon peu de souvenirs, c'est-à-dire préve-
nir que si quelques parties de mon récit sont moins
amplement développées que d'autres, cela ne veut
pas dire qu'elles sont moins importantes mais seulement qu'elles sont moins bien établies dans ma
mémoire, dans la mesure où ce que je me rappelle
bien est la phase initiale de mon histoire d'amour,
je dirais presque sa phase antécédente, c'est-à-dire
que sur le plus beau de l'histoire d'amour la mémoire
se défait, s'effiloche, se fragmente, et il n'y a plus
moyen de se rappeler ce qui arrive ensuite, je dis
cela non par précaution oratoire comme si je voulais vous faire écouter une histoire d'amour dont je
ne me souviens même pas, mais pour éclaircir le
fait que de ne pas me la rappeler est jusqu'à un certain point nécessaire pour que l'histoire soit celle-ci

et pas une autre, c'est-à-dire que, alors que d'habitude une histoire consiste dans le souvenir qu'on en a, ici le fait de ne pas se souvenir de l'histoire devient l'histoire elle-même.

Donc je parle d'une phase initiale d'une histoire d'amour, qui ensuite probablement en arrive à se répéter en une interminable multiplication de phases initiales pareilles à la première et qui se confondent avec elle, une multiplication ou mieux une élévation au carré, une croissance exponentielle d'histoires, car c'est toujours comme si c'était la même histoire, mais moi, je n'en suis pas du tout sûr, je le présume comme vous-mêmes pouvez le présumer, je me réfère à une phase initiale qui précède les autres phases initiales, une première phase qui pourtant a bien dû être, premièrement parce qu'il est logique de penser qu'elle a été, et, deuxièmement, parce que je me la rappelle tout à fait bien, et quand je dis que c'est la première je n'entends pas le moins au monde la première au sens absolu, cela vous plairait que je l'entende ainsi eh bien non, je dis la première dans le sens où une quelconque de ces phases initiales toujours pareilles peut être considérée comme la première, et celle à laquelle je me réfère est celle dont moi je me souviens, celle dont je me souviens comme première dans le sens où avant elle je ne me rappelle rien, et la première dans un sens absolu allez donc savoir laquelle c'est, moi ça ne m'intéresse pas.

Alors nous commençons ainsi : il y a une cellule, et cette cellule est un organisme unicellulaire, et cet organisme unicellulaire c'est moi, et moi, je le sais, et j'en suis content. Jusque-là rien de particulier. À présent essayons de nous représenter cette situation dans l'espace et le temps. Du temps passe, et moi, toujours plus content d'être là, et d'être moi, je suis aussi toujours plus content que le temps existe, et que dans le temps j'y sois, ou si vous voulez que le temps passe et que moi je passe le temps et que le temps me passe, c'est-à-dire content d'être contenu dans le temps, d'être moi le contenu du temps, et même son contenant, en somme de marquer par mon existence le passage du temps, et cela vous devez reconnaître que cela commence à introduire le sentiment de l'attente, d'une attente heureuse, pleine d'espoir, et même de l'impatience, une impatience joyeuse, une impatience joyeuse pleine d'excitation juvénile, et en même temps une anxiété, une anxiété pleine d'excitation juvénile et au fond douloureuse, une douloureuse, une insoutenable tension d'impatience. Il faut en plus garder à l'esprit qu'être là veut également dire se tenir dans l'espace, et moi de fait j'étais balancé dans l'espace, en fonction de mes dimensions, avec l'espace tout autour dont bien que je n'en eusse pas connaissance on comprenait qu'il continuait de tous les côtés, l'espace dont pour l'instant il n'importe pas de savoir ce qu'il contenait d'autre, moi, je me tenais enfermé en moi-même et je m'occupais de mes propres affaires, je n'avais pas même un nez pour mettre le nez dehors, ou un œil pour m'intéresser au dehors, à ce qui s'y passait et à ce qui ne s'y passait pas ; pourtant, le sentiment d'occuper de l'espace dans l'espace, je l'avais, d'y musarder en plein milieu, d'y grandir avec mon protoplasme dans les différentes directions, mais, comme je disais, je ne veux pas insister sur cet aspect quantitatif et matériel des choses, je veux par-dessus tout parler de la satisfaction et de la folle envie de faire quelque chose avec l'espace, d'avoir le temps pour tirer une jouissance de l'espace, d'avoir l'espace pour faire que quelque chose passe dans le temps qui passait.

Jusqu'ici j'ai tenu séparés le temps et l'espace pour me faire mieux comprendre de vous, ou mieux : pour mieux comprendre moi-même ce que je devais vous faire comprendre, mais à cette époque ce n'est pas que je distinguais très bien ce qui était l'un de ce qui était l'autre : il y avait moi, en ce point-ci et en ce moment-ci, n'est-ce pas ? et puis, un dehors qui m'apparaissait comme un vide que j'aurais pu occuper moi-même en un autre moment ou un autre point, en une série d'autres points ou moments, en somme une projection virtuelle de moi-même là où pourtant je n'étais pas, et donc de là un vide qui était en somme le monde et l'avenir mais moi je ne le savais pas encore ; vide, parce que toute perception m'était déniée encore, et en fait d'imagination j'étais encore plus en retard et en fait de catégories mentales j'étais un désastre, pourtant j'avais ce contentement, qu'au-dehors de moi il y eût ce vide qui n'était pas moi, qui aurait pu aussi bien être moi, parce que moi était l'unique mot que je connaissais, l'unique mot que j'aurais su décliner ; un vide qui aurait pu être moi ; mais qui à ce moment ne l'était pas et au fond ne le serait jamais, c'était la découverte de quelque chose d'autre qui n'était pas encore quelque chose mais qui en tout cas n'était pas moi, ou mieux n'était pas moi en ce moment-là et en ce point-là et donc par conséquent était autre, et cette découverte me communiquait un enthousiasme réjouissant, non, déchirant, un déchirement vertigineux, le vertige d'un vide qui était tout le possible, tout l'ailleurs, tout l'autre fois, tout l'autrement possible, le complément de ce tout qui était pour moi le tout, et voici que je défaillais d'amour pour cet ailleurs une autre fois autrement, muet et vide.

Vous voyez par conséquent qu'en disant « amoureux » je ne disais pas quelque chose de tellement extravagant, et vous qui étiez toujours là, prêts à m'interrompre pour me dire : « amoureux de soi-même, ouh ouh, amoureux de soi-même », j'ai bien fait de ne pas vous prêter attention, de ne pas me servir ni de vous laisser vous servir de cette expression, voilà, vous voyez que l'amour était déjà, alors, une passion lancinante pour l'au-dehors de moi-même, qu'il était la contorsion de celui qui languit, veut s'échapper hors de lui-même, tel que moi-même alors je me roulais dans le temps et l'espace, amoureux à en mourir.

Pour bien raconter comme se sont passées les choses, je dois vous rappeler comment j'étais fait, une masse de protoplasme qui serait comme une espèce de boulette de chair avec un noyau au

milieu. Remarquez, et ce n'est pas que je veuille
faire l'intéressant, mais dans le noyau j'avais, moi,
une vie très intense. Physiquement j'étais un individu dans sa pleine exubérance, et, bon, là-dessus il
ne serait pas discret d'amener l'attention : j'étais
jeune, sain, dans la plénitude de mes forces, mais avec
cela je ne veux pas le moins du monde exclure qu'un
autre qui se serait trouvé dans les pires conditions,
avec un cytoplasme frêle ou dilué, n'eût pu révéler
des dons même supérieurs. L'important, pour ce
que je veux raconter, concerne ce qui de ma vie
physique se reflétait dans le noyau ; je dis physique
non pas parce qu'il y aurait eu une distinction entre
une vie physique et une vie d'une quelconque autre
sorte, mais pour vous faire comprendre comment
la vie physique trouvait dans le noyau son lieu de
plus grandes concentration, sensibilité et tension, si
bien que, tandis que par exemple moi tout autour
je me tenais tranquillement béat dans ma chair
blanchâtre, le noyau participait à cette tranquillité
et cette béatitude cytoplasmatique à sa manière
nucléique, c'est-à-dire en accentuant et en épaissis-
sant la granulation enchevêtrée et la bigarrure qui
l'ornaient, et donc je cachais en moi-même toute
une très lourde tension nucléique qui finalement ne
correspondait à rien d'autre qu'à mon bien-être
extérieur ; de telle sorte que, disons, plus j'étais content d'être moi, plus mon noyau se chargeait de sa
dense impatience, et tout ce que moi-même j'étais
et tout ce que petit à petit je devenais finissait par
aboutir dans le noyau pour y être absorbé enregis-

tré accumulé en un entortillement serpentin de spirales, suivant la manière petit à petit différenciée dont elles se roulaient en boule et se débobinaient, si bien que je pourrais dire que tout ce que moi je savais, je le savais dans le noyau, s'il n'y avait le danger de vous faire croire à une fonction séparée ou même opposée du noyau relativement au reste, alors que s'il y a un organisme alerte et impulsif où on ne peut pas faire de telles distinctions c'est bien l'organisme unicellulaire ; pourtant je ne voudrais pas non plus exagérer dans le sens opposé, comme pour vous donner l'idée d'une homogénéité chimique de goutte inorganique poussée au hasard, vous en savez plus que moi quant aux distinctions qu'il y a à l'intérieur de la cellule, et même à l'intérieur du noyau, que moi j'avais précisément tout bigarré, plein de taches de rousseur, parsemé de filaments ou de brindilles ou de bâtonnets, et chacun de ces filaments, brindilles, bâtonnets, chromosomes était en relation précise avec l'une des particularités de ce que moi j'étais. À présent je pourrais tenter une affirmation un peu hasardeuse, et dire que je n'étais rien d'autre que la somme de ces filaments ou cure-dents ou bâtonnets, affirmation qui peut être contestée par le fait que moi j'étais moi tout entier et non une partie de moi-même, mais qui toutefois peut être soutenue si l'on précise que ces bâtonnets étaient moi-même traduit en bâtonnets, c'est-à-dire ce qui de moi était traduisible en bâtonnets, pour ensuite éventuellement être retraduit en moi-même. Et donc par conséquent quand je parle

de vie intense du noyau, j'entends non pas tellement le bruissement ou le grésillement de tous ces
bâtonnets à l'intérieur du noyau, que la nervosité
d'un individu qui sait bien qu'il a tous ces bâtonnets, qu'il est tous ces bâtonnets, mais qui sait
aussi qu'il y a quelque chose qui ne peut pas être
représenté par ces bâtonnets, un vide dont ces
bâtonnets peuvent seulement faire éprouver le vide.
C'est-à-dire, cette tension vers le dehors, l'ailleurs,
l'autrement, qui est finalement ce qu'on appelle un
état de désir.

Sur cet état de désir il vaut mieux être plus précis : un état de désir se produit quand d'un état de
satisfaction on passe à un état de satisfaction croissante et de là, tout de suite après, à un état de satisfaction insatisfaisante : c'est-à-dire de désir. Il n'est
pas vrai que l'état de désir se produise quand il manque quelque chose ; si quelque chose manque,
patience, on s'en passe, et s'il est une chose indispensable, en s'en passant on se passe d'exercer quelque fonction vitale, et par conséquent à partir de là
on s'achemine rapidement vers une extinction certaine. Je veux dire que, à partir d'un état de manque pur et simple, rien ne peut naître, rien de bon
ni non plus rien de mal, seulement d'autres man-
ques jusqu'au manque de vie, condition notoi-
rement ni bonne ni mauvaise. Mais un état de
manque pur et simple n'existe pas, que je sache,
dans la nature : l'état de manque s'éprouve toujours par contraste avec un précédent état de satisfaction, et c'est sur l'état de satisfaction que grandit

tout ce qui peut grandir. Et il n'est pas vrai qu'un
état de désir présuppose nécessairement quelque objet
désiré ; le quelque chose qui est désiré ne commence à exister qu'après qu'existe l'état de désir ;
non pas parce qu'avant, ce quelque chose n'était
pas désiré, mais parce qu'avant qui savait qu'il
existait ? donc par conséquent une fois qu'existe
l'état de désir alors précisément l'objet quelconque
commence à exister, objet qui si tout va bien sera
l'objet désiré ; mais qui pourrait rester un objet
quelconque et c'est tout, par manque du désirant,
lequel dans son désir pourrait même cesser d'exister, comme dans le cas en question de l'« amoureux
à en mourir », dont on ne sait encore comme il peut
aller à sa fin. Alors, pour en revenir là où nous en
étions restés, je dirai que mon état de désir tendait
simplement à un ailleurs une autre fois un autrement qui aurait bien pu contenir quelque chose (ou,
disons, le monde) ou encore ne contenir que moi-
même, ou moi-même en relation avec quelque chose
(ou avec le monde), ou quelque chose (le monde)
mais désormais sans moi.

Pour préciser ce point je m'aperçois que j'en suis
revenu à parler en termes généraux, perdant le terrain gagné par les précisions antérieures, comme il
arrive souvent dans les histoires d'amour. J'étais en
train de rendre compte de tout ce qui arrivait au
noyau et en particulier aux chromosomes du noyau,
la conscience qu'à travers eux se déterminait en
moi mais ailleurs qu'en moi et ailleurs qu'en eux
un vide, la spasmodique conscience qui à travers

eux m'engageait vers quelque objet, un état de désir qui, pour autant que l'on puisse se mouvoir, devient sans attendre un mouvement de désir. Ce mouvement de désir demeurait au fond un désir de mouvement, comme il arrive quand on ne peut se mouvoir vers quelque endroit parce que le monde n'existe pas ou qu'on ne sait pas qu'il existe, et dans ces cas-là le désir pousse à faire, à faire quelque chose, ou si vous voulez à faire n'importe quoi. Mais quand on ne peut rien faire parce que manque le monde extérieur, l'unique chose qu'on puisse se permettre, disposant de très peu de moyens, est ce type spécial d'action qui consiste à parler. En somme moi j'étais conduit à parler ; mon état de désir, mon état-mouvement-désir de mouvement-désir-amour me poussait à parler, et comme l'unique chose que j'avais à dire c'était moi-même, j'étais contraint à parler de moi-même, c'est-à-dire à m'exprimer. Je serai plus précis : avant, quand je disais que pour parler il suffit de très peu de moyens, je n'étais pas précisément dans le vrai, et donc par conséquent je me corrige : pour parler il faut un langage, et ce n'est pas rien. Moi, comme langage, j'avais toutes ces graines ou cure-dents, appelés chromosomes, et donc par conséquent il suffisait que je répétasse ces graines ou ces cure-dents pour me répéter moi-même, pour me répéter, cela se comprend, en tant que langage, et comme on verra c'est là le premier pas pour me répéter moi-même en tant que tel, mais finalement comme on verra ce n'est pas là tout à fait répéter. Mais ce qu'on verra il vaut mieux que vous le voyiez en son temps, parce que si je continue à introduire des précisions à l'intérieur d'autres précisions, on n'en sort plus.

Il est vrai qu'ici il faut procéder avec beaucoup d'attention si on ne veut pas tomber dans des inexactitudes. Toute cette situation que j'ai essayé de raconter et qu'au début j'ai définie comme un « amour » en expliquant ensuite comment il fallait entendre ce mot, tout cela en somme se répercutait à l'intérieur du noyau sous la forme d'un enrichissement quantitatif et énergétique des chromosomes, jusqu'à en produire un joyeux redoublement : car chaque chromosome se répétait en un second chromosome. Parlant du noyau, on en vient tout naturellement à le confondre avec la conscience, ce qui n'est qu'une simplification un peu grossière, mais même si les choses étaient ainsi en vérité, cela n'impliquerait pas que la conscience possédât un nombre double de bâtonnets, parce que chacun ayant une fonction, chacun étant, pour revenir à la métaphore du langage, un mot, le fait qu'un même mot figurait deux fois ne changeait rien à ceci que moi j'étais, moi, étant donné que moi je consistais en l'assortiment ou le lexique des différents mots ou différentes fonctions que j'avais à ma disposition, et d'avoir des mots doubles se faisait sentir par ce sentiment de plénitude que d'abord j'ai appelé ouvrez les guillemets spirituelle fermez les guillemets, et maintenant on voit bien comment les guillemets faisaient allusion au fait qu'il s'agissait d'une affaire au fond

toute matérielle de filaments ou bâtonnets ou cure-
dents, mais non pas pour autant moins joyeuse ni
moins énergétique.

Jusqu'ici je me rappelle tout à fait bien, parce
que les souvenirs du noyau, conscience ou pas conscience, conservent une plus forte évidence. Mais
cette tension dont je vous parlais, à la fin, s'était peu
à peu transmise au cytoplasme : un besoin m'avait
pris de m'étirer de tout mon long, jusqu'à ressentir
un raidissement spasmodique des nerfs que pourtant je ne possédais pas : et ainsi le cytoplasme
s'était progressivement fuselé comme si ses deux
extrémités avaient voulu s'échapper l'une de l'autre,
en un faisceau de matière fibreuse qui tremblait tout
entière ni plus ni moins que le noyau. Et même, il
était devenu difficile de distinguer encore le noyau
du cytoplasme : le noyau s'était comme dissous et
les bâtonnets s'en étaient trouvés à moitié libres au
milieu de ce fuseau de fibres tendues et spasmodi-
ques, sans se disperser pourtant, et tournant sur eux-
mêmes tous ensemble, comme dans un manège de
chevaux de bois.

De l'éclatement du noyau à vrai dire je ne m'étais
presque pas aperçu : je me sentais être tout entier
moi-même d'une manière plus que jamais totale, et
dans le même temps ne l'être plus, car ce tout
entier moi-même était un endroit où tout se trouvait excepté moi-même : c'est-à-dire que j'avais le
sentiment d'être habité, non : de m'habiter, non :
d'habiter un moi habité par d'autres, non : j'avais
le sentiment qu'un autre était habité par d'autres.

Au contraire, ce dont je me rendis compte seulement alors, fut ce fait du redoublement qu'auparavant, comme je l'ai dit, je n'avais pas vu clairement : tout d'abord je me trouvai avec un nombre de chromosomes exorbitant, désormais tout mélangés car les couples de chromosomes jumeaux s'étaient défaits et moi je n'y comprenais plus rien. Ou si vous voulez : devant le vide muet inconnu dans lequel j'étais amoureusement venu m'immerger, j'avais besoin de dire quelque chose qui rétablît ma présence, mais juste à ce moment les mots que j'avais à ma disposition devenaient, me semblait-il, extrêmement nombreux, trop nombreux, pour les ordonner en une chose à dire qui fût encore moi-même, mon nom, mon nouveau nom.

Je me rappelle encore cela : comment, dans ma vaine recherche d'un soulagement, je cherchai à passer de cet état de congestion chaotique à une congestion plus équilibrée et ordonnée, c'est-à-dire à faire en sorte qu'un assortiment complet de chromosomes se disposât d'un côté, et un autre de l'autre côté, si bien que le noyau, ou si vous voulez le carrousel de fuseaux qui avait pris la place du noyau éclaté, finit enfin par prendre un aspect symétrique et spéculaire, comme en séparant ses propres forces pour dominer l'appel du vide muet inconnu, si bien que le redoublement qui d'abord regardait les seuls bâtonnets comprenait maintenant le noyau dans toute sa complexité, c'est-à-dire ce que moi je continuais à considérer toujours comme un unique noyau que je continuais à faire fonctionner comme

tel, quoiqu'il fût seulement un tourbillon indéfinissable qui se séparait en deux tourbillons distincts.

Il faut ici préciser que cette séparation ne conduisait pas à mettre d'un côté les vieux chromosomes et de l'autre les chromosomes nouveaux, parce
que, si je ne vous l'ai pas expliqué tout à l'heure je
vous l'explique maintenant, chaque bâtonnet après
s'être épaissi s'était divisé dans toute sa longueur,
et donc par conséquent ils étaient tous également
vieux et également nouveaux. Cela est important
parce que tout à l'heure je me suis servi du verbe
répéter, qui comme toujours était un peu approximatif et pouvait donner l'idée fausse qu'il y avait
un bâtonnet original et une copie de bâtonnet, et
même le verbe dire, ou parler, était plutôt déplacé,
bien que la phrase concernant le fait de parler de
moi-même me soit venue avec une facilité toute
particulière : déplacé, dans la mesure où pour dire
il faut quelqu'un qui dise et quelque chose qui soit
dit, et ce n'était pas alors précisément le cas.

En somme il est difficile de définir en termes précis l'indétermination des états d'âme amoureux,
qui consistent en une impatience joyeuse de posséder un vide, en une attente gloutonne de ce qui
pourra venir à ma rencontre depuis le vide, avec en
même temps la douleur d'être toujours privé de ce
pour quoi je suis dans un état d'attente impatiente
et gloutonne, avec cette souffrance déchirante que
j'éprouve, de me sentir virtuellement doublé afin de
posséder virtuellement quelque chose ou objet virtuellement mien, et à la fois contraint à ne pas pos-

séder, à considérer comme non-moi et donc par conséquent virtuellement d'un autre, ce que virtuellement je possède. La souffrance qu'il y a de devoir souffrir que le virtuellement mien soit virtuellement d'un autre, ou, pour ce que j'en savais, d'un autre en réalité, à la limite, cette souffrance gloutonne et jalouse est un état d'une plénitude telle qu'elle peut faire croire que l'amour réside tout entier dans la souffrance et rien d'autre, c'est-à-dire que la gloutonne impatience n'est rien d'autre que le désespoir de la jalousie, et le mouvement de l'impatience, le mouvement du désespoir qui s'enfonce en vrille dans l'intérieur de lui-même, plus désespéré toujours, avec cette faculté que recèle chaque particule de désespoir de se dédoubler et se disposer symétriquement à la particule analogue et de tendre à sortir de son état propre pour accéder à un autre état, à la limite pire, mais qui mette en pièces et déchire en petits morceaux le précédent.

Dans ce chacun pour soi, entre les deux tourbillons, un intervalle se creusait, et ce fut à ce moment que mon état de dédoublement commença de m'être clair, au début comme séparation en deux de la conscience, comme une espèce de strabisme de la présence, du sentiment de présence de moi tout entier, parce qu'il n'y avait pas seulement le noyau à être intéressé par ces phénomènes, vous savez déjà que tout ce qui arrivait là, avec les bâtonnets du noyau, se reflétait dans ce qui se passait quant à l'extension de ma personne physique et fuselée, commandée précisément par ces bâtonnets. Ainsi

même mes fibres de cytoplasme étaient en train de
se concentrer en deux directions opposées et de
s'amincir au milieu jusqu'au moment où il sembla
que moi j'avais deux corps égaux l'un d'un côté
l'autre de l'autre, reliés par un étranglement qui
s'amincissait, s'amincissait jusqu'à en devenir filiforme, et à cet instant-là j'eus pour la première fois
conscience de la pluralité, pour la première et dernière fois car désormais il était bien tard, je sentis
la pluralité en moi comme image et destin de la pluralité du monde, et le sentiment d'être une partie du
monde, d'être perdu dans le monde innombrable, et
en même temps encore le sentiment aigu d'être moi, je
dis le sentiment et non plus la conscience parce que, si
nous sommes convenus d'appeler conscience ce que je
ressentais dans le noyau, à présent les noyaux étaient
deux, et l'un et l'autre arrachaient les dernières fibres
qui l'attachaient encore à l'autre, et désormais ils
transmettaient chacun pour leur compte, désormais
pour mon compte pour mon compte de manière
redoublée, chacun indépendant, la conscience quasi
balbutiante arrachait les dernières fibres la mémoire
les souvenirs.

Je dis que le sentiment d'être moi venait non
plus des noyaux mais de ce peu de plasma brisé et
déchiré là au milieu, et c'était encore comme un
tourbillon filiforme de plénitude, comme un délire
dans lequel je voyais toute la diversité du monde
pluriel rayonnant de manière filiforme à partir de
ma continuité première et singulière. Et dans le même
moment je m'apercevais que ma sortie hors de moi-

même était une sortie sans espoir de retour, sans restitution possible du moi dont à présent je me rends compte que je suis en train de le rejeter maintenant et que jamais plus il ne me sera restitué, et alors c'est l'agonie qui se précipite, triomphale, parce que la vie déjà est ailleurs, que déjà des éblouissements de mémoire d'un autre dédoublés non superposés de la cellule d'un autre instaurent le rapport en la cellule novice, le rapport entre elle-même novice et le reste.

Toute la suite se perd dans la mémoire fragmentée et multipliée comme la propagation et la répétition dans le monde des individus sans mémoire et mortels, mais déjà un instant avant que ne commence la suite je compris tout ce qui devait survenir, l'avenir ou bouclage du cercle qui à présent ou jadis déjà survient ou tend désespérément à survenir, je compris que ce prendre-soi-même et ce sortir-de-soi qu'est la naissance-mort avait fait le tour, que de brisure et fracture en compénétration et mélange de cellules asymétriques qui additionnent les messages répétés à travers des trillions de trillions d'amours mortels elle s'était transformée, je vis mon amour mortel se tourner vers la recherche du bouclage originaire ou final, et tous les mots qui n'étaient pas exacts dans le récit de mon histoire d'amour devenir exacts et leur sens rester cependant le sens exact d'auparavant, et les amours s'enflammer dans la forêt de la pluralité des sexes, des individus et des espèces, le vide vertigineux se remplir de la forme des espèces, des individus et des sexes, et répéter

toujours cependant cet arrachement hors de moi-
même, ce prendre soi-même et ce sortir-de-soi, ce
me-prendre-moi-même et ce sortir-de-moi-même,
délire de cette action impossible qui conduit à parler, de cette parole impossible qui conduit à parler
de soi-même, même si le soi-même se divise en un
soi-même qui parle et un soi-même qui est parlé, en
un soi-même qui parle et qui certainement mourra
et un soi-même qui est parlé et qui parfois risque de
vivre, en un soi-même pluricellulaire et unique qui
conserve parmi ses cellules celle qui se répétant répète
les mots secrets du lexique que nous sommes, et en
un soi-même unicellulaire et innombrablement pluriel car il peut être répandu en d'innombrables mots
cellules parmi lesquels seul celui qui rencontrera le
mot cellule complémentaire ou si vous voulez l'autre
soi-même asymétrique tentera de poursuivre l'histoire continue et fragmentaire, et s'il ne le rencontre
pas, aucune importance, et même dans le cas dont je
vais parler il n'était pas prévu tout à fait qu'il le
rencontre, et même en principe on fera son possible
pour éviter que cela arrive, parce que ce qui
importe c'est la phase initiale et même antécédente
qui répète toutes les phases initiales et même anté-
cédentes, la rencontre des soi-mêmes amoureux et
mortels, dans les meilleurs des cas amoureux et dans
tous les cas mortels, ce qui importe c'est le moment
où s'arrachant de soi-même on touche en un éclair
l'union du passé et de l'avenir, ainsi que moi dans
l'arrachement hors de moi-même que maintenant
j'ai précisément fini de raconter, je vis ce qui devait

arriver, me trouvant aujourd'hui même amoureux, un aujourd'hui peut-être dans l'avenir peut-être dans le passé mais aussi contemporain sans aucun doute de ce dernier instant unicellulaire et contenu en lui, je vis que venait à ma rencontre depuis le vide de l'ailleurs une autre fois autrement avec nom prénom adresse manteau rouge bottines noires frange de cheveux taches de rousseur : Priscilla Langwood, chez Madame Lebras, cent quatre-vingt-treize rue de Vaugirard, Paris quinzième.

2. Méiose

Raconter les choses comme elles sont cela veut dire les raconter depuis le début, et même si on attaque l'histoire en un point où les personnages sont des organismes pluricellulaires, par exemple pour l'histoire de mes rapports avec Priscilla, il faut commencer par bien définir ce que j'entends quand je dis : moi, et ce que j'entends quand je dis : Priscilla, pour en venir ensuite à établir ce qu'ont été ces rapports. Donc, je dirai que Priscilla est un individu de la même espèce que moi et du sexe opposé au mien, pluricellulaire tout comme moi-même maintenant je me trouve l'être aussi ; mais cela dit je n'ai encore rien dit, parce que je dois spécifier que par individu pluricellulaire, on entend un ensemble d'environ cinquante trillions de cellules très diversifiées entre elles mais qui en plus se distinguent des autres par des chaînes d'acides identiques dans les chromosomes de chaque cellule d'un même individu, acides qui déterminent divers processus dans les protéines des cellules elles-mêmes.

Donc, raconter mon histoire avec Priscilla, cela

veut dire en premier lieu définir les rapports qui
s'établissent entre mes protéines et celles de Priscilla prises tant séparément que dans leur ensemble, et commandées — les miennes aussi bien que
les siennes — par les chaînes d'acides nucléiques
disposés en séries identiques dans chacune de ses
cellules et dans chacune des miennes. Et alors
raconter notre histoire en arrive à être encore plus
compliqué que lorsqu'il s'agissait d'une seule cellule, non seulement parce que la description des
rapports doit tenir compte de nombreux événements
qui se passent dans un même temps mais encore et
surtout parce qu'il est nécessaire d'établir qui a des
rapports avec qui, avant de spécifier de quels rapports il s'agit. Et même, à bien y penser, définir le
type de rapports n'est pas finalement aussi important
qu'on aurait cru, parce que dire que nous avons des
rapports par exemple mentaux ou encore des rapports par exemple physiques ne change pas grand-
chose : dans la mesure où un rapport mental intéresse
quelques milliards de cellules spéciales appelées neurones lesquelles toutefois fonctionnent en recueillant
les stimuli d'un aussi grand nombre d'autres cellules,
et alors autant considérer tous les trillions de cellules de l'organisme en bloc comme lorsque nous parlons de rapport physique.

En disant qu'il est difficile d'établir qui a des rapports avec qui, nous devons toutefois débarrasser le
terrain d'un argument qui se présente fréquemment
dans la conversation : c'est-à-dire que d'un moment
à un autre, je ne suis plus le même moi et Priscilla

n'est plus la même Priscilla, à cause du continuel renouvellement des molécules de protéines dans nos cellules du fait par exemple de la digestion ou encore de la respiration qui fixe l'oxygène dans le sang. Cela, c'est le type de raisonnement qui vous égare tout à fait, parce qu'il est bien vrai que les cellules se renouvellent mais en se renouvelant elles continuent à suivre le programme établi par celles qu'il y avait auparavant, et donc par conséquent on peut très bien en ce sens soutenir que je continue d'être moi et Priscilla Priscilla. Le problème en somme n'est pas là, mais peut-être n'a-t-il pas été inutile de le soulever parce qu'il vous fait comprendre que les choses ne sont pas aussi simples qu'il semble et ainsi on approche tout doucement du moment où nous comprendrons comme elles sont compliquées.

Alors, quand je dis : moi, ou quand je dis : Priscilla, qu'est-ce que j'entends par là ? J'entends la configuration particulière que prennent mes cellules et ses cellules à cause du rapport particulier avec le milieu d'un patrimoine génétique particulier, qui depuis le début semblait placé là exprès pour faire en sorte que mes cellules soient bien les miennes et les cellules de Priscilla les siennes. En avançant nous verrons qu'il n'y a rien de fait exprès, que personne n'a rien placé là, que la façon dont nous sommes faits Priscilla et moi n'importe en réalité en rien à personne : tout ce qu'un patrimoine génétique a à faire, c'est de transmettre ce qui lui a été transmis pour qu'il le transmette, en se fichant pas mal de la façon dont il l'a reçu. Mais pour le moment contentons-nous de répondre à la question de savoir si moi, entre guillemets, et Priscilla, entre guillemets, nous sommes notre patrimoine génétique, entre guillemets, ou notre forme, entre guillemets. Et en disant forme j'entends aussi bien celle qui se voit que celle qui ne se voit pas, c'est-à-dire toute sa façon d'être Priscilla ; le fait que lui aille bien la couleur fuschia, ou l'orangé, le parfum qu'exhale sa peau non seulement parce qu'elle est née avec une constitution glandulaire apte à ce qu'émane d'elle ce parfum, mais encore à cause de tout ce qu'elle a mangé dans sa vie et des marques des savons dont elle s'est servie, c'est-à-dire à cause de ce qu'on appelle, entre guillemets, la culture, ainsi sa façon de marcher et de s'asseoir qui lui vient de la façon dont elle s'est déplacée parmi tous ceux qui se déplacent dans les villes, les maisons, les rues où elle a vécu, tout cela mais en plus les choses qu'elle a dans sa mémoire, pour les avoir vues ne serait-ce qu'une seule fois ou encore ne serait-ce qu'au cinéma, et aussi les choses oubliées qui pourtant restent enregistrées quelque part derrière les neurones comme tous les traumas psychiques qu'on avale depuis l'enfance.

Maintenant, aussi bien dans la forme qu'on voit et qu'on ne voit pas que dans le patrimoine génétique, Priscilla et moi nous avons des éléments égaux et identiques — communs à nous deux, ou au milieu, ou à l'espèce —, et des éléments qui établissent une différence. Et alors commence à se poser la question de savoir si le rapport entre Priscilla et

moi est constitué par le rapport entre les seuls éléments différentiels, parce que ceux qui sont communs peuvent être négligés tant d'un côté que de
l'autre — c'est-à-dire, si par « Priscilla » il faut
entendre : « ce qu'il y a de particulier chez Priscilla
relativement aux autres membres de l'espèce » —,
ou bien s'il y a un rapport entre les éléments communs, et alors il faut voir s'il s'agit de ceux qui sont
communs à l'espèce ou bien au milieu ou bien à
nous deux entendus comme distincts du reste de
l'espèce et à la limite plus beaux que les autres.

À bien y regarder, que des individus de sexe
opposé entrent dans un rapport particulier, ce n'est
pas nous qui le décidons mais l'espèce, et même —
au-dessus de l'espèce — la condition animale, et
même la condition animale-végétale des animaux-
végétaux qui se distinguent par sexes distincts. Maintenant, dans le choix que je fais de Priscilla pour
avoir avec elle des rapports dont je ne sais pas encore
ce qu'ils sont — et dans le choix que Priscilla fait
de moi, étant admis qu'elle me choisisse et n'aille
pas ensuite au dernier moment changer d'idée —,
on ne sait pas quel ordre de priorité joue pour commencer, et donc par conséquent on ne sait pas combien de moi il y a en amont du moi que je crois être
moi, ni combien de Priscilla en amont de la Priscilla vers laquelle moi, suis-je en train de penser, je
suis en train de courir.

En somme les termes de la question en arrivent à
se compliquer à mesure qu'on les simplifie : une
fois établi que ce que j'appelle « moi » consiste en

un certain nombre d'acides aminés qui se rangent d'une certaine façon, il en découle qu'à l'intérieur de ces molécules sont déjà prévus tous les rapports possibles, et que, du dehors, n'arrive que l'exclusion, et rien d'autre, de certains des rapports possibles sous la forme de certains enzymes qui bloquent certains processus. Donc on peut dire que tout le possible est comme s'il m'était déjà arrivé, y compris la possibilité qu'il ne m'arrive pas : du moment que je suis moi le jeu est fait, je dispose d'un nombre fini de possibilités et c'est tout, ce qui arrive du dehors ne compte pour moi que si cela se traduit en opérations déjà prévues par mes acides nucléiques, je suis muré au-dedans de moi, enchaîné à mon programme moléculaire : hors de moi je n'aurai de rapports avec rien ni personne. Et Priscilla non plus ; je dis la *vraie* Priscilla, pauvre petite. S'il y a autour de moi et autour d'elle des choses qui semblent avoir des rapports avec d'autres choses, ce sont là des faits qui ne nous regardent pas : en réalité pour moi et pour elle rien de substantiel ne peut survenir.

Par conséquent la situation n'est pas gaie : et non pas parce que je m'attendais à avoir une individualité plus complexe que celle qui m'est échue, en partant d'une disposition particulière d'un acide et de quatre substances de base qui à leur tour commandent la disposition d'une vingtaine d'acides aminés dans les quarante-six chromosomes de chaque cellule que j'ai ; mais parce que cette individualité répétée en chacune de mes cellules est une indivi-

dualité mienne pour ainsi dire, étant donné que sur
quarante-six chromosomes vingt-trois me viennent
de mon père et vingt-trois de ma mère, c'est-à-dire
que je ne cesse pas de trimbaler mes parents dans
toutes mes cellules, et je ne pourrai jamais me libérer de ce fardeau.

Ce que mes parents m'ont dit que j'étais, au tout
début, c'est ce que je suis ; et rien d'autre. Et dans
les instructions des parents sont contenues les instructions des parents des parents à leur tour léguées
de génération en génération en une chaîne interminable d'obéissance. L'histoire que je voulais vous
raconter, il est donc impossible non seulement de
la raconter mais avant tout de la vivre, puisqu'elle
est déjà là tout entière contenue dans un passé qui
ne peut pas se raconter dans la mesure où déjà il
est à son tour compris dans son propre passé, dans
tous les passés individuels si nombreux qu'on ne sait
pas jusqu'à quel point ils ne sont pas simplement le
passé de l'espèce et de ce qu'il y avait avant l'espèce,
un passé général auquel renvoient tous les passés
individuels, mais qui si loin qu'on remonte en arrière
n'existe jamais que sous la forme de cas individuels
comme nous, Priscilla et moi, pour qui cependant
il n'arrive rien, ni d'individuel ni de général.

Ce que véritablement chacun d'entre nous est et
ce qu'il a, c'est le passé ; tout ce que nous sommes
et avons, c'est le catalogue des possibilités qui n'ont
pas été écartées, des tentatives prêtes à se répéter. Il
n'existe pas de présent, aveugles nous avançons vers
le dehors et le futur, développant un programme éta-

bli à l'aide de matériaux que nous fabriquons toujours pareils à eux-mêmes. Nous ne tendons vers
aucun avenir, il n'y a rien qui nous attende, nous
sommes enfermés dans les engrenages d'une mémoire
qui ne prévoit d'autre travail que se souvenir d'elle-
même. Ce qui maintenant nous entraîne Priscilla et
moi l'un vers l'autre n'est pas un mouvement tourné
vers le futur : c'est le dernier acte du passé qui
s'accomplit à travers nous. Priscilla, adieu, la rencontre, l'étreinte sont inutiles, nous demeurons étrangers, ou bien déjà proches, une fois pour toutes ;
c'est-à-dire inapprochables.

La séparation, l'impossibilité de nous rencontrer
est déjà en nous dès le début. Nous sommes nés
non d'une fusion mais d'une juxtaposition de divers
corps. Deux cellules passaient tout près l'une de
l'autre : l'une, toute de chair paresseuse, et l'autre
rien qu'une tête et une queue rapide comme une
flèche. Ce sont l'œuf, et la semence : ils éprouvent
une légère incertitude ; puis ils s'élancent — chacun
à sa vitesse —, se précipitent à la rencontre l'un de
l'autre. La semence entre dans l'œuf la tête la première ; la queue reste dehors ; la tête — toute pleine
de noyau — va se décharger sur le noyau de l'œuf ;
les deux noyaux volent en morceaux : on s'attendrait alors à qui sait quelle fusion ou quel mélange
ou quelle modification des deux ; tout au contraire ; ce qui était écrit dans l'un et l'autre noyaux,
ces lignes bien espacées, s'alignent toutes ensemble
dans le nouveau noyau imprimé tout serré ; les
mots des deux noyaux y sont tous, tout entiers et

bien détachés. En somme, l'un ne s'est pas perdu dans l'autre ni le contraire, aucun des deux n'a donné ni ne s'est donné ; les deux cellules devenues une cellule se retrouvent là dans un seul paquet mais telles qu'elles étaient avant : la première chose qu'elles éprouvent c'est un peu de désillusion. Pendant ce temps le double noyau a mis en marche la séquelle de ses duplications, imprimant les messages jumelés du père et de la mère en chacune des cellules filles, perpétuant moins l'union que la distance infranchissable qui en chaque couple sépare les deux compagnons, la faillite, le vide qui demeure à l'intérieur du couple le plus réussi.

Sans doute, en chaque point controversé nos cellules peuvent suivre les instructions d'un seul des parents et donc se sentir libres quant à celles du deuxième ; mais nous savons que ce que nous prétendons être en notre forme extérieure compte peu en regard du programme secret que nous portons imprimé dans chacune de nos cellules, où continuent à s'affronter les ordres contradictoires du père et de la mère. Ce qu'en vérité je raconte c'est ce litige inarrangeable entre le père et la mère que chacun trimbale, avec cette rancœur en chaque point où l'un des conjoints a dû céder à l'autre, qui se sent davantage encore que la victoire du conjoint dominant. Si bien que les caractères qui déterminent ma forme intérieure et extérieure, quand ils ne sont pas la somme ou la moyenne des ordres reçus tout à la fois du père et de la mère, sont des ordres démentis tout au fond des cellules, contrebalancés par un ordre différent demeuré latent, minés par ce doute : la question de savoir si tout de même l'autre n'était pas préférable. À ce point que, parfois, saisi par l'incertitude, je me demande si je suis véritablement la somme des caractères dominants du passé, le résultat d'une série d'opérations qui donnent toujours un nombre supérieur à zéro, ou si au contraire ma véritable essence n'est pas plutôt celle qui descend de la succession des caractères vaincus, le total des termes affectés du signe moins, de tout ce qui dans l'arbre des dérivations s'est trouvé être exclu étouffé interrompu : le poids de ce qui n'a pas été me tombe dessus, non moins écrasant que celui de ce qui a été et ne pouvait pas ne pas être.

Vide, séparation et attente, voilà ce que nous sommes. Et tels nous restons, y compris le jour où en nous le passé retrouve les formes originaires, l'accumulation en essaims de cellules-semences ou la maturation concentrée de cellules-œufs, et finalement les mots écrits dans les noyaux ne sont plus les mêmes qu'avant mais ils ne sont plus non plus des parties de nous, ils sont un message au-delà de nous, qui déjà ne nous appartient pas. En un point caché de nous-mêmes la série double des ordres du passé se divise en deux et les nouvelles cellules se retrouvent avec un passé simple, et non plus double, qui leur donne de la légèreté et l'illusion d'être nouvelles en vérité, d'avoir un nouveau passé qui a presque l'air d'un avenir.

À présent je l'ai dit comme ça en vitesse mais c'est un processus compliqué, là dans l'obscurité

du noyau, au fond des organes du sexe, une succession de phases qui mordent un peu les unes sur les
autres mais à partir desquelles on ne peut pas retourner en arrière. On dirait pour commencer que les
messages maternels et paternels demeurés jusqu'alors
séparés se rappellent qu'ils sont des couples et qu'ils
se collent deux à deux, avec toutes les effilochures
minuscules qui s'entrecroisent et s'embrouillent ; voici
que le désir de m'accoupler hors de moi m'amène à
m'accoupler au-dedans de moi, tout au fond des
plus lointaines racines de la matière dont je suis
fait, dans l'accouplement du souvenir de l'antique
couple que je porte au-dedans de moi, le premier
couple c'est-à-dire aussi bien celui qui vient immédiatement avant moi, la mère et le père, ou le premier absolument, le couple aux origines animales-
végétales, celui du premier accouplement sur la Terre,
et ainsi les quarante-six filaments qu'une obscure
et secrète cellule porte dans son noyau se lient deux
à deux, sans pour autant abandonner leur vieux
dissentiment, et c'est si vrai que tout de suite ils
s'efforcent de se désenlacer mais ils demeurent
attachés en quelque endroit du nœud, si bien que
lorsqu'à la fin ils réussissent, d'une secousse, à se
séparer — parce que pendant ce temps le mécanisme de la séparation s'est emparé de toute la cellule en en tendant la chair — chaque chromosome
se retrouve changé, fait de segments qui auparavant étaient les uns de l'un les autres de l'autre, et
il s'éloigne de l'autre désormais lui aussi changé,
marqué par les échanges alternés de segments, et

déjà deux cellules sont en train de se détacher avec chacune vingt-trois chromosomes, ceux de l'une différents de ceux de l'autre, et tous différents de ceux qui étaient dans la cellule d'auparavant, et au prochain dédoublement il y aura quatre cellules toutes différentes avec pour chacune vingt-trois chromosomes, dans lesquelles ce qui était du père et ce qui était de la mère, et même des pères et des mères, est mélangé.

Ainsi finalement la rencontre des passés qui ne peut jamais se produire dans le présent de ceux qui pensent se rencontrer, voici qu'elle advient comme passé de qui viendra ensuite et ne pourra la vivre dans son présent. Nous croyons que nous marchons vers nos noces et ce sont encore les noces des pères et des mères qui s'accomplissent à travers notre attente et notre désir. Ce qui nous paraît être notre propre bonheur n'est peut-être que le bonheur d'une autre histoire qui finit là où nous pensions que commençait la nôtre.

Et nous avons beau courir, Priscilla, pour venir à la rencontre l'un de l'autre et nous poursuivre : le passé dispose de nous avec une indifférence aveugle ; et une fois qu'il a ébranlé ces fragments de lui-même et de nous, il ne s'occupe pas de savoir comment nous les dépenserons. Nous n'étions que la préparation, l'involucre, pour cette rencontre des passés qui survient à travers nous mais qui déjà fait partie d'une autre histoire, de l'histoire d'après : les rencontres surviennent avant et après nous toujours, et y jouent des éléments de la nouveauté qui nous sont refusés : le hasard, le risque, l'improbable.

Ainsi vivons-nous, nous qui ne sommes pas libres, environnés de liberté, et entraînés, joués par cette vague continuelle qui est la combinaison des cas possibles et qui passe à travers ces endroits de l'espace et du temps où le cercle des passés se soude au cercle des avenirs. La mer primordiale était une soupe de molécules bouclées, parcourue à intervalles par les messages du pareil et du différent qui nous entouraient et imposaient de nouvelles combinaisons. Ainsi l'antique marée monte en Priscilla et en moi suivant le cours de la Lune ; ainsi les espèces sexuées obéissent au vieux conditionnement qui prescrit les âges et les saisons des amours, et pourtant concède des suppléments ou ajournements quant à l'âge et quant aux saisons et parfois fait tomber dans les obstinations, des contraintes ou des vices.

En somme Priscilla et moi nous ne sommes que des lieux de rencontre pour les messages du passé, c'est-à-dire pour non seulement des messages avec des messages mais encore des messages avec les réponses aux messages. Et comme les divers éléments et molécules répondent aux messages de manières diverses — imperceptiblement ou démesurément diverses —, ainsi les messages ne sont plus les mêmes selon que le monde les reçoit et les interprète, ou que pour rester eux-mêmes, ils sont obligés de changer. On peut dire alors que les messages ne sont pas du tout des messages, qu'il n'y a pas de passé à transmettre, et que seuls existent une quantité d'avenirs qui corrigent le cours du passé, qui lui donnent forme, qui l'inventent.

L'histoire que je voulais raconter est l'histoire de deux individus qui n'existent pas, dans la mesure où ils ne peuvent être définis qu'en fonction d'un passé ou d'un avenir, passé et avenir dont la réalité est réciproquement mise en doute. Ou encore c'est une histoire qui ne peut pas être séparée de l'histoire de tout le reste de ce qui existe, et donc par conséquent de l'histoire de ce qui n'existe pas et qui n'existant pas fait que ce qui existe, existe. Tout ce que nous pouvons dire c'est qu'à de certains endroits et moments, cet intervalle de vide qui constitue notre présence individuelle est effleuré par la vague qui ne cesse pas de renouveler les combinaisons de molécules et de les compliquer et de les effacer, et cela suffit pour nous assurer que quelqu'un est « moi » et quelqu'un « Priscilla » dans la distribution spatiale et temporelle des cellules vivantes, et que quelque chose survient ou bien est survenu ou bien surviendra qui nous concerne directement et — j'oserai le dire — heureusement et totalement. Cela suffit déjà, Priscilla, pour me rendre heureux, quand j'allonge mon cou recourbé vers le tien et que je te mords légèrement dans ton poil jaune et que tu ouvres les narines, tu découvres les dents, tu te mets à genoux sur le sable, abaissant ta bosse jusqu'à la hauteur de ma poitrine de telle sorte que moi je puisse m'y appuyer et te pousser par-derrière en prenant appui sur mes pattes postérieures, quelle douceur ces couchers de soleil sur l'oasis te rappelles-tu quand on ôte le chargement de notre bât et que la caravane se disperse et nous, les chameaux, nous nous sentons tout d'un coup légers et tu pars en courant et moi au trot je te rejoins dans la palmeraie.

3. Mort

Le risque que nous avons couru a été de vivre : de toujours vivre. La menace de continuer pesait depuis le début sur quiconque avait par hasard commencé. La croûte qui recouvre la Terre est liquide : une goutte entre toutes les gouttes s'épaissit, grandit, elle absorbe peu à peu les substances qui sont autour d'elle, c'est une goutte-île, gélatineuse, qui se contracte et se dilate, et qui prend un peu plus de place à chaque pulsation, c'est une goutte-continent qui lance ses ramifications au travers des océans, fait coaguler les pôles, fait se rejoindre sur l'équateur ses contours verdis par le mucus, et qui si elle ne s'arrête à temps englobe le globe entier. Et la goutte vivra, rien qu'elle, pour toujours, uniforme et continue dans le temps et dans l'espace, une sphère mucillagineuse avec la Terre pour noyau, une bouillie qui contient tout le matériau pour nos vies à nous tous, parce que nous sommes tous bloqués dans cette goutte qui ne nous laissera jamais naître ni mourir : ainsi la vie ce sera la sienne et celle de personne d'autre.

Heureusement elle part en morceaux. Chaque fragment est une chaîne de molécules disposées en un certain ordre, et rien que du fait qu'il relève d'un ordre, il suffit qu'il flotte au milieu de la substance désordonnée et voilà que se forment à côté de lui d'autres chaînes de molécules rangées dans le même ordre. Chaque chaîne répand l'ordre autour d'elle, ou si vous voulez se répète elle-même un grand nombre de fois, et les copies à leur tour se répètent, toujours selon cette disposition géométrique. Une solution de cristaux vivants tous pareils couvre la face de la Terre, naît et meurt à chaque instant sans s'en apercevoir, vit d'une vie discontinue et perpétuelle et toujours identique à elle-même dans un temps et dans un espace brisés. Toute autre forme demeure exclue pour toujours ; la nôtre comprise.

Jusqu'au moment où le matériau nécessaire pour se répéter commence à manquer, et alors chaque chaîne de molécules commence à se constituer autour d'elle comme une réserve de substances, et à la conserver dans une espèce de paquet avec dedans tout ce qui lui sert. Cette cellule grandit ; elle grandit jusqu'à un certain point ; elle se divise en deux ; les deux cellules se divisent en quatre, en huit, en seize ; les cellules ainsi multipliées au lieu de flotter chacune pour son compte s'attachent les unes aux autres comme des colonies, des bancs ou des polypes. Le monde se couvre d'une forêt d'éponges ; chaque éponge multiplie ses propres cellules en un réseau de pleins et de vides qui dilate ses mailles et s'agite suivant les courants de la mer. Chaque cellule vit pour soi et toutes ensemble elles vivent le total de leurs vies. Au gel de l'hiver les tissus de l'éponge se déchirent, mais les cellules les plus neuves restent en place et elles se remettent à se diviser, et au printemps elles reproduisent la même éponge. À présent il s'en faut de peu que le tour ne soit joué : un nombre fini d'éponges éternelles possédera le monde ; leurs pores boiront la mer, qui courra dans le réseau serré de leurs vaisseaux ; elles vivront, elles, pour toujours, et non pas nous qui attendons inutilement le moment qu'elles nous mettent au monde.

Mais dans les agglomérations monstrueuses des fonds marins, dans les champignonnières visqueuses qui commencent à apparaître sur la croûte molle des terres émergées, toutes les cellules ne continuent pas à grandir superposées : de temps en temps il s'en détache une bande, qui flotte, qui vole, et elles se posent plus loin, elles recommencent à se diviser, elles reproduisent cette éponge, ou polype ou champignon, dont elles sont parties. Le temps à présent se répète par cycles : les phases alternent, toujours pareilles. La champignonnière d'un côté disperse ses spores au gré du vent, d'un autre côté grandit comme un mycélium périssable, jusqu'au mûrissement d'autres spores qui mourront en tant que telles au moment de s'ouvrir. La grande division à l'intérieur des êtres vivants a commencé : les champignons qui ne connaissent pas la mort durent un jour et en un jour renaissent, mais entre la partie qui transmet les ordres de la reproduction et la partie qui les exécute, une différence ineffaçable s'est ouverte.

Désormais la lutte est engagée entre ceux qui existent et voudraient être éternels, et nous qui n'existons pas et voudrions être, ne serait-ce qu'un peu. Dans la crainte d'une erreur accidentelle qui ouvrirait le chemin à la diversité, ceux qui existent augmentent les dispositifs de contrôle : si les ordres de reproduction résultent de la comparaison de deux messages distincts et identiques, les erreurs de transmission sont plus facilement éliminées. De même l'alternance des phases se complique, des méduses transparentes se détachent des branches du polype fixé au fond de la mer, et elles flottent au milieu de l'eau ; les amours entre méduses commencent, jeu éphémère et luxe de la continuité à travers quoi les polypes se maintiendront éternels. Sur les terres émergées, des monstres végétaux ouvrent des éventails de feuilles, étendent des tapis de mousse, courbent des branches sur lesquelles éclosent des fleurs hermaphrodites ; ainsi espèrent-ils n'abandonner à la mort qu'une partie infime et cachée d'eux-mêmes, mais désormais le jeu des messages entrecroisés a envahi le monde : là ce sera la brèche par laquelle la foule de nous tous qui n'existons pas fera son entrée débordante.

La mer s'est couverte d'un ondoiement d'œufs ; une vague les soulève, les mêle à des nuées de germes. Chaque être nageant qui s'échappe d'un œuf fécondé reproduit non pas un mais deux des êtres qui étaient là occupés à nager avant lui ; il ne sera plus l'un ou l'autre de ces deux-là mais un autre encore, un troisième ; c'est-à-dire que les deux premiers, pour la première fois, vont mourir, et que le troisième, pour la première fois, est né.

Sur l'étendue invisible des cellules-programmes où toutes les combinaisons se forment ou se défont à l'intérieur de chaque espèce, court encore la continuité originaire ; mais entre une combinaison et l'autre l'intervalle est occupé par des individus mortels, sexués, différenciés.

Les dangers d'une vie sans mort sont évités — dit-on — pour toujours. Non pas que de la boue des marais bouillants ne puisse émerger de nouveau le premier grumeau de la vie indivise, mais parce qu'à présent tout autour, nous sommes là — par-dessus tout ceux d'entre nous qui fonctionnent comme micro-organismes et bactéries —, prêts à lui sauter dessus et le dévorer. Non pas que les chaînes des virus ne continuent à se répéter selon leur ordre cristallin exact, mais parce que cela ne peut arriver qu'à l'intérieur de nos corps et tissus seulement, à nous, animaux et végétaux plus complexes, c'est-à-dire que le monde des éternels est englobé dans le monde des périssables, et que leur immunité contre la mort nous garantit notre condition mortelle. Nous passons encore en nageant sur les fonds de corail et les anémones de mer, nous marchons encore en nous frayant un passage entre les fougères et les mousses sous les branches de la forêt originaire, mais la reproduction sexuée est désormais de quelque façon entrée dans le cycle des espèces même les plus anciennes, le charme est rompu, les éternels sont morts, plus personne ne semble dis-

posé à renoncer au sexe, fût-ce à ce peu de sexe qui
lui est échu en partage, afin de retrouver une vie
qui se répète elle-même, interminablement.

Les vainqueurs — pour le moment — c'est nous
autres, les discontinus. Le marécage-forêt est encore
autour de nous ; à peine nous sommes-nous ouvert
à coups de machette un passage dans l'épaisseur des
racines de mangrove ; finalement, au-dessus de nos
têtes s'élargit un coin de ciel libre ; nous levons nos
yeux en les protégeant du soleil ; au-dessus de nous
un autre toit s'étend : l'enveloppe de paroles que
continuellement nous sécrétons. À peine sortis de
la continuité de la matière primitive, nous sommes
soudés en un tissu conjonctif qui bouche le hiatus
entre nos discontinuités, entre nos morts et naissan-
ces, un ensemble de signes, sons articulés, idéogrammes, morphèmes, nombres, perforations de cartes,
magnétisations de bandes, tatouages, un système
de communication qui comprend rapports sociaux,
parentés, institutions, marchandises, panneaux publicitaires, bombes au napalm, c'est-à-dire tout ce qui
est langage, au sens large. Le danger n'est pas
encore passé. Nous sommes en état d'alerte, dans
la forêt qui perd ses feuilles. Comme un double de
la croûte terrestre, la coupole est en train de se solidifier au-dessus de nos têtes : ce sera un involucre
hostile, une prison, si nous ne trouvons le point
juste où le briser, où empêcher la répétition perpétuelle de lui-même.

Le plafond qui nous recouvre est tout rempli
d'engrenages de fer qui ressortent ; c'est comme le

ventre d'une machine sous laquelle je me suis glissé
pour réparer une panne, mais je ne peux pas en sortir parce que, tandis que je suis là-dessous le dos par
terre, la machine se dilate, s'étend pour recouvrir le
monde entier. Il n'y a pas de temps à perdre, je dois
comprendre le mécanisme, trouver l'endroit où nous
pouvons mettre les mains pour arrêter ce processus
incontrôlé, faire agir les commandes qui règlent le
passage à la phase suivante : celle des machines qui
s'autoreproduisent à travers des messages entrecroisés, masculins et féminins, obligeant les nouvelles
machines à naître et les vieilles machines à mourir.

Tout, à un certain point, tend à se resserrer sur
moi, y compris cette page où mon histoire cherche
un *finale* qui ne la conclurait pas, un filet de mots
où un moi écrit et une Priscilla écrite en se rencontrant se multiplient en d'autres mots et d'autres
pensées, mettent en marche la réaction en chaîne
par laquelle les choses fabriquées ou utilisées par
les hommes (c'est-à-dire les parties de leur langage)
puissent acquérir à leur tour la parole, et que les
machines parlent, échangent les mots dont elles
sont faites, les messages qui les font se mouvoir. Le
circuit de l'information vitale qui court depuis les
acides nucléiques jusqu'à l'écriture se prolonge dans
les rubans perforés des automates fils d'autres automates : des générations de machines meilleures que
nous peut-être continueront à vivre et à parler des
vies et des paroles qui ont aussi été les nôtres ; et
traduites en instructions électroniques, le mot moi
et le mot Priscilla encore se rencontreront.

TROISIÈME PARTIE

Temps zéro

Temps zéro

J'ai le sentiment que ce n'est pas la première fois que je me trouve dans cette situation : avec l'arc tout juste détendu dans ma main gauche lancée en avant, la main droite contractée en arrière, la flèche F suspendue en l'air au tiers environ de sa trajectoire, le lion L sur le point de me sauter dessus la gueule grande ouverte et les griffes en avant. D'ici une seconde, je saurai si oui ou non la trajectoire de la flèche et celle du lion arriveront plus ou moins à coïncider en un point X traversé aussi bien par L que par F à la même seconde t_x : c'est-à-dire si le lion se renversera en l'air avec un rugissement qu'étouffera le flot de sang qui inondera sa gorge noire traversée par la flèche, ou bien retombera sain et sauf sur moi, me jetant à terre d'un double coup de pattes qui me déchirera le tissu musculaire des épaules et du thorax, cependant que sa bouche, se refermant en un seul déclic des mâchoires, détachera ma tête du cou à la hauteur de la première vertèbre.

Si nombreux et si complexes sont les facteurs qui

conditionnent tant le mouvement parabolique des flèches que celui des félins, qu'ils ne me permettent pas pour le moment de juger laquelle des deux éventualités est la plus probable. Je me trouve par conséquent dans une de ces situations d'incertitude et d'attente où l'on ne sait vraiment pas quoi penser. Et la pensée qui me vient est celle-ci : il me semble que ce n'est pas la première fois.

Je ne veux pas ici me référer à mes autres expériences de chasse : l'archer, sitôt qu'il pense avoir acquis une expérience, est perdu ; chaque lion que nous rencontrons dans notre courte vie est différent de tous les autres lions ; gare à nous si nous nous arrêtons à faire des comparaisons, à déduire nos mouvements de normes et de présupposés. Je parle de ce Lion L et de cette flèche F, arrivés à présent au tiers de leurs trajectoires respectives.

Et je ne peux pas même être compris parmi ceux qui croient en l'existence d'un lion premier et absolu, de qui tous les divers lions particuliers et approximatifs qui nous sautent dessus ne sont rien que les ombres ou apparences. Dans notre dure vie, il n'y a pas de place pour rien qui ne soit concret et saisissable par les sens.

Tout aussi étrangère m'est l'opinion selon laquelle chacun porte en soi depuis sa naissance un souvenir de lion qui pèse sur ses rêves, transmis de père en fils, et qu'ainsi quand on voit un lion on se dit aussitôt : tiens, le lion ! Je pourrais expliquer pourquoi et comment j'en suis arrivé à exclure cela, mais il ne me paraît pas que ce soit le moment adéquat.

Qu'il me suffise de dire que par « lion »,
j'entends seulement cette tache jaune jaillissant d'un
buisson de la savane, ce souffle rauque qui exhale
une odeur de chair sanguinolente, et le poil blanc
du ventre et le rose du dessous des pattes et l'angle
aigu des ongles rétractiles, tels que je les vois maintenant me dominer en un mélange de sensations
que j'appelle « lion » parce qu'il faut bien lui donner un nom, encore qu'il soit bien clair qu'il n'a
rien à voir avec le mot « lion » ni même avec l'idée
de lion qu'un autre pourrait se faire en d'autres circonstances.

Si je dis que cet instant que je vis, ce n'est pas la
première fois que je le vis, c'est parce que la sensation que j'en ai est comme d'un léger redoublement
d'images, comme si dans le même temps je voyais
non pas un lion ou une flèche mais deux lions ou
davantage et deux flèches ou davantage, superposés selon un décalage à peine perceptible, si bien que
le contour sinueux de la figure du lion et le segment
de la flèche s'en trouvent soulignés ou pour mieux
dire auréolés de lignes plus fines et de couleur plus
effacée. Ce redoublement cependant pourrait n'être
qu'une illusion par où je me représente une impression d'épaisseur autrement indéfinissable, selon quoi
le lion la flèche le buisson sont quelque chose de
plus que ce lion cette flèche ce buisson, c'est-à-dire
la répétition sans fin du lion de la flèche du buisson
disposés de cette façon précise, avec une répétition
sans fin de moi-même au moment où j'ai tout juste
détendu la corde de mon arc.

Je ne voudrais pas pourtant que cette sensation comme je l'ai décrite ressemble trop à la reconnaissance de quelque chose de déjà vu, flèche en cette position et lion en cette autre et rapport réciproque entre les positions de la flèche et du lion et de moi planté ici avec l'arc dans ma main ; je préférerais dire que ce que j'ai reconnu c'est seulement l'espace, le point de l'espace où se trouve la flèche et qui serait vide si la flèche n'y était pas, l'espace vide qui maintenant contient le lion et celui qui maintenant me contient, comme si dans le vide de l'espace que nous occupons ou pour mieux dire que nous traversons — c'est-à-dire que le monde occupe ou pour mieux dire traverse —, certains points m'étaient devenus reconnaissables entre tous les autres points également vides et également traversés par le monde. Et que ce soit bien clair, ce n'est pas que cette reconnaissance se produise, par exemple, relativement à la configuration du terrain, avec l'emplacement du fleuve ou de la forêt : l'espace qui nous entoure est un espace toujours différent, je le sais bien, je sais que la Terre est un corps céleste qui se meut au milieu d'autres corps célestes qui se meuvent, je sais qu'aucun signe, ni sur la Terre ni dans le ciel, ne peut me servir de point de référence absolue, j'ai toujours présent à l'esprit que les étoiles tournent dans la roue de la galaxie et que les galaxies s'éloignent les unes des autres avec une vitesse proportionnelle à la distance qui les sépare. Mais le soupçon qui m'a saisi est précisément ceci : que je suis venu me mettre dans un espace qui ne

m'est pas inconnu, que je suis revenu en un point
où nous étions déjà passés. Et comme il ne s'agit
pas seulement de moi mais encore d'une flèche et
d'un lion, il n'y a pas à penser que c'est un hasard :
il s'agit ici du temps, qui continue de suivre à nouveau une trace qu'il a déjà suivie. Je pourrais donc
définir comme temps et non comme espace ce vide
qu'il m'a semblé reconnaître en le traversant.

La question que maintenant je me pose est de
savoir si un point du parcours du temps peut se
superposer à des points de précédents parcours. En
ce cas, l'impression d'épaisseur des images s'expli-
querait par le battement répété du temps sur un
instant identique. Il pourrait toutefois se produire,
en certains points, un petit décalage d'un parcours
à un autre : les images légèrement redoublées ou effa-
cées seraient alors l'indice que le tracé du temps est
un peu usé par l'usage et laisse une étroite marge
qui joue sur les bords de ses passages obligés. Mais
même s'il ne s'agissait que d'un effet optique momen-
tané, il reste l'accent comme d'une cadence dont il
me semble que je la sens battre sur l'instant que je
suis en train de vivre. Je ne voudrais toutefois pas
que tout ce que j'ai dit fasse apparaître cet instant
comme doué d'une consistance temporelle spéciale
dans la série d'instants qui le précèdent et le suivent : du point de vue du temps c'est proprement
un instant qui dure aussi longtemps que les autres,
indifférent à son contenu, suspendu dans sa course
entre le passé et le futur ; ce que je crois avoir
découvert, c'est seulement son retour ponctuel selon

une série qui se répète identique à elle-même à chaque fois.

En somme tout le problème, à présent que la flèche fend l'air en sifflant et que le lion s'arque dans
son bond et on ne peut encore prévoir si la pointe
trempée dans le venin de serpent transpercera le
pelage fauve entre les deux yeux écarquillés ou bien
ratera son coup, abandonnant mes viscères désarmés
au déchirement qui les enlèvera de la charpente d'os à
laquelle ils sont maintenant ancrés et les traînera
et dispersera sur le sol sanguinolent et poussiéreux
jusqu'à ce moment où avant la nuit les vautours et
les chacals en auront ôté la dernière trace, tout le
problème pour moi est de savoir si la série dont
cette seconde fait partie est ouverte ou fermée. Parce
que si, comme il me semble l'avoir quelquefois
entendu soutenir, c'est une série finie, c'est-à-dire
si le temps de l'univers a commencé à un certain
moment et se poursuit en une explosion d'étoiles et
nébuleuses toujours plus raréfiées jusqu'au moment
où la dispersion atteindra la limite extrême et où
les étoiles, les nébuleuses se remettront à se concentrer, la conséquence que je dois en tirer est que le
temps reviendra sur ses pas, que la chaîne des minutes se déroulera en sens inverse, jusqu'au moment
où on arrivera de nouveau au début, pour ensuite
recommencer, tout cela une infinité de fois — et il
n'est pas dit, alors, qu'il y ait eu un début : l'univers ne fait rien d'autre que battre entre deux
moments extrêmes, il est obligé de se répéter depuis
toujours — juste comme une infinité de fois il s'est

répété il se répète en cette seconde où moi maintenant je me trouve.

Essayons par conséquent d'y voir clair : moi je
me trouve en un quelconque point spatio-temporel
intermédiaire d'une phase de l'univers : après des
centaines de millions de milliards de secondes, voici
que la flèche le lion et moi et le buisson nous nous
sommes trouvés tels que nous nous trouvons maintenant, et cette seconde va être tout de suite englou-
tie et ensevelie dans la série des centaines de millions
de milliards de secondes qui continue, indépendamment de l'issue que trouvera d'ici une seconde le
vol convergent ou déréglé du lion et de la flèche ;
puis, à un certain point, la course changera de sens,
l'univers répétera son histoire à l'envers, des effets
résulteront ponctuellement les causes, et aussi de
ces effets qui m'attendent et que je ne connais pas,
d'une flèche qui se fiche dans le sol, soulevant un
nuage de poussière jaune et de minuscules éclats
de silex, ou bien qui transperce le palais du fauve
comme une nouvelle et monstrueuse dent : on reviendra au moment qu'en ce moment je vis, la flèche
revenant s'encocher sur l'arc tendu, comme re-
sucée, le lion retombant derrière le buisson sur ses
pattes postérieures repliées en ressort, et toute la
suite sera peu à peu effacée seconde après seconde
par le retour de ce qui a précédé, sera oubliée dans
la décomposition des milliards de combinaisons de
neurones dans les lobes des cerveaux, si bien que
personne ne saura qu'il vit dans le renversement du
temps comme moi-même maintenant je ne suis pas

même assuré du sens dans lequel se meut le temps
dans lequel je me déplace, et si la suite que j'attends
n'est pas en réalité déjà survenue depuis une seconde,
portant avec elle mon salut ou ma mort.

Ce que je me demande c'est si, vu que de toute
façon on doit revenir à ce point, ce ne serait pas
pour moi l'occasion de m'arrêter, de m'arrêter dans
l'espace et le temps, tandis que la corde de l'arc à
peine détendue se courbe dans la direction opposée
à celle dans laquelle elle était précédemment tendue, et tandis que mon pied droit à peine soulagé
du poids de mon corps se soulève en une torsion de
quatre-vingt-dix degrés, et que je me tienne immobile ainsi, attendant que du noir de l'espace-temps
sorte à nouveau le lion se levant contre moi avec
ses quatre pattes haut en l'air, et que la flèche
revienne s'insérer dans sa trajectoire au point exact
où elle est maintenant. À quoi cela sert-il en effet de
continuer si, tôt ou tard, nous devons nous retrouver
dans cette même situation ? Autant que je m'accorde
un repos de quelques dizaines de milliards d'années,
et laisse le reste de l'univers continuer sa course
spatiale et temporelle jusqu'au bout, que j'attende
le voyage retour pour sauter de nouveau dedans et
ensuite retourner en arrière dans ma propre histoire et celle de l'univers jusqu'aux origines, et ensuite
recommencer encore pour me retrouver ici de nouveau — ou bien que je laisse le temps retourner en
arrière pour son compte et qu'ensuite il se rapproche encore tandis que moi je reste toujours immobile, en train d'attendre —, et voir alors si c'est la

bonne fois, pour me décider à faire le nouveau pas, pour aller donner un coup d'œil à ce qui m'arrivera d'ici une seconde, ou s'il ne me convient pas plutôt de m'arrêter ici définitivement. Pour autant, il n'est pas nécessaire que mes particules matérielles soient soustraites à leurs cours spatio-temporel, à la sanglante et éphémère victoire du chasseur ou du lion : je suis quant à moi certain qu'une part de nous-mêmes demeure engluée de quelque façon à chaque intersection particulière du temps et de l'espace, et que donc il suffirait de ne pas se séparer de cette partie-là, de s'identifier à elle, laissant le reste tourner comme il doit tourner jusqu'au bout.

Voici en somme la possibilité qui se présente à moi : de constituer un point fixe dans les phases ou oscillations de l'univers. Dois-je saisir l'occasion, ou bien est-il préférable de la laisser passer ? M'arrêter, peut-être bien que je ne m'arrêterais pas à moi tout seul car je me rends compte que cela aurait peu de sens, mais en même temps que ce qui sert à définir pour moi cet instant, flèche lion archer, suspendus tels que nous sommes pour toujours. Il me semble en fait que si le lion savait clairement comment sont les choses, lui aussi serait sûrement d'accord pour demeurer comme il se trouve maintenant, au tiers environ de la trajectoire de son bond furieux, pour se séparer de cette projection de lui-même qui d'ici une seconde rencontrera les tressaillements et raidissements de l'agonie ou bien la mastication enragée d'un crâne humain encore chaud. Je peux parler par conséquent non seulement pour moi, mais encore au nom du lion. Et encore au nom de la flèche, parce qu'une flèche ne peut rien vouloir d'autre qu'être une flèche comme elle l'est en ce bref moment, et différer le destin de débris épointé qui l'attend quoi qu'elle atteigne.

Étant donc établi que la situation dans laquelle nous nous trouvons maintenant, moi le lion et la flèche, en cet instant t_0, se produira deux fois à chaque aller et retour du temps, identique aux autres fois, et telle qu'elle s'est déjà répétée autant de fois que l'univers a répété sa diastole et sa systole dans le passé — si toutefois il y a un sens à parler de passé et de futur à propos de cette succession de phases, alors que nous savons bien qu'à l'intérieur des phases il n'y en a pas —, l'incertitude cependant demeure quant aux secondes t_1, t_2, t_3 et cætera à la suite, de la même manière que la situation paraissait incertaine aux précédents t_{-1}, t_{-2}, t_{-3} et cætera.

À bien y regarder, voici l'alternative :

ou bien les lignes spatio-temporelles que l'univers suit dans sa pulsation coïncident en tous leurs points ;

ou bien elles ne coïncident qu'exceptionnellement en quelques points, comme la seconde qu'en ce moment je vis, pour diverger ensuite en tous les autres points.

Si cette dernière solution est la bonne, à partir du point spatio-temporel où je me trouve se déploie un faisceau de possibilités qui, plus elles avancent dans le temps, plus elles divergent, comme en cône

vers des futurs complètement différents les uns des
autres, et à chaque fois que je me trouve ici avec la
flèche et le lion en l'air correspondra un point X
d'intersection toujours différent de leurs trajectoires, à chaque fois le lion sera blessé d'une manière
différente, il aura une agonie différente ou bien il
trouvera à des degrés différents des forces nouvelles pour réagir, ou bien il ne sera pas du tout blessé
et il se jettera sur moi à chaque fois d'une manière
différente, me laissant ou ne me laissant pas la possibilité de me défendre, et mes victoires et mes
défaites dans la lutte avec le lion se révèlent poten-
tiellement infinies, et plus il y aura de fois où je
serai déchiré plus de chances j'y gagnerai d'atteindre la cible la fois d'après, quand je me trouverai
ici de nouveau dans des milliards et des milliards
d'années, et sur cette situation qui est la mienne à
présent je ne peux porter aucun jugement : parce que
dans le cas où je vis la fraction de temps qui précède immédiatement le coup de griffe du fauve, ce
serait le moment dernier d'une heureuse époque,
tandis que si ce qui m'attend est le triomphe par
lequel la tribu accueille le chasseur de lions vainqueur, ce que je vis en ce moment c'est le sommet
de l'angoisse, le point le plus noir de la descente
aux enfers que je dois traverser pour mériter l'apo-
théose. Donc il me faut fuir cette situation quoi
qu'il puisse m'arriver, parce que s'il y a un intervalle de temps qui ne compte pour rien c'est bien
celui-là, définissable seulement par rapport à celui
qui le suit : c'est-à-dire qu'en soi cette seconde

n'existe pas, et il n'y a par conséquent aucune chance non seulement de s'y arrêter mais pas même de la traverser pendant une seconde, en somme c'est un saut du temps entre le moment où le lion et la flèche ont pris leur vol et le moment où un flot de sang jaillira des veines du lion ou des miennes.

Ajoutez à cela que si de cette seconde partent comme en cône une infinité de lignes de futurs possibles, les mêmes lignes proviennent obliquement d'un passé qui lui aussi est comme un cône de possibilités infinies, et donc le moi qui se trouve maintenant ici avec le lion qui d'en haut lui tombe dessus et avec la flèche qui ouvre son chemin dans l'air, c'est un moi à chaque fois différent parce que le passé l'âge la mère le père la tribu la langue l'expérience sont à chaque fois différents, le lion est toujours un autre lion même si à chaque fois il est comme je le vois, avec la queue qui dans le saut s'est repliée, son extrémité en balai approchant le flanc droit en un mouvement qui pourrait être aussi bien d'un coup de fouet que d'une caresse, avec la crinière déployée, dissimulant à mes yeux une grande partie de la poitrine et du torse et ne laissant apparaître que, latéralement, les pattes de devant levées, comme se préparant à un enlacement cordial mais en réalité prêtes à m'enfoncer les griffes dans les épaules de toutes leurs forces, et la flèche est faite d'une matière toujours différente, taillée à l'aide de différents instruments, empoisonnée à partir de toutes sortes de serpents, mais toujours traversant l'air suivant la même parabole et avec le

même sifflement. Ce qui ne change pas c'est le rapport entre moi la flèche le lion en cet instant
d'incertitude qui se répète pareil à lui-même, incertitude qui a pour enjeu la mort, pourtant il faut
reconnaître que si cette mort menaçante est la mort
d'un moi avec un passé différent, d'un moi qui, lui,
hier matin n'est pas allé cueillir des racines avec ma
cousine, c'est-à-dire à bien y regarder d'un autre
moi, d'un étranger, par exemple d'un étranger qui,
lui, hier matin est allé cueillir des racines avec ma
cousine, et donc d'un ennemi, en tout cas si ici à
ma place au lieu que ce soit moi c'en était un autre,
cela ne m'importe plus beaucoup de savoir si la
fois d'avant ou la fois d'après la flèche a touché ou
non le lion.

En ce cas, alors, il est exclu que m'arrêter en t_0
pour toute la tournée de l'espace et du temps
m'intéresse. Demeure pourtant toujours l'autre hypothèse : de même que dans la vieille géométrie il suffisait que les lignes coïncident en deux points pour
qu'elles coïncident partout, de même il peut se faire
que les lignes spatio-temporelles tracées par l'univers dans ses phases alternées coïncident en tous
leurs points, et alors non seulement t_0 mais aussi t_1
et t_2 et tout ce qui arrivera ensuite coïncidera avec
les t_1 t_2 t_3 respectifs des autres phases, et aussi toutes les secondes précédentes et suivantes, et moi
j'en serai réduit à n'avoir qu'un seul passé et un
seul futur répétés indéfiniment toutes les fois précédant et suivant ce moment-ci. Il faut pourtant se
demander s'il y a un sens à parler de répétition,

quand le temps consiste en une série unique de points
telle qu'elle ne permet pas de variations ni dans leur
nature ni dans leur succession : il suffirait alors de
dire que le temps est fini et toujours égal à lui-même,
et que par conséquent il peut être considéré comme
donné simultanément dans toute son extension, formant une pile de couches de présents ; c'est-à-dire
qu'il s'agit d'un temps absolument plein, dans la
mesure où chacun des instants en quoi il est décom-
posable constitue comme une couche qui se trouve
là continuellement présente, insérée entre d'autres
couches continuellement présentes. En somme, la
seconde t_0 dans laquelle se trouvent la flèche F_0 et
un peu plus loin le lion L_0 et ici moi-même Q_0 est
une couche spatio-temporelle qui reste immobile et
identique pour toujours, et à côté se dispose t_1 avec
la flèche F_1 et le lion L_1 et le moi Q_1 qui ont modi-
fié légèrement leurs positions, et là à côté il y a t_2
qui contient F_2 et L_2 et Q_2, et ainsi de suite. Dans
une de ces secondes mises l'une après l'autre on
voit clairement lequel vit et lequel meurt du lion
L_n et du moi Q_n, et dans les secondes suivantes se
déroulent sûrement : ou bien les festivités de la
tribu en l'honneur du chasseur qui revient avec la
dépouille du lion, ou bien les funérailles du chasseur cependant qu'à travers la savane la terreur
se répand sur le passage du lion assassin. Chaque
seconde quoi qu'il en soit est définitive, fermée, sans
interférences avec les autres, et moi Q_0 ici dans mon
territoire t_0 je peux être absolument tranquille et
me désintéresser de ce qui arrive, simultanément, à

Q_1 Q_2 Q_3 Q_n dans leurs secondes respectives voisines de la mienne, parce qu'en réalité les lions L_1 L_2 L_3 L_n ne pourront jamais prendre la place du bien connu et pour l'heure inoffensif quoique menaçant L_0, tenu en respect par une flèche en vol F_0 contenant encore en elle-même toute cette puissance mortelle qui pourrait se révéler employée en pure perte par F_1 F_2 F_3 F_n dans leur façon de se disposer sur des segments de trajectoire toujours plus éloignés du but, me ridiculisant comme l'archer le plus faible de la tribu, ou mieux ridiculisant comme faiblard ce Q_n qui en T_n vise avec son arc.

Je sais bien que la comparaison avec les photogrammes d'une pellicule vient spontanément à l'esprit, mais si j'ai jusqu'à présent évité d'y recourir, j'avais sans aucun doute mes raisons. Oui, chaque seconde est bien fermée sur elle-même et sans communications avec les autres précisément à la façon d'un photogramme, mais pour en définir le contenu, les points Q_0 L_0 F_0, à l'aide desquels nous la limiterions à une saynète de chasse au lion, dramatique autant qu'on voudra mais en tout cas plutôt resserrée, ne suffisent pas ; ce dont il faut simultanément tenir compte, c'est la totalité des points contenus dans l'univers en cette seconde t_0, sans en exclure aucun, et alors mieux vaut s'enlever de la tête le photogramme car il n'est bon qu'à confondre les idées.

Puisque maintenant j'ai décidé d'habiter pour toujours cette seconde t_0 — et si je ne l'avais pas décidé, cela reviendrait au même, parce qu'en tant que Q_0 je ne peux en habiter une autre —, j'ai tout le loisir de regarder autour de moi et contempler ma seconde dans toute son étendue. Elle comprend à ma droite un fleuve noir d'hippopotames, à ma gauche la savane, noire et blanche de zèbres, et ici et là en divers points à l'horizon quelques baobabs, noirs et rouges de calaos, chacun de ces éléments étant reconnaissable d'après les positions qu'occupent respectivement les hippopotames $H(a)_0$, $H(b)_0$, $H(c)_0$ et cætera, les zèbres $Z(a)_0$, $Z(b)_0$, $Z(c)_0$, et cætera, les calaos $C(a)_0$, $C(b)_0$, $C(c)_0$ et cætera. Elle comprend en outre des villages de huttes et des magasins d'importation et d'exportation, des plantations qui recèlent sous leur terre des milliers de semences parvenues à divers moments de leur processus de germination, des déserts sans fin avec la position de chaque grain de sable $G(a)_0$ $G(b)_0$... $G(n^n)_0$ transporté par le vent, des villes la nuit avec des fenêtres éclairées et d'autres pas, des villes de jour avec des feux rouges oranges et verts, des courbes de productivité, des indices de prix, des cours de bourse, des diffusions de maladies infectieuses avec la position de chaque virus, des guerres locales avec des rafales de balles $B(a)_0$ $B(b)_0$... $B(z)_0$ $B(zz)_0$ $B(zzz)_0$... suspendues dans leur trajectoire et on ne sait pas si elles toucheront les ennemis $E(a)_0$ $E(b)_0$ $E(c)_0$ cachés dans les feuillages, des avions avec des grappes de bombes tout juste larguées, encore en l'air au-dessous d'eux, des avions avec des grappes de bombes sur le point d'être larguées, une guerre totale implicite dans la situation internationale IS_0 et on ne sait pas à quel moment IS_x elle deviendra

une guerre totale explicite, des explosions d'étoiles
« supernovae » qui pourraient changer radicalement
la configuration de notre galaxie...

Chaque seconde est un univers, la seconde que
moi je vis est la seconde que j'habite, the second I
live is the second I live in, il faut que je m'habitue
à penser mon discours simultanément dans toutes
les langues possibles si je veux vivre dans toute son
étendue mon instant-univers. À travers la combinaison de toutes les données simultanées, je pourrais atteindre une connaissance objective de l'instant-
univers t_0 dans toute son étendue spatiale, moi compris, étant donné qu'à l'intérieur de t_0 moi Q_0 je ne
suis pas en fait déterminé par mon passé Q_{-1} Q_{-2}
Q_{-3} et cætera mais par le système constitué par
tous les calaos C_0, toutes les balles B_0, tous les virus
V_0, sans lesquels on ne pourrait établir que je suis
moi Q_0. Même, étant donné que je ne me préoc-
cupe plus de savoir ce qu'il arrivera à Q_1 Q_2 Q_3 et
cætera, il n'est plus nécessaire de continuer à adopter le point de vue subjectif qui m'a guidé jusqu'ici,
c'est-à-dire que je peux m'identifier aussi bien à moi-
même au lion ou au grain de sable ou à l'indice
du coût de la vie ou à l'ennemi ou à l'ennemi de
l'ennemi.

Pour ce faire, il suffit d'établir avec exactitude les
coordonnées de tous ces points et de calculer certaines constantes. Je pourrais, par exemple, mettre
en relief toutes les composantes de suspension et
d'incertitude qui valent pour moi tout comme pour
le lion la flèche la bombe l'ennemi et l'ennemi de

l'ennemi, et définir t_0 comme un moment de suspension et d'incertitude universelles. Mais cela ne me dit encore rien de substantiel sur t_0 parce qu'étant admis qu'il s'agit d'un moment en tout cas terrible, comme maintenant cela me semble prouvé, ce pourrait encore être un moment terrible dans une série de moments de terreur croissante et aussi bien un moment terrible dans une série de terreur décroissante et donc illusoire. En d'autres mots, cette dimension de terreur constatée mais relative de t_0 peut assumer des valeurs complètement différentes, dans la mesure où t_1 t_2 t_3 peuvent transformer la substance de t_0 de manière radicale, ou pour mieux dire : ce sont les divers t_1 de Q_1 L_1, $N(a)_1$, $N(1/a)_1$ qui ont le pouvoir de déterminer les qualités fondamentales de t_0.

Ici, il me semble que les choses commencent à se compliquer : ma ligne de conduite consiste à m'enfermer en t_0, et à ne rien savoir de ce qui arrive en dehors de cette seconde-là, renonçant à un point de vue limitativement personnel pour vivre t_0 dans sa configuration objective globale, mais cette configuration objective, on ne peut pas la saisir depuis l'intérieur de t_0 mais il faut l'observer depuis un autre instant-univers, par exemple depuis t_1 ou depuis t_2, et non pas depuis toute leur extension simultanément mais en adoptant précisément un point de vue, celui de l'ennemi ou celui de l'ennemi de l'ennemi, celui du lion ou le mien propre.

En résumé : pour m'arrêter en t_0, je dois établir une configuration objective de t_0 ; pour établir une

configuration objective de t_0, je dois aller en t_1 ;
pour aller en t_1, je dois adopter une perspective
subjective quelconque, et donc autant que je garde
la mienne. Pour résumer encore : pour m'arrêter
dans le temps je dois me mouvoir dans le temps,
pour devenir objectif je dois rester subjectif.

Voyons alors comment pratiquement me comporter : étant toujours établi que moi en tant que
Q_0 je conserve mon domicile fixe en t_0, je pourrais
cependant pousser une incursion, la plus brève possible, en t_1 et si cela ne suffit pas aller jusqu'en t_2 et
t_3 m'identifiant provisoirement à Q_1 Q_2 Q_3, tout
cela naturellement dans l'espoir que la série Q continue et qu'elle ne soit pas prématurément tranchée
par les griffes recourbées de L_1 L_2 L_3, parce que ce
n'est qu'à cette condition que je pourrai me rendre
compte de la façon dont se présente ma position
de Q_0 en t_0, et c'est là l'unique chose qui doit
m'importer.

Mais le danger que je cours, c'est que le contenu
de t_1, de l'instant-univers t_1, soit tellement plus
intéressant, tellement plus riche que t_0 en émotions
et en surprises, je ne sais pas, triomphales ou catas-
trophiques, que je sois tenté de me consacrer tout
entier à t_1, tournant le dos à t_0, oubliant que je ne
suis passé en t_1 que pour m'informer mieux sur t_0.
Et avec cette curiosité pour t_1, avec cet illégitime
désir de connaissance envers un instant-univers qui
n'est pas le mien, voulant voir si vraiment je ferais
une affaire en troquant ma citoyenneté en t_0, stable
et sûre, contre cette part de nouveauté que t_1 peut

m'offrir, je pourrais faire un saut jusqu'à t_2 ne serait-ce que pour avoir une idée plus objective de t_1 ; et ce saut en t_2, à son tour...

Si les choses se passent de cette façon, je m'aperçois que ma situation ne changerait en rien, même si j'abandonne les hypothèses dont je suis parti : c'est-à-dire si je suppose que le temps ne connaît pas de répétitions et consiste en une série irréversible de secondes différentes l'une de l'autre, et que chaque seconde arrive une seule fois pour toutes, et que l'habiter durant son exacte durée d'une seconde veut dire l'habiter pour toujours, et que t_0 m'intéresse seulement en fonction des t_1 t_2 t_3 qui la suivent, avec leur contenu de vie ou de mort, conséquemment au mouvement que j'ai accompli en décochant la flèche, et au mouvement que le lion a accompli en prenant son élan, conséquemment aussi aux autres mouvements que le lion et moi nous ferons dans les prochaines secondes, et à la peur qui pour toute la durée d'une interminable seconde me pétrifie, pétrifie en vol à mes yeux le lion et la flèche, et la seconde foudroyante t_0 telle qu'elle est arrivée de façon foudroyante saute dans la seconde suivante, et trace sans qu'il n'y ait plus de questions les trajectoires du lion et de la flèche.

La poursuite

La voiture qui me poursuit est plus rapide que la mienne ; il y a dedans un homme seul, armé d'un revolver, bon tireur, comme j'ai pu voir d'après les balles qui ne m'ont manqué que de quelques centimètres. Dans ma fuite, je me suis dirigé vers le centre de la ville ; cela a été une décision salutaire ; le poursuivant est toujours dans mon dos, mais nous sommes séparés par plusieurs autres voitures ; nous sommes arrêtés à un feu, en une longue queue.

Le feu est réglé de telle sorte que, pour ce qui nous concerne, le rouge dure cent quatre-vingts secondes et le vert cent vingt, certainement à partir de l'hypothèse que le trafic de la rue qui nous est perpendiculaire est plus dense et plus lent. Hypothèse fausse : faisant le compte des voitures que je vois passer transversalement quand c'est le vert pour elles, je dirais qu'elles sont environ deux fois plus nombreuses que celles qui dans un temps égal réussissent à se détacher de notre colonne et à passer le feu. Cela ne veut pas dire qu'elles roulent bien : en réalité elles aussi avancent avec une lenteur exaspé-

rante, qui ne peut être considérée comme de la
vitesse que par comparaison avec nous, car nous
sommes pratiquement arrêtés au vert aussi bien
qu'au rouge. C'est aussi à cause de leur lenteur à eux
que nous ne réussissons pas à bouger, parce que
quand le vert s'éteint pour eux et s'allume pour
nous le croisement est encore occupé par leur flux,
bloqué là, au milieu, et ainsi pour le moins trente
de nos cent vingt secondes sont perdues avant même
que nous puissions quant à nous faire un seul tour
de roue. Il faut dire que le courant transversal nous
inflige ce retard, mais qu'ensuite il doit le com-
penser avec une perte de quarante ou quelquefois
soixante secondes avant de se remettre en marche,
alors que le vert est revenu pour eux, étant donné
l'engorgement que traîne derrière soi chaque très
lente vague de notre part ; perte pour eux qui ne
signifie pas un gain pour nous parce que à chaque
retard final de ce côté-ci (et initial de l'autre) correspond un plus grand retard final de l'autre (et initial
de celui-ci), et cela dans une proportion croissante,
si bien que le vert s'en trouve inutilisable pour un
temps toujours plus long d'un côté et de l'autre, et
cette inutilisation gêne davantage notre dégorge-
ment que le leur.

Je m'aperçois que quand, dans mes raisonnements,
j'oppose « nous » et « eux », je comprends sous la
rubrique « nous » aussi bien moi-même que l'homme
qui me poursuit pour me tuer, comme si la frontière de l'inimitié passait non pas entre moi et lui,
mais bien entre nous de cette colonne-ci et eux de

la colonne transversale. Pour tous ceux qui se trouvent ici immobilisés et impatients avec le pied sur
l'embrayage, pensées et sentiments ne peuvent suivre
un autre cours que celui imposé par les situations
respectives dans les courants de la circulation ; ainsi
il est permis de supposer que s'établit une communauté d'intentions entre moi qui ne vois pas arriver
le moment de m'enfuir et lui qui attend que se
répète une occasion comme celle de tout à l'heure
quand, dans une rue de la périphérie, il a réussi à
me tirer dessus deux coups de revolver dont c'est
une pure chance s'ils ne m'ont pas touché, étant
donné qu'une balle a brisé le déflecteur de gauche
et que l'autre s'est enfoncée ici dans le plafond.

Il faut dire que la communauté implicite contenue dans l'expression « nous » n'est qu'apparente,
parce que pratiquement mon inimitié va tout autant
aux voitures de notre colonne qu'à celles que nous
croisons ; mais à l'intérieur de notre colonne, je me
sens certainement davantage l'ennemi des voitures
qui me précèdent et m'empêchent d'avancer que de
celles qui me suivent, lesquelles éventuellement ne
se révéleraient ennemies que dans la mesure où
elles tenteraient de me dépasser, entreprise difficile
étant donné la densité de la circulation, où chaque
voiture se trouve encastrée entre toutes les autres
avec de minimes possibilités de jeu.

En somme, celui qui en ce moment est mon
ennemi capital se trouve perdu au milieu d'une foule
d'autres corps solides sur lesquels mon aversion et
ma peur doivent obligatoirement se distribuer et agir,

de la même façon que sa volonté homicide, bien qu'elle soit dirigée contre moi exclusivement, se trouve comme éparpillée et déviée sur un grand nombre d'objets intermédiaires. Il est certain en tout cas que lui aussi, dans les calculs qu'il fait en même temps que moi, appelle « nous » notre colonne, et « eux » la colonne que nous croisons, de la même façon qu'il est certain que nos calculs, encore que visant à des résultats opposés, ont en commun de nombreux éléments et passages.

Pour ma part, je voudrais que notre colonne ait un mouvement d'abord rapide puis tout à fait lent, c'est-à-dire que tout d'un coup les voitures devant moi se mettent à filer et que moi aussi à leur suite je puisse franchir le croisement aux dernières lueurs du vert ; mais que tout de suite dans mon dos la queue se bloque pour un temps suffisamment long, tel que je puisse disparaître, tourner dans une rue secondaire. Selon toutes probabilités les calculs de mon poursuivant tendent au contraire à prévoir s'il réussira à passer le feu dans la même vague que moi, s'il réussira à rester derrière moi jusqu'au moment où les voitures qui nous séparent se seront dispersées en diverses directions, ou du moins espacées, et où sa voiture pourra se placer immédiatement derrière la mienne ou à côté, par exemple à un nouveau feu, dans une bonne position pour décharger sur moi son pistolet (moi, je n'ai pas d'arme) une seconde avant le vert qui lui donnerait le champ libre pour se sauver.

En somme, quant à moi, je compte sur l'irrégularité avec laquelle alternent dans la queue les périodes d'immobilité et celles de mouvement ; lui au contraire fait fond sur la régularité qui se retrouve en moyenne pour chaque voiture de la colonne, quant aux périodes de mouvement et aux périodes d'immobilité. Le problème est de savoir si la colonne est partageable en une série de segments dotés chacun d'une vie propre ou si l'on doit la considérer comme un corps unique et indivisible, où le seul changement que l'on puisse attendre est une baisse de la densité avec les heures de la nuit, jusqu'à un point limite de raréfaction où nos deux voitures seules conserveront la même direction et tendront à annuler la distance qui les sépare... Ce que sans doute nos calculs ont en commun, c'est que les éléments qui déterminent le mouvement propre de nos voitures — puissance respective des moteurs et habileté des conducteurs — ne comptent quasiment pour rien, ce qui est décisif, c'est le mouvement général de la colonne, ou mieux le mouvement combiné des différentes colonnes qui s'entrecroisent à travers toute la ville. En somme, moi-même et l'homme qui est chargé de me tuer, nous sommes comme immobilisés dans un espace qui se meut pour son propre compte, rivés à ce pseudo-espace qui se décompose et se recompose sans cesse et des combinaisons duquel dépend notre sort.

Pour sortir de cette situation, le système le plus simple serait de sortir de la voiture. Si l'un de nous ou si tous les deux nous laissions nos voitures et poursuivions à pied, l'espace recommencerait d'exister, avec la possibilité de se mouvoir dans cet espace. Mais nous sommes dans une rue où il est interdit de stationner ; nous devrions abandonner la voiture au milieu de la circulation (la sienne et la mienne sont des voitures volées, destinées à être abandonnées n'importe où au moment où on n'en a plus besoin) ; quant à moi, je pourrais m'esquiver à quatre pattes entre les voitures pour ne pas m'exposer à son tir, mais une telle fuite attirerait l'œil et j'aurais sans attendre la police à mes trousses. Or, quant à moi, non seulement je ne peux chercher la protection de la police, mais même je dois éviter quoi qu'il arrive de m'en faire remarquer ; il est clair que je ne dois pas sortir de ma voiture, même si lui abandonne la sienne.

Ma première crainte, à peine nous nous sommes trouvés ici même bloqués, a été de le voir venir vers moi à pied, seul et libre au milieu de centaines de personnes clouées à leur volant, passer tranquillement en revue la file de voitures, et arrivé à la mienne vider sur moi le reste de son chargeur, pour ensuite se sauver en courant. Ma crainte n'était pas sans fondement : dans mon rétroviseur, je n'ai pas tardé à voir la silhouette de mon poursuivant qui se dressait par la portière entrouverte de sa voiture et allongeait le cou par-dessus l'étendue des toits de tôle, comme quelqu'un qui veut se rendre compte du pourquoi d'une halte qui se prolonge outre mesure ; et même bientôt j'ai vu sa mince silhouette s'extraire de la voiture, avancer de quelques pas au travers des voitures. Mais à ce moment-là la colonne a été parcourue d'une de ces intermittentes velléités de mouvement ; de la queue, derrière sa voiture vide, s'est élevé un hargneux concert d'avertisseurs, et déjà conducteurs et passagers sautaient sur la chaussée avec des cris et des gestes de menaces. Sans aucun doute ils l'auraient rattrapé et ramené de force à son volant, s'il ne s'était dépêché de reprendre sa place et de passer la vitesse pour que le reste de la queue bénéficie du nouveau pas en avant, si court qu'il fût. À cet égard je pouvais donc être tranquille : nous ne pouvons quitter notre voiture, ne serait-ce qu'une minute, mon poursuivant n'osera jamais me rejoindre à pied parce que même s'il avait le temps de me tirer dessus il ne pourrait ensuite échapper à la fureur des autres automobilistes, peut-être bien tout prêts à le lyncher, non pas tant à cause de l'homicide en soi que pour le bouchon que provoqueraient les deux voitures — la sienne et celle du mort — immobilisées au milieu de la rue.

J'essaie d'avancer toutes les hypothèses parce plus je prévois de détails, plus j'ai de chances de m'en sortir. Du reste, qu'est-ce que je peux faire d'autre ? On ne bouge pas même d'un centimètre. Jusqu'à présent, j'ai considéré la colonne comme une continuité linéaire ou encore comme un courant fluide dans lequel les voitures prises une à une avancent sans ordre. Il faut maintenant spécifier que dans notre colonne les voitures sont disposées sur trois files, et que l'alternance des temps d'attente et des temps de marche dans chaque file ne coïncide pas d'une file à l'autre, si bien qu'il y a des moments où n'avance que la file de droite, ou que la file de gauche, ou que la file du milieu laquelle précisément est celle où nous nous trouvons aussi bien moi que mon assassin en puissance. Si j'ai jusqu'à présent négligé un aspect des choses aussi gros, ce n'est pas seulement parce que les trois files ne se sont disposées de façon régulière que petit à petit et que pour ma part j'ai tardé à m'en rendre compte, c'est aussi et surtout parce qu'en réalité la situation ne s'en trouve changée ni en mieux ni en pire. Sans doute la différence de vitesse d'une file à l'autre serait décisive si le poursuivant à un certain point pouvait, avançant par exemple dans la file de droite, arriver à ma hauteur, tirer et continuer son chemin. Mais là encore c'est une éventualité à exclure : si l'on admet qu'il réussit à sortir de la file du milieu pour se glisser dans une des files latérales (les voitures avancent pour ainsi dire pare-chocs contre pare-chocs, mais il suffit de saisir le moment où dans la file à côté s'ouvre entre un avant et un arrière un petit espace vide et alors d'y mettre son propre nez sans se soucier des protestations de dizaines d'avertisseurs), moi qui l'ai à l'œil dans mon rétroviseur je m'apercevrais de la manœuvre bien avant qu'elle soit accomplie et j'aurais tout le temps, étant donné la distance qui nous sépare, d'y porter remède par une manœuvre analogue. C'est-à-dire que je pourrais m'insérer dans la même file de droite ou de gauche où lui-même se serait mis, et ainsi, comme avant, je le précéderais à la même vitesse que la

sienne ; ou encore je pourrais aller dans la file extérieure, de l'autre côté, s'il s'est mis dans la file de
gauche j'irais dans la file de droite, et alors pour
nous séparer il n'y aurait plus seulement une distance dans le sens de la marche il y aurait en plus
une division latérale qui aussitôt deviendrait une
barrière infranchissable.

Admettons pourtant qu'on finisse par se trouver
côte à côte sur deux files contiguës : me tirer dessus
n'est pas une chose qu'il peut faire en ce moment,
à moins de risquer de rester bloqué dans la queue à
attendre la police avec un cadavre au volant de la
voiture à côté de la sienne sur la file voisine. Avant
que se présente l'occasion d'une action rapide et sûre,
le poursuivant devrait se tenir à mon côté qui sait
combien de temps ; et en attendant, comme le rapport entre les vitesses des différentes files change de
façon irrégulière, nos voitures ne resteraient pas longtemps à la même hauteur ; pour ma part je pourrais reprendre mon avantage et dans ce cas il y
aurait peu de mal, on en reviendrait à la situation
antérieure ; le risque majeur pour mon poursuivant
serait d'avancer avec sa file tandis que ma file res-
terait arrêtée.

Avec un poursuivant qui me précéderait je ne
serais plus quant à moi un poursuivi. Et même je
pourrais, afin de rendre définitive ma nouvelle situation, me placer sur la même file que lui, mettant
entre lui et moi un certain nombre de voitures. Il
serait quant à lui obligé de suivre le courant, sans
aucune possibilité de renverser la direction de la

marche, et moi derrière lui je serais définitivement
sauvé. Au feu, en le voyant prendre d'un côté je
prendrais de l'autre, et nous nous séparerions pour
toujours.

En tout cas, toutes ces hypothétiques manœuvres
devraient tenir compte du fait qu'arrivant au feu, si
l'on se trouve dans la file de droite on ne peut tourner qu'à droite, et à gauche s'il l'on se trouve à gauche (la congestion du croisement ne permet pas de
repentir), tandis que lorsque l'on est au milieu on a
la possibilité de choisir au dernier moment ce qu'il
convient de faire. C'est là la vraie raison pour
laquelle nous nous gardons bien de quitter la file du
milieu : moi pour conserver ma liberté de choix
jusqu'au dernier moment, lui pour être toujours prêt
à tourner du côté où il me verra tourner.

Tout d'un coup je me sens pris d'une vague
d'enthousiasme : nous avons été en vérité les plus
malins, moi et mon poursuivant, en nous mettant
dans la file du milieu. Il est beau de savoir que la
liberté existe encore, et dans le même temps de se
sentir entouré et protégé par un bloc de corps solides et impénétrables, et de n'avoir d'autre préoccu-
pation que celle de lever le pied gauche de la pédale
d'embrayage, d'appuyer avec le pied droit pour un
instant sur l'accélérateur et aussitôt le relever et baisser de nouveau le gauche sur l'embrayage, tous gestes finalement non pas décidés par nous mais dictés
par le rythme général de la circulation.

Je traverse à présent un moment de bien-être et
d'optimisme. Au fond notre mouvement équivaut

à n'importe quel autre mouvement, c'est-à-dire qu'il consiste à occuper l'espace qu'on a devant soi et à le laisser filer derrière soi, et ainsi à peine se forme-t-il devant moi un espace libre que je l'occupe, sinon un autre s'empresserait de l'occuper, tout ce qu'on peut faire concernant l'espace c'est le nier, quant à moi je le nie dès qu'il tend à se former, puis je le laisse se reformer derrière moi où il y a sans attendre quelqu'un d'autre pour le nier à son tour. En somme cet espace on ne le voit jamais et peut-être n'existe-t-il pas, c'est seulement l'étendue des choses et la mesure des distances : la distance entre moi et mon poursuivant consiste en un certain nombre de voitures qui se trouvent sur la même file entre moi et lui, et comme ce nombre est constant notre poursuite n'est une poursuite que par façon de parler, de la même façon qu'il serait bien difficile d'affirmer que deux voyageurs assis dans deux wagons d'un même train sont en train de se poursuivre.

Si pourtant le nombre de ces voitures-intervalles grandissait ou diminuait, alors notre poursuite redeviendrait une poursuite véritable, indépendamment de nos vitesses ou libertés de mouvement. Je dois de nouveau porter là toute mon attention : l'une et l'autre éventualité ont des chances de se produire. Entre le point où maintenant je me trouve et le croisement réglé par le feu, je m'aperçois que débouche une rue secondaire, quasiment une ruelle, d'où arrive une file de voitures étroite mais continue. Il suffirait que quelques-unes de ces voitures affluentes s'insèrent entre moi et lui, et aussitôt la distance entre nous deux augmenterait, c'est-à-dire que ce serait comme si je m'étais sauvé à l'improviste. Au contraire, à notre gauche, au milieu de la chaussée, commence maintenant une île étroite aménagée en parking ; que s'y trouvent ou que s'y fassent des emplacements libres et il suffirait que quelques-unes des voitures-intervalles décident de stationner, voilà que mon poursuivant verrait tout d'un coup se raccourcir la distance qui nous sépare.

Je dois me dépêcher de trouver une solution et comme l'unique terrain qui me soit ouvert est celui de la théorie, il ne me reste plus qu'à continuer à approfondir la connaissance théorique de la situation. La réalité, bonne ou mauvaise comme on voudra, il ne m'est pas donné de la changer : cet homme a été chargé de me rejoindre et de m'abattre, tandis qu'à moi il m'a été dit que je ne pouvais rien faire d'autre que m'enfuir ; ces instructions restent valables même dans le cas où l'espace pourrait s'abolir dans une de ses dimensions ou dans toutes et qu'ainsi en résulte une impossibilité de se mouvoir ; nous n'en cesserions pas pour autant d'être moi le poursuivi et lui le poursuivant.

Je dois garder présents à l'esprit en même temps deux types de relation : d'une part, le système qui comprend tous les véhicules simultanément en circulation dans le centre de la ville, où la superficie totale des automobiles équivaut à la superficie totale de la voirie et peut-être la dépasse ; d'autre part, le système qui se crée entre un poursuivant armé et un poursuivi désarmé. Or, ces deux types de relation tendent à s'identifier réciproquement, en ce sens que le second est contenu dans le premier comme dans un récipient qui lui donnerait sa forme et le rendrait invisible, au point qu'un observateur étranger ne serait pas en mesure de distinguer au milieu du fleuve de voitures toutes pareilles lesquelles sont les deux qui se trouvent engagées dans une chasse à mort, dans une course forcenée, qui se dissimule au sein de cette insupportable immobilité.

Essayons d'examiner chaque élément avec calme : une poursuite devrait consister à confronter les vitesses de deux corps en mouvement dans l'espace, mais comme nous avons vu qu'un espace n'existe pas indépendamment des corps qui l'occupent, la poursuite consistera seulement en une série de variations des positions relatives de tels corps. Ce sont donc les corps qui déterminent l'espace environnant, et si cette affirmation a l'air de contredire tout à la fois mon expérience et celle de mon poursuivant — étant donné que ni l'un ni l'autre nous ne réussissons pas à déterminer quoi que ce soit, pas plus espace pour fuir qu'espace pour poursuivre —, c'est parce qu'il s'agit d'une propriété non de tel corps en particulier mais de l'ensemble des corps dans leurs relations réciproques, dans leurs initiatives et indécisions et mises en marche, dans leurs appels de phares, bruits d'avertisseurs et mordillements d'ongles, et dans leurs continuels et rageurs grincements des vitesses : point mort, première, seconde, point mort ; point mort, première, seconde, point mort...

Maintenant que nous avons supprimé le concept d'espace (je pense que de son côté, à force d'attendre, mon poursuivant en est arrivé aux mêmes conclusions) et que le concept de mouvement n'implique plus la continuité du passage d'un corps à travers une série de points mais seulement les échanges de place discontinus et irréguliers de corps qui occupent tel ou tel point, je réussirai peut-être à accepter avec moins d'impatience la lenteur de la queue, parce que ce qui compte c'est l'espace relatif qui se définit et se transforme autour de ma voiture comme autour de toute autre voiture dans la queue. En somme, chaque voiture se trouve au centre d'un système de relations qui en pratique équivaut à n'importe quel autre, c'est-à-dire que les voitures sont interchangeables les unes avec les autres, je dis les voitures chacune avec son conducteur dedans ; chaque automobiliste pourrait tout à fait bien changer de place avec un autre automobiliste, et par exemple moi-même avec mes voisins ou mon poursuivant avec les siens.

Dans ces échanges de position, on peut individualiser localement des directions privilégiées : par exemple le sens de la marche de notre colonne, même s'il n'implique pas qu'en réalité nous marchons, exclut pourtant qu'on puisse marcher dans le sens inverse. Pour nous deux, alors, le sens de la poursuite est un sens privilégié, et de fait le seul échange de position qui ne puisse pas se produire est celui qui se produirait entre nous deux, ou tout autre échange qui serait en contradiction avec notre poursuite. Ce qui montre bien qu'en ce monde d'apparente interchangeabilité, le rapport poursuivant-poursuivi continue d'être l'unique réalité à laquelle nous puissions nous accrocher.

Voici donc la question : si chaque voiture — le sens de la marche et le sens de la poursuite restant les mêmes — équivaut à toute autre voiture, les propriétés d'une quelconque voiture peuvent être attribuées à toutes les autres. Par conséquent rien n'exclut que cette colonne-ci soit tout entière formée de voitures poursuivies, c'est-à-dire que chacune de ces voitures soit en train de fuir, comme moi-même je le fais, la menace d'un pistolet pointé depuis l'une quelconque des voitures qui suivent. Et je ne peux pas même exclure que chaque voiture de la colonne soit en train de poursuivre une autre voiture avec des idées homicides, et voici que le centre de la ville se transforme en un champ de bataille ou en théâtre d'un carnage. Que cela soit vrai ou ne le soit pas, le comportement des voitures autour de moi n'en serait pas pour autant différent de ce qu'il est à l'heure actuelle, et par conséquent je suis autorisé à insister sur mon hypothèse, à suivre les positions respectives de deux voitures quelconques à différents moments en attribuant à l'une le rôle de la poursuivie et à l'autre celui de la poursuivante. Au reste, c'est un jeu qui peut être tout à fait utile si l'on veut tromper l'attente : il suffit d'interpréter comme des épisodes d'une hypothétique poursuite tout changement de position dans la colonne. Par exemple, à présent qu'une des voitu-

res-intervalles se met à clignoter à gauche parce
qu'elle a vu un emplacement libre dans le parking,
moi, au lieu de me préoccuper exclusivement de ma
distance qui va se réduire, je peux très bien penser
qu'il s'agit d'une manœuvre dans une autre poursuite, le geste d'un poursuivi ou d'un poursuivant
parmi tous ceux, innombrables, qui m'entourent, et
ainsi la situation que jusqu'à maintenant j'ai vécue
subjectivement, fixé à ma peur solitaire, s'en trouve
projetée au-dehors de moi-même, étendue au système général dont nous faisons tous partie.

Ce n'est pas la première fois qu'une voiture-
intervalle quitte sa place ; il semble que d'un côté le
parking et de l'autre la file de droite, légèrement
plus rapide, exercent une force attractive sur les
voitures derrière moi. Tandis que, pour ma part, je
continue de suivre le fil de mes déductions, l'espace
relatif qui m'entoure a subi divers changements à
un certain point, mon poursuivant est à son tour
passé à droite et, profitant d'une avancée de cette
file, a dépassé quelques voitures de la file du milieu ;
alors, je me suis mis à droite moi aussi ; il est revenu
dans la file du milieu, et moi aussi je m'y suis remis,
mais j'ai dû rétrograder d'une voiture tandis que
lui a avancé de trois. Toutes choses qui d'abord
m'auraient plongé dans une vive anxiété, alors que
maintenant elles m'intéressent surtout comme cas
particuliers du système général des poursuites dont
je suis en train de chercher à établir les propriétés.

À y bien penser, si toutes les voitures sont impliquées dans des poursuites, il faudrait que la propriété

poursuivante soit commutative, c'est-à-dire que quiconque poursuit soit à son tour poursuivi et que
quiconque est poursuivi poursuive. Ainsi serait réa-
lisée entre toutes les voitures une uniformité et symétrie des relations, où le seul élément difficile à
déterminer serait celui de l'intervalle poursuivi-pour-
suivant entre chaque chaîne particulière de poursuites. En fait, cet intervalle pourrait être au besoin de
vingt ou de quarante voitures, ou encore d'aucune,
comme — pour ce que j'en vois dans le rétroviseur
— il arrive en ce qui me concerne : en ce moment
précis, mon poursuivant a conquis la place qui vient
immédiatement après la mienne.

Je devrais par conséquent me considérer comme
battu et admettre que désormais il ne me reste plus
que quelques minutes à vivre : à moins que, développant mes hypothèses, je ne tombe sur quelque
solution salvatrice. Par exemple, supposons que la
voiture qui me suit ait derrière elle une chaîne de
voitures poursuivantes : exactement une seconde
avant que mon poursuivant ne tire, le poursuivant
de mon poursuivant pourrait le rejoindre et le tuer,
me sauvant la vie. Mais si deux secondes avant que
cela n'arrive, le poursuivant de mon poursuivant
était rejoint et tué par son poursuivant, mon poursuivant serait sauf et libre de me tuer. Un système
parfait de poursuites devrait être basé sur une simple concaténation de fonctions : chaque poursuivant a le devoir d'empêcher le poursuivant qui le
précède de tirer sur sa propre victime, et il n'a qu'un
moyen de le faire, c'est-à-dire de lui tirer dessus.

Tout le problème est alors de savoir auquel de ses anneaux la chaîne se brisera, parce qu'à partir du point où un poursuivant réussit à en tuer un autre, voilà que le poursuivant qui le suit n'ayant plus à empêcher cet homicide dans la mesure où il est déjà commis, renoncera à tirer, et le poursuivant qui vient derrière n'aura plus de raison de tirer dans la mesure où l'homicide qu'il devait empêcher n'aura plus lieu, et ainsi en descendant la chaîne il n'y aura plus ni poursuivis ni poursuivants.

Mais si j'admets l'existence d'une chaîne de poursuites derrière moi, il n'y a pas de raison pour que cette chaîne ne se prolonge pas à travers moi dans cette partie de la colonne qui me précède. Maintenant que le feu passe au vert et qu'il est probable que sur ce morceau de voie libre je réussisse à m'engager dans le croisement où mon sort se décidera, je me rends compte que l'élément décisif n'est pas derrière moi mais dans ma relation avec ce qui me précède. C'est-à-dire que la seule alternative qui compte est de savoir si ma condition de poursuivi est destinée à demeurer terminale et asymétrique (comme cela semble prouvé, du fait que dans mon rapport avec mon poursuivant je me retrouve quant à moi désarmé) ou si moi aussi je suis à mon tour un poursuivant. À mieux examiner les données de la question, une des hypothèses qui se présentent est la suivante : que j'aie été chargé de tuer une personne et de ne me servir d'une arme contre personne d'autre sous aucun motif : en ce cas, je ne serais armé qu'à l'égard de ma victime, et désarmé à celui de tous les autres.

Pour savoir si cette hypothèse correspond à la vérité, je n'ai qu'à allonger la main : si dans la boîte à gants de ma voiture il y a un pistolet, c'est le signe que je suis moi aussi un poursuivant. J'ai assez de temps pour accomplir cette vérification : je n'ai pas réussi à profiter du feu vert parce que la voiture qui me précède est restée bloquée par le flot diagonal et que maintenant le feu passe au rouge. Le flot perpendiculaire reprend ; la voiture qui me précède se trouve dans une mauvaise position ; ayant dépassé la ligne blanche ; le conducteur se tourne pour voir s'il peut faire marche arrière, il me voit, il a une expression de terreur. C'est l'ennemi auquel j'ai donné la chasse à travers toute la ville et que j'ai patiemment suivi dans cette queue très lente. J'appuie sur le changement de vitesse, ma main droite refermée sur la poignée du pistolet à silencieux. Dans le rétroviseur, je vois mon poursuivant qui est en train de me mettre en joue.

Le feu passe au vert, j'embraie en emballant le moteur, je braque à fond de la main gauche et dans le même temps je lève la droite et tire. L'homme que je suivais se plie en deux sur son volant. L'homme qui me suivait baisse son pistolet désormais inutile. J'ai déjà pris la rue transversale. Absolument rien n'a changé : la colonne bouge par petits déplacements discontinus, je suis quant à moi toujours prisonnier du système général des voitures en circulation, où l'on ne distingue pas les uns des autres, poursuivants et poursuivis.

Le conducteur nocturne

À peine sorti de la ville, je m'aperçois qu'il fait noir. J'allume les phares. Je vais, en voiture, de A. à B., par une route à trois voies, de celles où la voie du milieu sert pour les dépassements dans les deux sens. Pour conduire de nuit, même les yeux doivent comme suspendre un dispositif qu'ils ont au-dedans d'eux et en allumer un autre, parce qu'ils n'ont plus à se forcer pour distinguer, d'entre les ombres et les couleurs atténuées du paysage du soir, la petite tache au loin des autos qui viennent à votre rencontre ou qui vous précèdent ; ils doivent en revanche contrôler une espèce de tableau noir qui demande une lecture d'un ordre différent, plus précise mais simplifiée, étant donné que l'obscurité dissimule tous les détails du tableau qui pourraient vous distraire, mettant en évidence seulement les éléments indispensables, lignes blanches sur l'asphalte, lumières jaunes des phares et feux de position rouges. C'est un processus qui se déclenche automatiquement, et si ce soir je suis porté à y réfléchir, c'est parce que, maintenant que les possibilités de dis-

traction venues de l'extérieur diminuent, celles de
l'intérieur prennent en moi le dessus, mes pensées
circulent pour leur propre compte suivant un circuit d'alternatives et d'interrogations que je ne réussis pas à débrancher, en somme je dois faire un
effort tout particulier pour me concentrer sur la conduite.

J'ai pris ma voiture à l'improviste, après une dispute au téléphone avec Y. J'habite à A., Y. habite
à B. Je ne pensais pas aller la retrouver ce soir.
Mais pendant notre coup de téléphone quotidien,
nous nous sommes dit des choses très graves ; à la
fin, poussé par le ressentiment, j'ai dit à Y. que
j'avais l'intention de rompre notre relation ; Y. a
répondu que cela lui était égal, et qu'elle allait téléphoner à Z., mon rival. À ce moment, l'un de nous
— je ne me rappelle plus si c'est elle ou moi — a
coupé la communication. Il ne s'était pas passé une
minute que déjà je m'étais rendu compte que
l'occasion de notre dispute était peu de chose, com-
parée aux conséquences qu'elle provoquait. Rappeler Y. au téléphone aurait été une erreur ; la seule
façon d'arranger la chose était de faire un saut
jusqu'à B. et d'avoir avec Y. une explication de
vive voix. Me voici par conséquent sur cette autoroute, que j'ai faite des centaines de fois à toutes
les heures et dans toutes les saisons, mais qui ne
m'avait jamais paru aussi longue.

Pour mieux dire, il me semble que j'ai perdu le
sens de l'espace et du temps : les cônes de lumière
projetés par les phares engloutissent dans l'indis-

tinction le profil des lieux, les kilométrages sur les
panneaux, de même que les chiffres qui se mar-
quent au compteur sont des données qui ne me
disent rien, qui ne répondent pas à l'urgence de mes
interrogations sur ce qu'Y, en ce moment même est
en train de faire, sur ce qu'elle pense. Avait-elle
vraiment l'intention d'appeler Z. ou bien n'était-ce
qu'une menace en l'air, pour se venger ? Et si elle
parlait sérieusement, l'aura-t-elle fait tout de suite
après notre coup de téléphone, ou bien aura-t-elle
voulu y réfléchir un peu, laissant refroidir sa colère
avant de se décider ? Z. habite, tout comme moi, à
A. ; depuis des années il aime Y., sans succès ; si
elle lui a téléphoné pour l'inviter à venir la voir, il
se sera précipité en voiture à B., sans aucun doute ;
par conséquent, lui aussi est en train de rouler sur
cette route ; chaque voiture qui me double pourrait
être la sienne, et de même, chaque voiture que moi
je double. M'en assurer n'est pas facile : les voitures qui vont dans la même direction que moi sont
deux points rouges quand elles me précèdent et
deux yeux jaunes quand je les vois me suivre dans
mon rétroviseur. Au moment du dépassement, je
peux, tout au plus, distinguer quel type de voiture
c'est, et combien de personnes s'y trouvent, mais
les autos où le conducteur se trouve seul sont la
grande majorité, et quant au modèle il ne m'apparaît pas que la voiture de Z. soit spécialement reconnaissable.

Comme si cela ne suffisait pas, il se met à pleuvoir. Le champ visuel se réduit au demi-cercle de vitre

balayé par l'essuie-glace, tout le reste n'est plus qu'obscurité striée et opaque ; les informations qui me viennent du dehors ne sont plus que des lueurs jaunes et rouges déformées par un tourbillon de gouttes. Tout ce que je peux faire à propos de Z., c'est m'efforcer de le dépasser et lui interdire de me dépasser, quelle que soit sa voiture, mais je ne saurai jamais si elle y est et laquelle c'est. Pour moi, je sens toutes les voitures sans distinction qui vont vers B. comme des ennemies : chaque auto plus rapide que la mienne qui, impatiemment, me fait signe avec son clignotant dans mon rétroviseur pour me demander la voie libre, provoque en moi un élan de jalousie ; et chaque fois que devant moi je vois diminuer la distance qui me sépare des feux arrière d'un rival, c'est comme un sursaut triomphal qui me pousse dans la voie du milieu, pour arriver chez Y. avant lui.

Quelques minutes d'avance me suffiraient : en voyant avec quelle promptitude je suis accouru vers elle, Y. oubliera aussitôt les raisons de la dispute ; tout entre nous redeviendra comme avant ; en arrivant, Z. comprendra qu'il n'a été appelé que par une sorte de jeu entre nous deux ; il se sentira de trop. Même, peut-être que maintenant déjà Y. regrette tout ce qu'elle m'a dit, peut-être a-t-elle essayé de me rappeler au téléphone, ou peut-être qu'elle aussi a pensé comme moi que la meilleure chose à faire était de venir en personne, elle a pris le volant, voici qu'elle roule dans le sens contraire au mien, sur cette même route.

À présent j'ai cessé de prêter attention aux voitures qui vont dans la même direction que moi et je regarde celles qui viennent à ma rencontre et qui pour moi n'existent que par l'étoile double de leurs phares, qui se dilate jusqu'au moment où elle balaie l'obscurité de mon champ visuel pour ensuite disparaître d'un coup dans mon dos en traînant derrière elle une espèce de luminosité sous-marine. Y. a une voiture d'un modèle très commun ; comme la mienne, du reste. Chacune de ces apparitions lumineuses, ce pourrait être elle qui roule vers moi, à chacune je sens quelque chose qui me remue le sang, comme pour une intimité destinée à demeurer secrète, le message amoureux adressé exclusivement à moi se confond avec tous les autres messages qui courent tout au long de la route, et cependant je ne saurais désirer d'elle un autre message que celui-ci.

Je m'aperçois que, roulant vers Y., ce que je désire le plus n'est pas de trouver Y. au terme de mon voyage : je veux que Y. roule vers moi, voilà la réponse dont j'ai besoin, c'est-à-dire que j'ai besoin qu'elle sache que moi je roule vers elle mais dans le même temps j'ai besoin de savoir qu'elle roule vers moi. L'unique pensée qui me réconforte est également celle-là même qui me tourmente le plus : la pensée que si en ce moment Y. roule en direction de A., elle aussi, à chaque fois qu'elle verra les phares d'une auto en route vers B., se demandera si c'est moi qui roule vers elle, et elle désirera que ce soit moi, et ne pourra jamais en être sûre. Là, maintenant, deux voitures qui vont en sens opposé se sont trouvées pour une seconde flanc contre flanc, une vive lueur a illuminé les gouttes de pluie et le bruit des moteurs s'est fondu comme en un brusque souffle de vent : peut-être était-ce nous, ou si vous voulez il est certain que moi-même j'étais moi, si cela signifie quelque chose, et l'autre pouvait être elle, c'est-à-dire celle dont je voudrais que ce soit elle, son signe à elle où je veux la reconnaître, bien que ce soit précisément le signe même qui me la rend non reconnaissable. Rouler sur l'autoroute est la seule façon qui nous reste, à moi et à elle, pour exprimer ce que nous avons à nous dire, mais nous ne pouvons pas nous le communiquer ni non plus en recevoir communication, aussi long-temps que nous roulons.

Sans doute me suis-je mis au volant pour arriver chez elle le plus vite possible ; mais plus j'avance, plus je me rends compte que le moment de mon arrivée n'est pas la véritable fin de mon voyage. Nos retrouvailles, avec tous les détails inessentiels que comporte une scène de retrouvailles, le minutieux filet de sensations, de significations, de souvenirs qui se déploierait devant moi — la pièce avec le philodendron, la lampe en opaline, les boucles d'oreilles — et les choses que je dirais, certaines à coup sûr de travers, ou équivoques, et les choses qu'elle dirait à son tour de quelque manière probablement déplacées ou qui du moins parfois ne seraient pas celles à quoi je m'attendais, et tout le déroulement d'imprévisibles conséquences que chaque geste ou chaque mot comporte, mettraient autour des choses que nous avons à nous dire, ou mieux que nous voulons nous entendre dire, un nuage parasite tel que la communication déjà difficile au téléphone s'en trouverait encore plus dérangée, étranglée, ensevelie comme sous une avalanche de sable. C'est pour cela que plutôt que de continuer à parler, j'ai éprouvé le besoin de transformer les choses à dire en un cône de lumière lancé à cent quarante à l'heure, de me transformer moi-même en ce cône de lumière qui se déplace sur la route, parce qu'il est certain qu'un tel signal peut être reçu par elle et compris, sans se perdre dans l'équivoque désordre des vibrations secondaires, de la même façon que moi-même, pour recevoir et comprendre les choses qu'elle a à me dire, je voudrais qu'elles ne soient rien d'autre (même, je voudrais qu'*elle*, ne soit rien d'autre) que ce cône de lumière que je vois s'avancer sur la route à une vitesse de (je le dis comme ça, à vue d'œil) cent dix, cent vingt. Ce qui compte, c'est de communiquer l'indispensable en laissant tomber tout le superflu, c'est de nous réduire nous-mêmes à une communication essentielle, à un signal lumineux qui se déplace en une direction donnée, supprimant la complexité de nos personnes, situations et expressions faciales, les laissant dans cette boîte d'ombre que les phares emportent derrière eux et dissimulent. L'Y. que pour ma part j'aime en réalité est ce faisceau de rayons lumineux et mouvants, et tout le reste de son individu peut bien rester implicite ; et le moi qu'elle, de son côté, peut aimer, le moi qui a le pouvoir d'entrer dans ce circuit d'exaltation qu'est sa vie affective, c'est le clignotement de ce dépassement que, par amour pour elle et non sans risque, je suis en train de tenter, maintenant.

Et pourtant, avec Z. (car je n'ai pas du tout oublié Z.), le rapport juste avec lui, je ne peux l'établir que s'il est seulement pour moi un éclair ou éblouissement qui me suit, ou des feux de position que moi-même je poursuis : parce que, si je commence à prendre en considération sa personne, avec — disons — tout ce qui s'y trouve de pathétique mais en même temps d'incontestablement déplaisant, encore que — je dois l'admettre — explicable, avec toute son ennuyeuse histoire d'amour malheureux, et sa façon de se comporter toujours un peu équivoque... bon, on ne sait plus où on finira. Au contraire, tant que tout cela continue de cette façon-ci, ça va très bien : Z. qui essaie de me dépasser ou bien qui se laisse dépasser par moi (mais quant à moi je ne sais pas si c'est bien lui), Y. qui accélère en ma direction (mais je ne sais pas si c'est bien elle) repentie et amoureuse de nouveau, moi qui accours chez elle jaloux et anxieux (mais je ne peux pas le lui faire savoir, pas plus à elle qu'à n'importe qui).

Sans doute, si sur l'autoroute j'étais absolument seul, si je n'y voyais rouler d'autres voitures aussi bien dans un sens que dans l'autre, tout serait alors bien plus clair, j'aurais la certitude que ni d'une part Z. ne s'est mis en mouvement pour me sup-

planter, ni que, de l'autre, Y. ne s'y est mise pour se
réconcilier avec moi, faits que je pourrais consigner
soit à l'actif soit au passif de mon bilan, mais qui en
tout cas ne laisseraient pas de prise au doute. Et
pourtant, s'il m'était permis de substituer à mon
présent état d'incertitude une telle certitude négative, je me refuserais sans remords au change. La
condition idéale qui pourrait exclure toute espèce de
doute, ce serait que dans cet endroit du monde
n'existent que trois automobiles en tout : la mienne,
celle d'Y. et celle de Z. : en ce cas aucune voiture ne
pourrait aller dans le sens où je vais sinon celle de
Z., et la seule voiture en route dans le sens inverse,
ce serait certainement Y. Tout au contraire, parmi
les centaines de voitures que la nuit et la pluie rédui-
sent à d'anonymes lueurs, seul un observateur
immobile, et encore placé dans une position favorable, pourrait distinguer entre une voiture et une
autre et finalement reconnaître qui est dedans. Voilà
la contradiction où je me trouve : si je veux recevoir
un message, je devrais renoncer pour ma part à être
un message, mais le message que je voudrais recevoir d'Y. — à savoir qu'Y. elle-même s'est faite message — n'a de valeur que si moi-même à mon tour je
me suis fait message, et d'autre part le message que
je suis devenu n'a de sens que si Y. ne se contente
pas de le recevoir comme une quelconque réceptrice
de messages mais si elle est elle-même ce message
que j'attends de recevoir d'elle.

Désormais, arriver à B., monter à l'appartement
d'Y., voir qu'elle est restée là avec son mal de crâne

à ruminer les raisons de la dispute, ne me donnerait plus aucune satisfaction ; si, d'autre part, Z. survenait lui aussi, il en résulterait une scène de vaudeville, détestable ; et si en revanche j'en arrivais à apprendre que Z. s'est bien gardé de venir ou encore qu'Y. n'a pas mis à exécution sa menace de lui téléphoner, j'aurais le sentiment quant à moi d'avoir joué le rôle du crétin. D'un côté, si j'étais pour ma part resté à A., et qu'Y. y fût venue me demander pardon, je me serais trouvé dans une situation gênante : j'aurais vu Y. avec d'autres yeux, comme une faible femme, se raccrochant à moi, quelque chose entre nous aurait changé. Je ne suis plus en mesure d'admettre d'autre situation que cette transformation de nous-mêmes en messages de nous-mêmes. Et Z ? Z. lui-même ne doit pas échapper à notre sort, il doit lui aussi se transformer en message de lui-même, attention, si moi je roule vers Y., jaloux de Z., et si Y. roule vers moi, repentante, afin de fuir Z., tandis que de son côté Z. n'a pas eu l'idée de sortir de chez lui...

À mi-chemin de l'autoroute, il y a une station-service. Je m'arrête, je cours au bar, je prends une poignée de jetons, je forme l'indicatif de B., le numéro d'Y. Pas de réponse. Avec joie je reprends le paquet de jetons : il est clair qu'Y. n'a pas tenu d'impatience, qu'elle a pris sa voiture, qu'elle roule vers A. Me revoici maintenant sur la route mais dans l'autre sens, je roule vers A., moi aussi. Toutes les voitures que je dépasse, ce pourrait être Y., ou encore toutes les voitures qui me doublent. Sur l'autre voie, toutes les voitures qui vont dans le sens opposé, ce pourrait être Z., avec ses illusions. Ou encore : Y. elle aussi s'est arrêtée à une station-service, elle a téléphoné chez moi à A. ; ne m'y trouvant pas, elle a compris que j'arrivais à B., elle a repris en sens contraire. Nous roulons maintenant dans des directions opposées, nous éloignant l'un de l'autre, et la voiture que je double ou bien qui me double c'est celle de Z. qui lui aussi à mi-chemin a essayé de téléphoner à Y…

Tout est encore plus incertain, mais je vois bien qu'à présent j'ai atteint un état de calme intérieur : aussi longtemps que nous pourrons contrôler nos numéros de téléphone et qu'il n'y aura personne pour répondre, nous continuerons tous trois à rouler dans un sens et dans l'autre le long de ces lignes blanches, sans points de départ ni d'arrivée qui chargeraient de sensations et significations l'univocité de notre voyage, nous sommes finalement délivrés de l'encombrante épaisseur de nos personnes, voix, états d'âme, réduits finalement à des signaux lumineux, seule façon d'être appropriée pour qui veut s'identifier à ce qu'il dit en évitant le bruissement déformant que notre présence propre ou celle d'autrui ajoute à ce que nous disons.

Le prix à payer sans doute est élevé mais nous devons l'accepter : ne pas pouvoir nous distinguer des si nombreux signaux qui passent par cette route, chacun avec un sens qui demeure caché et indéchiffrable, parce que, hors d'ici, il n'y a plus personne qui soit capable de nous recevoir ni de nous entendre.

Le comte de Monte-Cristo

1.

De ma cellule, je ne peux pas dire grand-chose sur la façon dont est fait ce château d'If où, depuis tant d'années, je me trouve emprisonné. La petite fenêtre grillagée est au fond d'un boyau qui s'enfonce dans l'épaisseur du mur : elle n'encadre aucune vue ; d'après l'intensité plus ou moins forte de la lumière, je reconnais à peu près les heures et les saisons ; mais je ne sais pas si au-dessous c'est la mer ou si ce sont les glacis ou si c'est une des cours intérieures de la forteresse. Le boyau se rétrécit, en forme de trémie ; pour aller voir, il me faudrait ramper jusque tout au fond ; j'ai essayé, c'est impossible même pour un homme réduit à l'état de larve, comme je suis. L'ouverture peut-être est plus loin qu'elle n'en a l'air : l'estimation des distances est brouillée par la perspective en entonnoir et le contraste de la lumière.

Les murs sont tellement épais qu'ils pourraient contenir d'autres cellules, des escaliers, des corps

de garde et des saintes-barbes ; ou encore, la forteresse pourrait toute n'être qu'un mur, un solide
compact et plein, avec un homme vivant enterré au
beau milieu. Les images que se fait quelqu'un qui y
est enfermé se suivent et ne s'excluent pas l'une
l'autre : la cellule, la meurtrière, les couloirs le long
desquels le geôlier vient deux fois par jour avec le
pain et la soupe pourraient n'être rien d'autre que
de minuscules pores dans une roche de consistance
spongieuse.

La mer, on l'entend battre, spécialement les nuits
de tempête : quelquefois on dirait presque que les
vagues se brisent ici même sur le mur contre lequel
j'approche mon oreille ; quelquefois on dirait qu'elles
creusent par en dessous, sous les roches des sou-
bassements, et que ma cellule est tout en haut de la
plus haute tour, et le grondement monte à travers
la prison, prisonnier lui aussi, comme dans le conduit d'un coquillage.

Je tends l'oreille : les sons autour de moi décri-
vent des formes et des espaces variables et effran-
gés. D'après les piétinements des geôliers, j'essaie
d'établir le réseau des couloirs, les angles, les endroits
plus larges, les lignes droites interrompues par
l'effleurement du fond de la marmite au seuil de
chaque cellule et par le grincement des verrous :
j'arrive seulement à fixer une succession de points
dans le temps, sans répondants dans l'espace. De nuit
les sons se font plus distincts, mais peu sûrs pour
ce qui est de marquer les lieux et les distances :

quelque part un rat ronge quelque chose, un malade geint, une sirène annonce l'entrée d'un bateau dans la rade de Marseille, et la pelle de l'abbé Faria n'arrête pas de creuser son chemin à travers ces pierres.

Je ne sais combien de fois l'abbé Faria a tenté l'évasion : chaque fois il a travaillé pendant des mois, faisant levier sous les dalles de pierre, émiettant les joints de ciment, perçant la roche à l'aide de poinçons rudimentaires ; mais juste au moment où le dernier coup de pioche aurait dû lui ouvrir le passage vers les écueils, il s'aperçoit qu'il est arrivé dans une cellule encore plus retirée que celle dont il était parti. Il suffit d'une petite erreur dans les calculs, d'un écart léger quant à la pente de la galerie, et il s'enfonce dans les viscères de la forteresse sans plus de chance de retrouver sa route. À chaque échec d'une de ses entreprises, il se remet à corriger les dessins et formules dont il a recouvert les murs de sa cellule ; il met de nouveau au point son arsenal d'instruments de fortune ; et il recommence à gratter.

2.

Moi aussi j'ai pensé à la manière de s'évader, et j'y pense toujours beaucoup ; j'ai même fait tellement de suppositions sur la topographie de la forteresse, sur le chemin le plus court et le plus sûr pour parvenir au bastion extérieur et de là plonger dans la mer, que je ne sais plus distinguer entre mes conjectures et les faits fondés sur l'expérience. Travaillant sur des hypothèses, je réussis parfois à me construire une image de la forteresse tellement convaincante et minutieuse que je peux par la pensée m'y déplacer tout à mon aise ; tandis que les éléments que je tire de ce que je vois et entends sont désordonnés, incomplets et toujours plus contradictoires.

Dans les premiers temps de mon emprisonnement, quand des actes de rébellion désespérée ne m'avaient pas encore conduit à pourrir isolé dans cette cellule, les corvées de la vie de prison m'avaient amené à monter et descendre escaliers et bastions, à suivre les couloirs et passer les poternes du château d'If, mais de toutes les images conservées dans ma mémoire, qu'à présent je décompose et recompose toujours dans mes conjectures, pas une ne colle avec une autre, aucune ne m'est utile pour m'expliquer quelle est la forme de la forteresse et en quel point je me trouve. Trop de pensées alors m'emportaient — comment moi, Edmond Dantès, pauvre marin mais honnête, j'avais bien pu être pris au piège de la justice et perdre tout d'un coup la liberté — pour que mon attention ait pu s'exercer sur la disposition des lieux.

Le golfe de Marseille et ses petites îles me sont familiers depuis l'enfance ; et tous les embarquements de ma courte vie de marin, tous les départs et toutes les arrivées ont eu ce paysage pour décor ; mais le regard des navigateurs, chaque fois qu'il rencontre le sombre rocher d'If, le fuit aussitôt par un réflexe de peur. Aussi, quand ils m'amenèrent ici enchaîné dans une barque de la gendarmerie, et qu'à l'horizon se profilèrent cette roche et ces murs, je compris ce qui m'attendait et je baissai la tête. Je ne vis pas — ou je l'ai oublié — à quel môle la barque accosta, quelles marches ils me firent monter, quelle porte se referma sur moi.

Maintenant que, après des années, j'ai cessé de m'emporter contre la chaîne d'infamies et de fatalités qui a provoqué ma détention, j'ai compris une chose : que la seule façon d'échapper à la condition de prisonnier, c'est de comprendre comment est faite la prison.

Si je n'éprouve pas le désir d'imiter Faria, c'est parce qu'il me suffit de savoir que quelqu'un est en train de chercher une issue pour me convaincre de ce qu'une telle issue existe ; ou du moins, qu'on peut poser le problème de la chercher. Ainsi, le bruit de Faria qui creuse est devenu un complément nécessaire à la concentration de mes pensées. Je sens que Faria n'est pas seulement quelqu'un qui tente sa propre évasion, mais qu'il est aussi une part de mon projet ; et non pas parce que j'espère en une voie de salut ouverte par lui — il a désormais échoué tant de fois que j'ai perdu toute confiance en son intuition —, mais parce que les seules informations dont je dispose sur l'endroit où je me trouve me sont données par la succession de ses erreurs.

3.

Les murs et les voûtes sont percés dans tous les
sens par la pioche de l'abbé, mais ses itinéraires
ne cessent de s'enrouler sur eux-mêmes comme une
pelote, et ma cellule d'être traversée par lui suivant
toujours un nouveau tracé. Avec le temps le sens
de l'orientation s'est perdu : Faria ne reconnaît
plus les quatre points cardinaux ni même le zénith
et le nadir. Parfois je l'entends gratter le plafond ;
il tombe une pluie de plâtras ; une brèche s'ouvre ;
il en sort la tête de Faria, à l'envers. À l'envers,
pour moi, mais pas pour lui ; il rampe jusqu'au-
dehors de sa galerie, il progresse la tête en bas sans
que rien s'en trouve dérangé dans sa personne : ni
ses cheveux blancs, ni sa barbe verdie par les moisissures, ni les lambeaux de toile de sac qui recou-
vrent ses reins amaigris. Comme une mouche, il
parcourt le plafond et les murs ; il s'arrête, il plante
sa pioche ici ou là, il s'ouvre un trou ; il disparaît.

Quelquefois il vient à peine de disparaître à travers un mur qu'il réapparaît par le mur d'en face :
il n'a pas encore retiré de là son pied que déjà il se
présente, ici, avec sa barbe. Il revient plus fatigué,
squelettique, vieilli, comme s'il s'était passé des
années depuis la dernière fois que je l'ai vu.

Quelquefois au contraire, à peine s'est-il glissé dans
la galerie que je l'entends aspirer comme quelqu'un
qui se prépare à éternuer bruyamment : il fait froid
et humide, dans les méandres de la forteresse ; mais

l'éternuement n'arrive pas. Moi, j'attends : j'attends une semaine, un mois, une année ; Faria ne revient plus ; je me persuade qu'il est mort. Tout d'un coup le mur en face tremble comme dans un tremblement de terre ; à travers l'éboulis Faria se présente, sur la fin de son éternuement.

Nous échangeons entre nous toujours moins de mots ; ou encore nous reprenons des conversations que je ne me rappelle pas avoir jamais commencées. J'ai compris que Faria a du mal à distinguer une cellule de l'autre, avec le grand nombre de cellules qu'il traverse au cours de ses expéditions manquées. Chaque cellule contient une paillasse, un broc, un seau en bois, un homme debout qui regarde le ciel par une étroite meurtrière. Quand Faria sort de sous terre, le prisonnier se retourne : il a toujours le même visage, la même voix, les mêmes pensées. Son nom est toujours le même : Edmond Dantès. La forteresse ne connaît pas d'endroits privilégiés : elle répète dans l'espace et le temps toujours la même combinaison de figures.

4.

Toutes mes hypothèses de fuite, je cherche à les imaginer avec Faria comme protagoniste. Non que je tende à m'identifier à lui : Faria est un personnage nécessaire afin que je puisse me représenter à l'esprit l'évasion sous un jour objectif, comme je ne le pourrais pas si je la vivais moi-même : je veux dire, si j'y rêvais à la première personne. À présent, je ne sais plus si celui que j'entends creuser comme une taupe est le Faria véritable ouvrant des brèches dans les murs de la vraie forteresse d'If, ou bien s'il n'est pas l'hypothèse d'un Faria aux prises avec une hypothétique forteresse. Quoi qu'il en soit, cela revient au même : c'est la forteresse qui gagne. C'est comme si, dans les parties entre Faria et la forteresse, je poussais l'impartialité jusqu'à être pour la forteresse contre lui... non, maintenant j'exagère : la partie ne se joue pas seulement dans ma tête, mais entre deux partenaires réels, indépendamment de moi ; tout mon effort tend à la voir avec détachement, à me la représenter sans angoisse.

Si je parviens à observer la forteresse et l'abbé d'un point de vue parfaitement équidistant, je parviendrai à discerner non seulement les fautes particulières que Faria commet de temps à autre, mais encore l'erreur de méthode où il s'enfonce toujours et que quant à moi, par un enregistrement correct de ces choses, je saurai éviter.

Faria procède comme suit : il rencontre une difficulté, il cherche une solution, il essaie sa solution, il bute contre une nouvelle difficulté, il projette une nouvelle solution, et ainsi de suite. Pour lui, une fois éliminées toutes les erreurs possibles et les imprévus, l'évasion ne peut pas ne pas réussir : tout tient dans le projet et l'exécution d'une évasion parfaite.

Moi, je pars du présupposé contraire : il existe

une forteresse parfaite, dont on ne peut s'évader ;
et il n'y a d'évasion possible que si dans le projet
ou la construction même de la forteresse on a commis une erreur ou oublié quelque chose. Tandis que
Faria persiste à démonter la forteresse en y cherchant ses points faibles, je persiste à la remonter en
conjecturant des obstacles toujours plus insurmon-
tables.

Les images que Faria et moi nous faisons de la
forteresse deviennent toujours de plus en plus dis-
semblables : parti d'une figure simple, Faria la complique à l'extrême afin d'y inclure chacun des détails
imprévus qu'il rencontre sur son chemin ; moi, partant du désordre de ces données, je vois en chaque
obstacle pris à part l'indice d'un système d'obstacles,
je développe chaque segment selon une figure régulière, je mets ensemble ces figures en qualité de faces
d'un même solide, polyèdre ou hyper-polyèdre, j'ins-
cris ces polyèdres dans des sphères ou des hyper-sphè-
res, et ainsi plus je ferme la forme de la forteresse,
plus je la simplifie, en donnant une définition sous
l'espèce d'un rapport numérique ou encore dans une
formule algébrique.

Mais pour penser de cette façon une forteresse,
j'ai besoin que l'abbé Faria ne cesse pas de se battre avec les éboulements de terre, boulons en acier,
écoulements d'égouts, guérites de sentinelles, sauts
dans le vide, angles rentrants des murs de fondation,
parce que la seule façon de renforcer la forteresse
pensée est de mettre continuellement à l'épreuve celle
qui est la véritable.

5.

Donc : chaque cellule semble n'être séparée de
l'extérieur que par l'épaisseur d'une muraille, mais
Faria en creusant montre qu'entre celle-ci et celle-là il
y a toujours une autre cellule, et entre cette dernière
et l'extérieur une autre encore. L'image que j'en retire
est la suivante : une forteresse qui tout autour de
nous grandit, et plus longtemps nous y demeurons
enfermés plus elle nous éloigne du dehors. L'abbé
creuse, creuse, mais les murs augmentent en épaisseur,
les bretèches et les barbacanes se multiplient. Peut-
être bien que s'il parvient à progresser plus vite que la
forteresse ne s'étend, Faria à un certain moment se
retrouvera dehors sans même s'en apercevoir. Il faudrait inverser le rapport entre les vitesses, de telle sorte
que, se contractant sur elle-même, la forteresse expulse
l'abbé à la façon d'un boulet de canon.

Mais si la forteresse grandit au rythme même du
temps, pour fuir il faut aller encore plus vite, et
remonter le temps. Le moment où je me retrouverais dehors serait celui-là même où je suis entré ici :
je débouche pour finir sur la mer ; et qu'est-ce que
je vois ? une barque pleine de gendarmes, prête à
toucher If ; au milieu, il y a Edmond Dantès couvert de chaînes.

Voici que j'ai recommencé à m'imaginer moi-
même, comme protagoniste de l'évasion, et tout de

suite j'ai mis en jeu non seulement mon avenir mais mon passé, mes souvenirs. Tout ce qu'il y a d'obscur dans le rapport entre un prisonnier innocent et sa prison continue à mettre de l'ombre sur mes images et mes décisions. Si la prison est entourée par *mon* dehors, ce dehors me ramènera au-dedans chaque fois que je réussirai à l'atteindre : le dehors n'est rien d'autre que le passé, il est inutile d'essayer de fuir.

Je dois penser la prison comme un endroit qui est seulement à l'intérieur de soi, sans dehors — c'est-à-dire renoncer à en sortir —, ou bien je dois la penser non pas comme *ma* prison mais comme un endroit sans lien avec moi aussi bien pour ce qui est de l'intérieur que de l'extérieur, c'est-à-dire étudier un itinéraire du dedans au dehors qui ne tienne pas compte de la valeur que « dedans » et « dehors » ont acquise dans mes émotions ; qui vaille même au cas où à la place de « dehors » je dis « dedans » et vice versa.

6.

Si dehors il y a le passé, peut-être que le futur se concentre au point le plus intérieur de l'île d'If, c'est-à-dire que la voie vers la sortie est une voie qui conduit vers l'intérieur. Dans les graffiti dont l'abbé Faria recouvre les murs, alternent deux cartes aux contours très découpés, constellées de flèches et de repères : l'une devrait être le plan d'If, l'autre celui d'une île de l'archipel toscan où est enfoui un trésor : Monte-Cristo.

C'est précisément afin de chercher ce trésor que l'abbé Faria veut s'évader. Pour réussir dans son projet, il doit tracer une ligne qui sur la carte d'If le conduise de l'intérieur vers l'extérieur, et sur la carte de l'île de Monte-Cristo de l'extérieur jusqu'à ce point plus intérieur que tout autre point qui est la grotte au trésor. Entre une île dont on ne peut sortir et une île où l'on ne peut entrer, il doit y avoir une relation : c'est pourquoi dans les hiéroglyphes de Faria les deux cartes se superposent jusqu'à se confondre.

Mais il est difficile à présent de savoir si maintenant Faria creuse pour à la fin plonger dans la mer ou bien pour pénétrer dans la grotte emplie d'or. Dans un cas comme dans l'autre, à bien y regarder, il tend au même point d'arrivée : le lieu de la multiplicité des choses possibles. Parfois moi-même je me représente cette multiplicité comme concentrée en une resplendissante caverne souterraine, parfois je la vois comme une explosion irradiante. Le trésor de Monte-Cristo et la fuite d'If sont deux phases d'un même processus, peut-être successives, peut-être périodiques comme dans une pulsation.

La recherche du centre d'If-Monte-Cristo ne conduit pas à de meilleurs résultats que la progression vers son inaccessible circonférence : en quelque point que je me trouve l'hyper-sphère se dilate tout autour de moi dans toutes les directions ; le centre est partout où je suis ; aller plus loin, cela signifie descendre en moi-même. Tu creuses, tu creuses, et tu ne fais jamais que suivre à nouveau le même chemin.

7.

Une fois entré en possession du trésor, Faria
compte libérer l'Empereur de l'île d'Elbe, lui donner les moyens nécessaires pour qu'il se remette à
la tête de son armée... Le plan de la fuite-et-
recherche dans l'île d'If-Monte-Cristo n'est donc
pas complet si l'on n'y inclut la recherche-et-fuite
de Napoléon de l'île où il est confiné. Faria creuse ;
une fois encore il pénètre dans la cellule d'Edmond
Dantès ; il voit le prisonnier de dos qui comme
d'habitude regarde le ciel par la meurtrière ; au
bruit de la pioche le prisonnier se retourne : et c'est
Napoléon Bonaparte. Faria et Dantès-Napoléon
creusent ensemble une galerie dans la forteresse. La
carte d'If-Monte-Cristo-Elbe est dessinée de telle
sorte qu'en la faisant pivoter de tant de degrés, on
obtient la carte de Sainte-Hélène : la fuite se renverse en un exil sans retour.

Les raisons obscures pour lesquelles aussi bien
Faria qu'Edmond Dantès se sont trouvés empri-
sonnés ont, par des chemins divers, quelque chose
à voir avec les hauts et les bas de la cause bonapar-
tiste. Cette hypothétique figure géométrique qui a
nom If-Monte-Cristo coïncide en tous ses points
avec une autre figure qui a nom Elbe-Sainte-Hélène.
Il y a des points du passé et du futur où l'histoire
napoléonienne intervient dans notre propre histoire de pauvres forçats, et d'autres points où moi-

même et Faria pourrons ou avons pu influer sur
une éventuelle revanche de l'Empereur.

Ces intersections rendent plus compliqué encore
le calcul des prévisions ; il y a des points où la ligne
que suit l'un ou l'autre de nous bifurque, se ramifie,
s'ouvre en éventail ; chaque ramification peut rencontrer d'autres ramifications, parties quant à elles
d'autres lignes. Faria passe sur un tracé anguleux
en creusant ; et à quelques secondes près, il rate les
fourgons et les canons de l'Armée impériale dans
sa reconquête de la France.

Nous avançons dans le noir ; seul un retour sur
soi de nos itinéraires nous avertit que quelque chose
a changé dans les itinéraires des autres. Soit Waterloo le point où le parcours de l'armée de Wellington
pourrait croiser le parcours de Napoléon ; si les
deux lignes se rencontrent, les segments se trouvant
au-delà de ce point sont éliminés ; sur la carte où
Faria creuse son tunnel, la projection de l'angle en
Waterloo l'oblige à revenir sur ses pas.

8.

Les intersections entre les diverses lignes hypothétiques définissent une série de plans qui se disposent
comme les pages d'un manuscrit sur le bureau d'un
romancier. Appelons Alexandre Dumas l'écrivain
qui doit fournir au plus vite à son éditeur un roman
en douze volumes intitulé *Le Comte de Monte-Cristo*.
Son travail se fait de la façon suivante : deux nègres
(Auguste Maquet et P. A. Fiorentino) développent,

l'une après l'autre, les diverses alternatives qui se posent à chaque moment, et ils fournissent à Dumas la trame de toutes les variantes possibles d'un hyper-roman démesuré ; Dumas choisit, écarte, retaille, recolle, mélange ; si une solution a sa préférence pour des raisons solides mais exclut un épisode qu'il lui serait commode d'insérer, il s'efforce de mettre ensemble des morceaux de différentes provenances, il les rassemble par un lien approximatif, il s'ingénie à établir une continuité apparente entre des segments de futur qui divergent. Le résultat final sera le roman *Le Comte de Monte-Cristo* à envoyer à l'imprimeur.

Les diagrammes que moi-même et Faria nous traçons sur les murs de la prison s'apparentent à ceux que Dumas griffonne dans ses dossiers pour fixer l'ordre des variantes a priori retenues. Un paquet de feuillets peut dès à présent être imprimé : il contient le Marseille de ma jeunesse ; parcourant les lignes d'écriture serrée, je peux me prélasser sur les quais du port, remonter la Canebière dans le soleil du matin, aller jusqu'au village des Catalans perché sur la colline, revoir Mercedes... Un autre paquet de feuillets attend les ultimes retouches : Dumas en est encore à mettre au point les chapitres sur l'empri-sonnement au château d'If ; Faria et moi-même nous débattons là-dedans, tout barbouillés d'encre, parmi les corrections emmêlées... Sur les bords du secré-taire s'entassent les propositions pour la suite de l'histoire, que les deux nègres compilent méthodi-quement. Dans l'une, Dantès s'enfuit de sa prison, trouve le trésor de Faria, se transforme en comte de

Monte-Cristo au sombre visage impénétrable, consacre son implacable volonté et ses richesses infinies à sa vengeance ; et le machiavélique Villefort, l'avide Danglars, le louche Caderousse paient pour leurs scélératesses ; de la même façon tout à fait qu'entre ces murs je l'avais prévu dans mes élans rageurs d'imagination, dans mes obsessions de revanche.

À côté de celle-ci, d'autres ébauches du futur sont disposées sur la table. Faria ouvre une brèche dans le mur, pénètre dans le bureau d'Alexandre Dumas, jette un coup d'œil impartial et dépourvu de passion sur toute l'étendue des passés, présents et futurs — comme moi-même je ne pourrais le faire, moi qui avec attendrissement tenterais de me reconnaître dans le jeune Dantès, avec commisération dans le Dantès forçat, avec la folie des grandeurs dans le comte de Monte-Cristo quand il fait sa solennelle entrée dans les salons les plus fermés de Paris ; moi qui avec effarement retrouverais à la place de tous ceux-là autant d'étrangers —, il prend ici une feuille, là une autre, comme un singe il remue de longs bras pileux, il cherche le chapitre de l'évasion, la page sans laquelle toutes les suites possibles du roman au-dehors de la forteresse deviennent impossibles. La forteresse concentrique If-Monte-Cristo-bureau de Dumas nous contient, nous, prisonniers, et le trésor, et l'hyper-roman *Monte-Cristo* avec ses variantes et combinaisons de variantes, de l'ordre de milliards de milliards, et cependant en quantité finie. Pour Faria, une page lui tient à cœur entre toutes, et il ne désespère pas de la trouver ; quant à moi ce qui m'intéresse c'est de voir grossir l'accumulation des feuillets mis de côté, des solutions dont il n'y a pas à tenir compte, qui déjà forment toute une série de piles, un mur...

En disposant l'une après l'autre toutes les suites qui permettent d'allonger l'histoire, qu'elles soient probables ou improbables, on obtient la ligne en zigzag du *Monte-Cristo* de Dumas ; tandis qu'en rattachant les circonstances qui empêchent l'histoire de continuer, se dessine la spirale d'un roman en négatif, d'un *Monte-Cristo* affecté du signe moins. Une spirale peut tourner sur elle-même soit vers le dedans soit vers le dehors : si elle s'enroule à l'intérieur d'elle-même, l'histoire se clôt sans aucun prolongement possible ; si elle se déroule selon des spires de plus en plus grandes, elle peut à chaque tour inclure un segment du *Monte-Cristo* affecté du signe plus, pour à la fin coïncider avec le roman que Dumas donnera à l'imprimeur, ou à la limite pour le dépasser quant à la richesse des occasions fructueuses. La différence décisive entre les deux livres — permettant de désigner l'un comme vrai l'autre comme faux, même s'ils sont identiques — résidera tout entière dans la méthode. Pour projeter un livre — ou une évasion —, la première chose est de savoir exclure.

9.

Ainsi nous continuons à faire nos comptes avec la forteresse, Faria en cherchant les points faibles de la muraille et en y rencontrant de nouvelles résistances, moi-même en réfléchissant sur ses tentatives manquées afin de conjecturer de nouveaux tracés de murailles à ajouter au plan de ma forteresse-conjecture.

Si par la pensée je réussis à construire une forteresse d'où il est impossible de fuir, cette forteresse pensée sera ou bien semblable à la véritable — et en ce cas il est sûr que nous ne nous enfuirons jamais d'ici ; mais du moins aurai-je trouvé la tranquillité de qui sait qu'il se trouve là où il est parce qu'il ne peut être ailleurs —, ou bien ce sera une forteresse d'où la fuite sera plus impossible encore que d'ici — et alors ce sera le signe qu'ici une chance de fuir existe : il suffira de déterminer le point où la forteresse pensée ne coïncide pas avec la véritable, pour la trouver.

AUTRES HISTOIRES COSMICOMIQUES

*Traduction de l'italien
par Jean-Paul Manganaro*

La Lune comme un champignon

Selon sir George Darwin, la Lune se serait détachée de la Terre sous l'effet d'une marée solaire. L'attraction du Soleil agit sur le revêtement de la roche la plus légère (granit) comme sur un fluide, en soulevant une partie de celle-ci et en l'arrachant à notre planète. Les eaux qui recouvraient alors entièrement la Terre furent en grande partie englouties par le gouffre que la fuite de la Lune avait creusé (c'est-à-dire l'océan Pacifique), laissant à découvert le granit restant, qui se fragmenta et se plissa en continents. Sans la Lune, l'évolution de la vie sur la Terre, si jamais elle avait pu avoir lieu, eût été très différente.

Oui, oui, maintenant que vous m'en parlez, ça me revient à l'esprit ! — s'exclama le vieux Qfwfq. Bien sûr ! La Lune a commencé à croître comme un champignon, sous l'eau : je passais en bateau juste à cet endroit et, tout à coup, je me suis senti pousser par en dessous.

— Malheur ! Un banc de sable ! ai-je crié.

Mais nous étions déjà soulevés au sommet d'une sorte de protubérance blanche, moi et le bateau, avec ma ligne qui pendait au sec, l'hameçon en l'air.

C'est facile à raconter, maintenant, mais j'aurais voulu vous y voir alors, quand il fallait prévoir ces phénomènes ! Bien sûr, à cette époque aussi il y en avait certains qui mettaient en garde contre les dangers que réservait l'avenir ; et on peut dire maintenant qu'ils avaient compris beaucoup de choses, non par rapport à la Lune — non, ça ce fut une surprise pour tout le monde —, mais au sujet des terres qui allaient émerger. L'inspecteur Oo, de l'Observatoire des hautes et basses marées, fit plusieurs conférences sur cette question, mais personne ne voulut le croire. Heureusement, parce qu'il a commis ensuite une grave erreur de calcul qu'il a payée de sa personne.

À cette époque la surface du globe était entièrement recouverte par les eaux, il n'y avait pas de terres qui émergeaient. Tout était plat dans le monde et sans relief, la mer n'était qu'une gentille flaque d'eau douce, et nous, sur des canots, nous allions à la pêche aux soles.

L'inspecteur Oo, à partir des calculs de l'Observatoire, avait acquis la conviction que de gros changements allaient arriver sur la Terre. Sa théorie était que le globe se diviserait bientôt en deux zones : l'une continentale, l'autre océanique. Sur la zone continentale des montagnes et des cours d'eau se formeraient et une végétation luxuriante croîtrait ; ceux parmi nous qui se trouveraient sur le continent verraient s'ouvrir des possibilités infinies de richesse, tandis qu'en même temps les océans deviendraient inhabitables pour tous, exception faite de leur faune particulière, et que nos fragiles embarcations seraient renversées par d'énormes tempêtes.

Mais qui pouvait prendre au sérieux ces prophéties apocalyptiques ? Toute notre vie se déroulait sur cette mince couche d'eau, et nous ne pouvions pas en imaginer une autre. Chacun naviguait sur son petit bateau, moi qui accomplissais mon travail patient de pêcheur, le pirate Bm Bn qui tendait des embuscades aux gardiens de canards derrière les buissons de roseaux, la svelte jeune fille Flw qui voguait dans sa périssoire. Qui parmi nous aurait pu imaginer qu'une vague s'élèverait de cette étendue lisse comme un miroir, qui ne serait pas composée d'eau, mais une vague dure de granit, et qu'elle nous entraînerait avec elle ?

Mais présentons les choses dans l'ordre. C'est moi qui fus le premier à me retrouver là-haut, au sommet, moi, resté tout à coup avec mon bateau à sec. J'entendais les cris de mes compagnons monter de la mer ; ils étaient en train de se donner le mot, ils me montraient du doigt, se moquaient de moi, et leurs paroles semblaient m'arriver d'un autre monde :

— Qfwfq est là, ah ah !

La bosse sur laquelle j'étais resté hissé n'arrêtait pas de bouger : elle courait sur la mer en roulant comme une bille ; non, je me suis mal expliqué, c'était une vague souterraine qui, aux endroits où elle courait, soulevait le tapis de roche et le laissait ensuite redescendre là où il était auparavant. Et le plus beau c'était que moi, soutenu et poussé par cette marée solide, au lieu de retomber dans l'eau dès qu'elle se déplaçait, je restais en équilibre là-haut, avançant avec son avancée, et je voyais toujours, autour de moi, de nouveaux poissons rester à sec et se débattre en agonisant sur le sol dur et blanchâtre qui émergeait au fur et à mesure.

À quoi pensai-je ? Certainement pas aux théories de l'inspecteur Oo (j'avais à peine entendu parler de lui), mais seulement aux possibilités nouvelles de pêche qui s'étaient ouvertes à moi de façon inattendue : il suffisait que je tende les mains, et mon bateau était plein de soles. Des autres embarcations, les cris d'étonnement et de moquerie se transformèrent en imprécations, en menaces. Les pêcheurs me traitaient de voleur, de pirate : entre nous prévalait la règle que chacun devait pêcher dans la zone qui lui avait été assignée ; le franchissement des limites de ladite zone était considéré comme un délit. Mais, à présent, qui pouvait arrêter ce haut-fond qui avançait tout seul ? Ce n'était pas ma faute si mon bateau se remplissait alors que les leurs restaient vides.

Voici donc la scène : la bulle de granit qui parcourait l'étendue des eaux en se dilatant, entourée d'un nuage de soles frétillantes ; moi qui saisissais les poissons au vol ; derrière moi, la poursuite des bateaux de mes compagnons jaloux qui tentaient de prendre d'assaut mon fortin ; puis l'écart entre nous, de plus en plus grand, qu'aucun des nouveaux groupes de poursuivants ne parvenait à combler ; et le crépuscule qui descendait sur eux, et l'obscurité de la nuit qui finissait par les engloutir, tandis que, là où j'étais, le Soleil ne cessait de taper en un midi perpétuel.

Il n'y avait pas que des poissons qui s'échouaient sur la vague de pierre. Tout ce qui flottait autour finissait par y faire naufrage : des flottilles de canoës chargés d'archers, des péniches de vivres, des Bucentaures qui transportaient des rois et des princesses avec leur suite. En avançant, des villes hautes sur pilotis se dessinaient à l'horizon, au-dessus des eaux, et elles étaient aussitôt emportées dans un écroulement de bois cassé et de paille et de battements d'ailes de poules. Autant de signes déjà révélateurs de la nature du phénomène : la couche fragile de choses recouvrant le monde pouvait être annihilée, remplacée par un désert mobile au passage duquel toute présence vivante serait renversée et exclue. Cela aurait déjà dû nous mettre tous en alerte, chacun de nous et surtout l'inspecteur. Mais moi, je le redis, je ne faisais pas d'hypothèses sur l'avenir : j'avais bien trop à faire pour garder mon équilibre, et pour chercher à sauvegarder un équilibre plus vaste, général, que je voyais secoué violemment jusqu'à ses fondations.

À chaque obstacle que la vague de pierre brisait une pluie de colifichets, d'ustensiles, de diadèmes retombait sur moi. À ma place, un individu sans scrupule (comme on le vit clairement par la suite) se serait précipité pour y faire main basse. Moi, au contraire — vous me connaissez —, non. Je fus même saisi d'une agitation opposée : les soles que j'avais si facilement ramassées, je commençai à les renvoyer aux pauvres pêcheurs. Je ne le dis pas pour me vanter ; la seule façon que je trouvai pour contrarier ce qui était en train d'arriver, ce fut d'essayer de réparer les dégâts, de tendre la main aux victimes. Du haut de la montagne qui avançait je criais :

— Sauve qui peut ! Fuyez ! Éloignez-vous !

J'essayais de soutenir les pilotis chancelants que je pouvais atteindre de mes bras, de sorte que, la vague passée, ils parvinssent à tenir encore debout. Et aux naufragés abandonnés qui pataugeaient en bas je distribuais tout ce que les collisions et les écroulements faisaient tomber à portée de mes mains. J'espérais ceci : que du fait que moi j'étais là-haut, au sommet, un nouvel équilibre se créât. J'aurais aimé que la vague de pierre entraînât en même temps le mal de son émergence désolée et le bien des actions où je me prodiguais, deux aspects du même phénomène naturel, dépassant la volonté d'autrui et la mienne.

Mais je n'aboutissais à rien, au contraire : les gens ne comprenaient pas mes cris et ne s'écartaient pas, les pilotis s'écroulaient dès que je les touchais, ce que je jetais déchaînait des rixes dans l'eau et augmentait le désordre.

Ma seule bonne action fut de sauver un troupeau de canards qui allaient devenir la proie du pirate

Bm Bn. Un berger avançait insouciant parmi les roseaux dans sa pirogue tranquille et ne voyait pas la lance pointée qui allait le transpercer. J'arrivai sur la vague de pierre juste à temps pour arrêter le bras du bandit. Je fis « Ouste, allez ! » aux canards, qui s'envolèrent. Mais Bm Bn, dès que je fus sur lui, s'accrocha à moi : à partir de ce moment nous fûmes deux sur la vague de pierre, et l'équilibre entre mal et bien que j'espérais encore sauver fut définitivement compromis.

Pour Bm Bn, se retrouver là, c'était une occasion de nouvelles pirateries, braconneries, dévastations. La vague de granit poursuivait son annihilation du monde, inconsciente et impassible ; mais il régnait maintenant au-dessus d'elle un esprit qui faisait tourner l'annihilation à son avantage. J'étais désormais prisonnier non plus d'un bouleversement tellurique aveugle, mais de ce pirate ; que pouvais-je faire pour arrêter ces deux poussées univoques ? Entre la pierre et le brigand je me sentais obscurément du côté de la pierre, je la sentais de quelque façon mystérieuse mon alliée, mais je ne savais pas comment ajouter mes faibles forces aux siennes pour empêcher Bm Bn de commettre violences et saccages.

Et les choses ne changèrent pas davantage lorsqu'il y eut aussi Flw sur la vague de pierre. Je fus obligé d'assister à son enlèvement sans pouvoir faire le moindre geste pour l'empêcher, parce que Bm Bn m'avait ligoté comme un saucisson. La jeune fille, Flw, avançait en périssoire au milieu des nymphéas et des jonquilles ; Bm Bn fit tournoyer en l'air un grand lasso et l'enleva. Mais c'était une jeune fille gentille et soumise et, restant prisonnière de cette brute, elle s'adapta.

Moi, par contre, je ne m'adaptais pas, et je le dis :

— Je ne suis pas là pour vous tenir la chandelle, Bm Bn. Libérez-moi et je m'en irai.

Bm Bn tourna à peine la tête.

— Tu es encore là ? dit-il. Que tu y sois ou pas, pour moi tu comptes moins qu'un insecte. Allez, jette-toi à l'eau, noie-toi.

Et il me délia.

— Je m'en vais, mais tu entendras encore parler de moi, lui dis-je.

Et, à voix basse, j'ajoutai à Flw ;

— Attends-moi, nous viendrons te libérer !

J'allais plonger. À ce moment-là, j'aperçus à l'horizon quelqu'un qui circulait dans la mer sur des échasses. Face à l'avancée de notre vague il ne s'écarta pas, il vint même à notre rencontre. Les échasses volèrent en morceaux ; il retomba sur le granit.

— J'avais bien calculé, dit-il. Permettez-moi de me présenter : inspecteur Oo, de l'Observatoire des hautes et basses marées.

— Vous tombez bien, monsieur l'inspecteur, vous allez pouvoir me conseiller sur ce qu'il faut faire, dis-je. La situation en est arrivée ici à un point tel que j'allais partir.

— Vous auriez commis une grave erreur, objecta l'inspecteur, et je vais vous expliquer pourquoi.

Il commença à exposer sa théorie, désormais confirmée par les faits : l'émergence attendue des continents était justement en cours avec ce renflement sur lequel nous nous trouvions ; une nouvelle ère de possibilités infinies s'ouvrait devant nous. J'écoutais bouche bée. La situation changeait d'aspect : au lieu d'être sur un noyau de destruction et de désolation j'étais sur le bourgeon d'une nouvelle possibilité de vie terrestre mille fois plus féconde.

— ... C'est pourquoi, conclut l'inspecteur, triomphant, j'ai voulu être des vôtres.

— Si moi, j'ai envie de te laisser rester ! ricana Bm Bn.

— Je suis certain que nous deviendrons amis, déclara Oo. Nous allons à la rencontre de grands cataclysmes, et grâce à mes travaux et mes prévisions nous serons en mesure de les maîtriser ; et même de les faire tourner à notre avantage.

— Pas seulement le nôtre, j'espère ! m'exclamai-je. Si ce que vous dites est vrai, monsieur l'inspecteur, si cette grande chance nous est arrivée, justement à nous, comment pouvons-nous exclure nos semblables ? Nous devons avertir tous ceux que nous rencontrons ! Les faire monter ici, avec nous !

— Tais-toi donc, tête de moineau (et Bm Bn me saisit à la ceinture), si tu ne veux pas que je te relance la tête en bas dans la boue d'où tu es venu ! Ici, il n'y a que moi et qui je veux, c'est tout ! C'est bien dit, l'inspecteur ?

Je m'adressai à Oo, certain de trouver en lui un allié contre l'arrogance du bandit :

— Inspecteur, vous n'avez certainement pas été poussé par l'égoïsme à faire vos études ! Vous ne permettrez pas que Bm Bn en profite personnellement...

L'inspecteur haussa les épaules :

— À vrai dire, je ne voudrais pas m'immiscer dans vos disputes intérieures : je ne suis pas au courant des précédents. Moi, je suis un technicien. Si ici, comme il me semble l'avoir compris, c'est monsieur (et il fit un signe de tête vers Bm Bn) qui détient le commandement, c'est à son attention que je voudrais soumettre les résultats de mes calculs...

La déception que je ressentis en entendant ces mots — la trahison la moins attendue — ne concernait pas directement l'inspecteur, mais plutôt ses prévisions pour l'avenir. Il continuait à décrire la vie telle qu'elle se développerait sur les terres émergées : les villes aux fondations de pierre qui allaient surgir, les routes parcourues par des chameaux des chevaux des chars des chats des caravanes, et les mines d'or et d'argent, et les forêts de santal et de malacca, et les éléphants, et les pyramides, et les tours, et les horloges, et les paratonnerres, et les tramways, les grues, les ascenseurs, les gratte-ciel, les guirlandes et les drapeaux les jours de fête nationale, les enseignes lumineuses de toutes les couleurs sur les façades des théâtres et des cinématographes qui se refléteraient sur les perles des colliers les nuits de grand gala. Nous l'écoutions tous : Flw avec un sourire charmé, Bm Bn avec les narines dilatées par la convoitise et la soif de possession ; mais en moi, désormais, ces prophéties fabuleuses n'éveillaient plus aucun espoir, parce qu'elles ne signifiaient rien d'autre que la perpétuation du règne de mon ennemi, et cela suffisait à étendre sur chaque merveille une patine luisante, fausse et vulgaire.

Je le dis à Flw, à un moment où les autres étaient pris par leurs projets :

— Mieux vaut notre pauvre vie aquatique de pêcheurs de soles que tant de splendeurs payées par la sujétion à Bm Bn !

Et je lui proposai de nous enfuir ensemble, en abandonnant le bandit et l'inspecteur sur le continent futur :

— Nous verrons bien comment ils s'en tireront tout seuls...

La convainquis-je ? Flw était, je vous l'ai dit, une créature docile, fragile comme une aile de papillon. Les perspectives de l'inspecteur la fascinaient, mais la brutalité de Bm Bn la rebutait. Il ne me fut pas difficile d'exciter son ressentiment contre le bandit ; elle consentit à me suivre.

L'excroissance de granit semblait plus que jamais poussée à l'extérieur des viscères de la terre, tendant de toutes ses forces vers le Soleil. Et même, la partie la plus exposée à l'attraction solaire se dilatait continuellement, si bien que la zone inférieure à celle-ci finissait par se rétrécir en une sorte d'étranglement ou de pédoncule, cachée dans un cône d'ombre. Nous devions profiter de cette issue, à l'abri de la lumière de midi.

— Le moment est venu ! dis-je à Flw. (Je la pris

par la main et nous glissâmes le long du pédoncule.)
Maintenant ou jamais !

J'avais prononcé ces mots comme une exhorta-
tion emphatique, sans soupçonner combien ils répondaient littéralement à la vérité. Nous venions à peine
de nous éloigner à la nage de ce qui à présent, en
regardant de l'extérieur, nous apparaissait comme
une prolifération monstrueuse de notre planète, que
la terre et les eaux commencèrent à être secouées
par un tremblement : la masse de granit que le
Soleil attirait vers lui était en train de s'arracher du
fond de basalte auquel elle avait été ancrée jusqu'alors. Et un rocher d'une grandeur démesurée
— délavé et poreux dans sa partie supérieure et en
dessous taché encore comme par le mucus des viscères terrestres, strié de fluides minéraux et de lave,
avec une barbe de colonies de lombrics — s'éleva
dans le ciel, léger comme une feuille. Dans la cre-
vasse qui était restée ouverte les eaux du globe se
précipitaient en cascades, laissant affleurer plus loin
des îles, des péninsules et des hauts plateaux.

En m'accrochant à ces hauteurs émergées, je réussis à nous mettre à l'abri, Flw et moi-même, mais je
ne pouvais pas encore détacher le regard de ce bout
de monde qui s'était envolé et qui tournait dans le
ciel en s'éloignant. J'eus encore le temps d'entendre
pleuvoir de là-haut une imprécation de Bm Bn qui
s'en prenait à l'inspecteur (« Tu parles de prévisions, imbécile… ») et, dans le mouvement de rotation, les pointes et les aspérités s'émoussaient en
une boule à l'écorce uniforme et faite de chaux. Et

le Soleil déjà avançait au loin, et la sphère, celle qui
à partir de ce moment-là s'appellerait la Lune, était
rejointe par la nuit, mais gardait un reflet de pâle
splendeur, comme sur un désert.

— Ils ont eu ce qu'ils méritaient, ces deux-là !
m'exclamai-je.

Comme il me sembla que Flw ne se rendait pas
bien compte du retournement de la situation, j'expli-
quai :

— Le continent que l'inspecteur prévoyait ce
n'était pas celui-là, mais plutôt, si mes sens ne me
trompent pas, celui qui est en train de se former sous
nos pieds.

Montagnes et rivières et vallées et saisons et ali-
zés donnaient du relief aux régions émergées. Déjà
les premiers iguanodons, messagers du futur, sortaient, en reconnaissance, des forêts de séquoias. Flw
paraissait trouver tout naturel : elle détacha un ana-
nas de sa branche, en brisa l'écorce contre un tronc,
mordit la pulpe juteuse, éclata de rire.

C'est ainsi que les choses allèrent, comme vous le
savez, jusqu'à aujourd'hui. Flw, il n'y a aucun doute,
est contente. Elle passe dans la nuit resplendissante
d'enseignes au néon, elle s'enveloppe moelleusement
dans sa fourrure de chinchilla, sourit aux flashes des
photographes.

Mais moi je me demande si, vraiment, ce monde
est le mien. Parfois je lève le regard vers la Lune et
je pense à tout le désert, au froid, au vide qui
pèsent sur l'autre plateau de la balance et soutien-

nent notre pauvre faste. Si j'ai sauté à temps de ce
côté-ci, ce fut un hasard. Je sais que je dois à la
Lune ce que j'ai sur la Terre, que je dois ce qu'il y
a à ce qu'il n'y a pas.

Les filles de la Lune

La Lune fut exposée dès son origine à un bombardement continuel de météorites et à l'action érosive des rayons solaires, car elle était privée d'une enveloppe d'air qui lui aurait servi de bouclier. Selon Tom Gold, de Cornell University, les roches de la surface lunaire auraient été réduites en poussière par le choc prolongé des particules de météorites. Selon Gerard Kuiper, de l'université de Chicago, la fuite des gaz du magma lunaire aurait donné au satellite une consistance poreuse et légère, comme de la pierre ponce.

La Lune est vieille — *acquiesça Qfwfq* —, percée de trous, consumée. En tournant nue à travers le ciel elle s'use et se décharne comme un os rongé. Ce n'est pas la première fois que cela arrive : je me souviens de Lunes encore plus vieilles et plus ravagées que celle-ci ; j'en ai tant vu, des Lunes, naître et parcourir le ciel et mourir, l'une criblée par une grêle d'étoiles filantes, l'autre explosant par tous ses cratères, une autre encore se recouvrant de gouttes d'une sueur couleur topaze qui s'évaporait aussitôt, puis de nuages verdâtres, et se réduisant à une coquille desséchée et spongieuse.

Il n'est pas facile de décrire ce qui arrive sur la Terre lorsqu'une Lune meurt ; j'essaierai cependant de le faire, en me rapportant au dernier cas dont je me souvienne.

À la suite d'une longue évolution, la Terre était déjà parvenue, pouvait-on dire, au point actuel, à savoir qu'elle était entrée dans cette phase où les automobiles s'usent plus rapidement que les semelles des chaussures ; des êtres presque humains fabriquaient, vendaient et achetaient ; les villes recouvraient les continents d'une pigmentation lumineuse. Ces villes poussaient à peu près aux mêmes endroits qu'aujourd'hui, bien que la forme des continents fût différente. Il y avait bien un New York qui ressemblait d'une certaine manière au New York qui vous est familier à tous, mais beaucoup plus neuf, c'est-à-dire regorgeant de nouveaux produits, de nouvelles brosses à dents, un New York et son Manhattan s'étirant avec ses gratte-ciel serrés et brillants comme les poils en nylon d'une brosse à dents toute neuve.

Dans ce monde où chaque objet, au moindre signe de détérioration ou de vieillissement, dès la première bosse ou petite tache, était immédiatement jeté et remplacé par un autre neuf et impeccable, il n'y avait qu'une seule fausse note, qu'une seule ombre : la Lune. Elle errait dans le ciel, dépouille vermoulue et grise, de plus en plus étrangère au monde d'ici-bas, résidu d'une manière d'être désormais incongrue.

D'anciennes expressions comme « pleine lune », « premier quartier », « dernier quartier » continuaient à être employées, mais ce n'étaient que des façons de dire : comment pouvait- on appeler « pleine » cette forme faite de crevasses et de brèches qui semblait toujours sur le point de s'ébouler en une pluie de gravats sur nos têtes ? Ne parlons pas du moment où elle était dans son déclin ! Elle était réduite à une sorte de croûte de fromage mordillée, et elle disparaissait toujours plus tôt que prévu. À chaque nouvelle lune, nous nous demandions si elle réapparaîtrait (espérions-nous qu'elle disparût ainsi ?), et quand elle se montrait de nouveau, de plus en plus semblable à un peigne qui perd ses dents, nous détournions nos regards en frissonnant.

C'était une vision déprimante. Nous avancions dans la foule qui, les bras encombrés de paquets, entrait et sortait des grands magasins ouverts jour et nuit, nous parcourions du regard les enseignes lumineuses qui, perchées sur les gratte-ciel, nous renseignaient à tout moment sur les nouveaux produits lancés sur le marché, et voilà que nous la voyions avancer, pâle, au milieu de ces lumières éblouissantes, lente, malade, et nous ne pouvions chasser la pensée que toute nouvelle chose, tout produit à peine acheté risquait de s'abîmer, se défraîchir, se gâter, et notre enthousiasme à courir partout pour faire des achats et travailler d'arrache-pied diminuait, et cela n'était pas sans conséquences sur la bonne marche de l'industrie et du commerce.

Le problème de savoir que faire de ce satellite contre-productif commença ainsi à se poser : il ne servait plus à rien, c'était une épave dont on ne pouvait plus rien récupérer. En perdant du poids, il inclinait progressivement son orbite vers la Terre : surtout, donc, il représentait un danger. Et plus il s'approchait, plus son cours ralentissait ; on ne pouvait plus tenir un calcul des quartiers — même le calendrier, le rythme des mois, était devenu pure convention. La Lune avançait par saccades comme si elle allait s'écrouler.

Au cours de ces nuits de lune basse, les gens au tempérament très instable avaient des comportements étranges. Le somnambule marchant sur les corniches d'un gratte-ciel avec les bras tendus vers la Lune, ou le lycanthrope se mettant à hurler au milieu de Times Square, ou le pyromane mettant le feu aux dépôts des docks ne manquaient jamais ; c'étaient là des phénomènes désormais courants, et ils ne rassemblaient même plus les attroupements habituels de curieux. Mais quand je vis une jeune fille complètement nue assise sur un banc de Central Park, je ne pus m'empêcher de m'arrêter.

Avant même de la voir j'avais eu le sentiment que quelque chose d'indéfinissable allait arriver. Traversant Central Park au volant d'une voiture découverte, je me sentis inondé d'une lumière qui vibrait comme le font les tubes luminescents lorsque, avant de s'allumer complètement, ils émettent une série de lueurs livides et clignotantes. La vue tout autour semblait être celle d'un jardin plongé dans un cratère lunaire. La fille nue était assise près de la vasque d'une fontaine reflétant un mince croissant de Lune. Je freinai. Il m'avait paru, tout d'abord, la reconnaître. Je m'élançai hors de la voiture, vers elle ; mais je m'arrêtai, comme étourdi. Je ne savais pas qui c'était ; je sentais seulement que je devais vite faire quelque chose pour elle.

Autour du banc étaient éparpillés sur l'herbe ses vêtements, bas et chaussures, une ici et l'autre là, des boucles d'oreilles et des colliers et des bracelets, son sac à main et son sac à provisions et leur contenu renversé en un cercle au large rayon, ainsi que de nombreux paquets et denrées, comme si, en revenant d'un abondant shopping à travers les boutiques de la ville, cette créature s'était sentie appelée, avait instantanément tout laissé tomber par terre et avait compris qu'il lui fallait se libérer de tout objet ou signe qui la tenait liée à la Terre, et qu'elle attendait maintenant d'être prise dans la sphère lunaire.

— Que vous arrive-t-il ? balbutiai-je. Puis-je vous aider ?

— *Help* ? demanda-t-elle en gardant les yeux écarquillés vers le haut. *Nobody can help*. Personne ne peut rien y faire.

Il était clair qu'elle ne parlait pas d'elle-même, mais de la Lune. Celle-ci était au-dessus de nous, convexe, nous écrasant presque, comme un toit en ruine, trouée comme une râpe. C'est à ce moment-là que les fauves du zoo se mirent à rugir.

— Est-ce la fin ? demandai-je machinalement (et je ne savais pas moi-même ce que je voulais dire).

Elle répondit :

— Ça commence (ou quelque chose comme ça ; elle parlait presque sans ouvrir la bouche).

— Que voulez-vous dire ? Que c'est la fin qui commence ou que c'est autre chose qui commence ?

Elle se leva, avança sur la pelouse. Elle avait de longs cheveux blonds cuivrés qui descendaient sur ses épaules. Elle semblait à un tel point sans défense que je ressentais en quelque sorte le besoin de la protéger, de lui servir de bouclier, et je tendais mes bras vers elle comme pour être prêt à l'empêcher de tomber ou à éloigner d'elle tout ce qui pourrait la blesser. Mes mains, cependant, n'osaient pas l'effleurer, elles s'arrêtaient toujours à quelques centimètres de sa peau. Et en la suivant ainsi à travers les massifs je m'apercevais que ses mouvements étaient pareils aux miens, qu'elle aussi essayait de protéger une chose fragile, une chose qui aurait pu tomber et se briser et qu'il fallait donc conduire vers des lieux où elle pourrait se poser délicatement, une chose que, de toute façon, elle ne pouvait pas toucher mais seulement accompagner de ses gestes : la Lune.

La Lune paraissait s'être égarée ; ayant quitté le sillon de son orbite, elle ne savait plus où aller ; elle se laissait transporter comme une feuille sèche. Elle donnait l'impression tantôt de descendre à pic sur la Terre, tantôt de se vriller en spirale, tantôt d'aller à la dérive. Elle perdait de l'altitude, c'était certain : pendant un instant, elle sembla aller se jeter contre l'hôtel Plaza, mais au lieu de cela elle s'enfonça dans un couloir entre deux gratte-ciel et disparut de notre vue vers l'Hudson. Elle réapparut peu après, du côté opposé, sortant de derrière un nuage, inondant d'une lumière de chaux Harlem et l'East River, et roula vers le Bronx comme poussée par un coup de vent qui se serait levé.

— Elle est là ! criai-je. Voilà, elle s'arrête !

— Elle ne peut pas s'arrêter ! s'exclama la jeune fille.

Et elle se mit à courir nue et sans chaussures à travers les pelouses.

— Où vas-tu ? Tu ne peux pas aller comme ça ! Arrête-toi ! C'est à toi que je parle ! Comment t'appelles-tu ?

Elle cria un nom comme « Daïana » ou « Deanna », qui pouvait être aussi une invocation. Et elle disparut. Pour la suivre, je remontai en voiture et je commençai à fouiller les allées de Central Park.

La lumière de mes phares éclairait les buissons, les petites collines, les obélisques, mais je ne voyais pas la jeune fille, Diana. Je m'étais désormais trop éloigné : elle avait dû rester en arrière ; je tournai pour refaire le même chemin en sens inverse. Une voix derrière moi dit :

— Non, elle est là, avance !

Assise sur la capote repliée de ma voiture, il y avait la fille nue qui indiquait la direction de la Lune.

J'aurais voulu lui dire de se baisser, que je ne pouvais pas traverser la ville avec elle exposée au regard de tous dans cet état, mais je n'osais pas la distraire, car elle était très attentive à ne pas perdre de vue la tache lumineuse qui tantôt apparaissait et tantôt disparaissait au fond de l'avenue. Et puis — ce qui était plus étrange — aucun passant ne semblait remarquer cette apparition féminine dressée sur une voiture décapotable.

Nous traversâmes l'un des ponts qui relient Manhattan à la terre ferme. Nous roulions à présent sur une route à plusieurs voies, au milieu d'autres automobiles côte à côte, et moi j'avais le regard fixé droit devant moi et je craignais les rires et les plaisanteries que notre vision ne pouvait manquer de susciter à bord des voitures qui nous entouraient. Mais lorsqu'une voiture nous dépassa il s'en fallut de peu que, surpris, je ne perde le contrôle du véhicule : accroupie sur le toit de la berline, il y avait une jeune fille nue avec les cheveux au vent. Pendant une seconde, l'idée me vint que ma passagère sautait d'une voiture en marche à l'autre, mais il me suffit de tourner un peu les yeux vers l'arrière pour voir que les genoux de Diana étaient toujours là, à la hauteur de mon nez. Et il n'y avait pas que son image qui apparaissait toute blanche sous mon regard : tendues dans les poses les plus étranges, accrochées aux radiateurs, aux portières, aux pare-chocs des voitures qui roulaient, je voyais de tous côtés des filles dont seule l'aile dorée ou sombre des cheveux contrastait avec la clarté rosée ou brune de la peau nue. Sur chaque voiture il y avait une de ces passagères mystérieuses, toutes penchées en avant en train d'inciter les conducteurs à la poursuite de la Lune.

Elles avaient été appelées par la Lune en danger : c'était certain. Combien étaient-elles ? De nouvelles voitures occupées par les filles lunaires affluaient à chaque croisement et à chaque bifurcation, elles convergeaient de tous les quartiers de la ville vers le lieu au-dessus duquel la Lune semblait s'être arrêtée. Au bout de la ville, nous nous trouvâmes en face d'un cimetière de voitures.

La route se perdait dans une zone montagneuse faite de petites vallées et de chaînes et de collines et de cimes ; ce n'étaient pas cependant ces reliefs du sol qui lui donnaient son caractère accidenté, mais la superposition d'objets jetés là : c'était dans ces terrains vagues qu'allait finir tout ce que la ville consommatrice expulsait à peine s'en était-elle servie, pour pouvoir retrouver aussitôt le plaisir de manipuler de nouvelles choses.

Pendant plusieurs années, autour d'un cimetière sans fin d'automobiles s'étaient élevés des monceaux de réfrigérateurs défoncés, de numéros de *Life* jaunis, d'ampoules grillées. Sur ce territoire mouvementé et rouillé la Lune maintenant se penchait, et les étendues de tôle cabossée s'enflaient, comme poussées par la marée haute. En fait, la Lune décrépite et cette croûte terrestre soudée en un conglomérat de débris se ressemblaient ; les montagnes de ferraille créaient une chaîne qui se refermait sur elle-même comme un amphithéâtre dont la forme était véritablement celle d'un cratère volcanique ou d'une mer lunaire. La Lune pendait là-dessus, et c'était comme si la planète et le satellite avaient été le miroir l'une de l'autre.

Les moteurs de nos voitures s'étaient tous arrêtés : il n'y a rien qui intimide autant les voitures que leurs propres cimetières. Diana descendit et toutes les autres Diana l'imitèrent. Mais leur élan semblait maintenant s'affaiblir : elles avançaient à pas incertains, comme si en se trouvant parmi ces ruines de métal tordues et coupantes elles eussent été soudainement saisies par la conscience d'être nues ; beaucoup d'entre elles croisaient les bras pour couvrir leur poitrine, frissonnant de froid. Et pourtant elles s'éparpillèrent et escaladèrent la montagne des objets morts : elles dépassèrent la crête, descendirent dans l'amphithéâtre, finirent par former comme un grand cercle là, au milieu. Alors elles levèrent les bras toutes ensemble.

La Lune eut un sursaut, comme si ce geste avait agi sur elle, et elle parut un instant reprendre des forces et s'élever. Les jeunes filles en cercle se tenaient les bras tendus vers le haut, leur visage et leurs seins tournés vers la Lune. Était-ce là ce qu'elle leur avait demandé ? Était-ce de ces jeunes filles qu'elle avait besoin pour se maintenir dans le ciel ? Je n'eus pas le temps de me poser la question : c'est à ce moment-là que la grue entra en scène.

Les autorités, décidées à nettoyer le ciel de cet encombrement inesthétique, avaient fait étudier et construire la grue. C'était un bulldozer sur lequel se dressait une sorte de pince de crabe ; il avança sur ses chenilles, bas et trapu, précisément comme un crabe ; et, lorsqu'il se trouva à l'endroit prévu pour l'opération, il sembla devenir encore plus plat, afin d'adhérer au terrain de toute sa surface. Le treuil tourna rapidement ; le bras se leva dans le ciel ; personne n'aurait jamais pensé que l'on pût construire une grue au bras aussi long. La benne s'ouvrit, dentée ; à présent, plus qu'à une pince de crabe, elle ressemblait à la gueule d'un requin. La Lune était juste là ; elle se balança comme si elle voulait s'échapper, mais cette grue avait l'air aimantée : on vit la Lune comme aspirée finir exactement dans sa bouche. Les mâchoires se refermèrent avec un bruit sec : crac ! Pendant un instant on eut l'impression qu'elle s'était effritée comme une meringue, mais elle était restée entre les valves de la benne, moitié dedans, moitié dehors. Elle avait pris une forme oblongue : une sorte de gros cigare serré entre des dents. Il en tomba une pluie couleur cendre.

La grue s'efforçait maintenant d'extirper la Lune de son orbite et l'entraînait vers le bas. Le treuil avait commencé à tourner en sens inverse : avec beaucoup de peine, à présent. Diana et ses compagnes étaient restées immobiles les bras levés, comme si elles espéraient vaincre l'agression ennemie en lui opposant la force de leur cercle. Ce ne fut que lorsque les cendres de la désagrégation lunaire tombèrent sur leur visage et leur poitrine qu'on les vit se disperser. Diana lança une plainte perçante.

C'est à ce moment-là que la Lune prisonnière perdit le peu de brillant qui lui restait : elle devint une roche noire et informe. Elle eût été précipitée d'un coup sur la Terre si elle n'avait pas été retenue par les dents de la benne. En bas, les hommes de l'entreprise avaient préparé un filet en acier en le fixant au terrain avec des clous profonds, autour du lieu où la grue était en train de déposer lentement sa cargaison.

Une fois à terre, la Lune était une pierre grêlée et sableuse, si opaque qu'il semblait incroyable qu'un jour elle eût éclairé le ciel de son reflet resplendissant. La grue ouvrit les valves de la benne, recula sur ses chenilles, elle se renversa presque, soudainement allégée. Les hommes de l'entreprise étaient prêts avec leur filet : ils enveloppèrent la Lune en la serrant entre le filet et le sol. Elle essaya de se démener dans sa camisole de force : une secousse, comme celle d'un tremblement de terre, fit s'ébouler des avalanches de boîtes vides qui descendaient des montagnes de déchets. Puis le calme revint. Le ciel, désormais libéré, était arrosé par les jets de lumière des projecteurs. Mais l'obscurité pâlissait déjà.

L'aube trouva dans le cimetière des automobiles une épave de plus : cette Lune qui avait fait naufrage là, au milieu, ne se distinguait presque pas des autres objets jetés là ; elle avait la même couleur, le même air condamné, le même aspect d'une chose dont on parvient mal à imaginer comment elle pouvait être quand elle était neuve. Tout autour, le long du cratère des débris terrestres, retentit un murmure : la lumière de l'aube révélait un fourmillement de vie qui s'éveillait peu à peu. Parmi les carcasses éventrées des camions, parmi les roues renversées, les tôles tordues, avançaient des êtres barbus.

Au milieu des choses rejetées par la ville vivait une population de personnes rejetées elles aussi, placées en marge, ou bien de personnes qui s'étaient rejetées volontairement, ou qui s'étaient lassées de courir les rues pour vendre ou acheter des choses neuves destinées à vieillir aussitôt : des personnes qui avaient décidé que seules les choses mises au rebut constituaient la véritable richesse du monde. Autour de la Lune, sur toute l'étendue de l'amphithéâtre, ces silhouettes efflanquées, au visage encadré de barbe et de cheveux en broussaille, se tenaient debout ou assises. Parmi cette foule en guenilles ou vêtue de manière extravagante, il y avait Diana nue et toutes les filles de la nuit précédente. Elles s'avancèrent, commencèrent à dégager les mailles du filet en acier des clous plantés dans le terrain.

Aussitôt, tel un aérostat délivré de ses amarres, la Lune plana au-dessus des têtes des jeunes filles, au-dessus de la tribune des gueux, et resta suspendue, retenue par le filet d'acier dont Diana et ses camarades manœuvraient les fils, tantôt en les tirant, tantôt en les laissant aller, et quand elles amorcèrent toutes ensemble leur course en tenant les bouts des fils, la Lune les suivit.

Dès que la Lune bougea, quelque chose qui ressemblait à une vague se leva des vallées de débris : les vieilles voitures écrasées comme des accordéons se mettaient en marche, se plaçaient en cortège avec des grincements, et un torrent de boîtes défoncées roulaient avec un bruit de tonnerre ; on ne comprenait pas si elles étaient entraînées ou si elles entraînaient tout le reste. En suivant cette Lune sauvée du rejet, toutes les choses et tous les hommes, qui s'étaient résignés à être rejetés dans un coin reprenaient leur chemin et essaimaient vers les quartiers les plus opulents de la ville.

Ce matin-là, la ville solennisait le Jour du Remerciement du Consommateur. Tous les ans, un jour de novembre, on célébrait cette fête, instituée pour que les clients des magasins puissent manifester leur gratitude à la Production qui ne se lassait pas de satisfaire tous leurs désirs. Le plus grand commerce de la ville organisait une parade, faisant défiler dans la rue principale un ballon énorme en forme de pantin aux couleurs voyantes retenu par des rubans que des jeunes filles couvertes de paillettes tiraient en marchant derrière une fanfare. Aussi, ce matin-là, le cortège s'écoulait le long de la Cinquième Avenue : la majorette faisait pirouetter son bâton, les grosses caisses résonnaient, et le géant fait de ballons représentant le Client Satisfait volait entre les gratte-ciel, tenu docilement en laisse par les *girls* en képi, brandebourgs et épaulettes, montées sur des motos scintillantes.

Au même moment, un autre cortège était en train de traverser Manhattan. La Lune écaillée et couverte de moisissures avançait elle aussi en naviguant entre les gratte-ciel, tirée par les jeunes filles nues et, derrière, une file de voitures démolies et de squelet-

tes de camions progressait au milieu d'une foule silen-
cieuse qui ne cessait de croître. À la cohorte qui
depuis les premières heures du matin suivait la Lune
étaient venus s'ajouter des milliers de personnes de
toutes les couleurs, des familles entières avec des
enfants de tout âge, surtout maintenant que le cortège passait à travers les quartiers noirs et portori-
cains, plus peuplés, autour de Harlem.

Le cortège lunaire zigzagua à travers Uptown,
s'engagea dans Broadway, descendit rapidement et
en silence et convergea avec l'autre qui traînait à
travers la Cinquième Avenue son géant de ballons.

À Madison Square les deux défilés se croisèrent :
c'est-à-dire qu'il n'y eut plus qu'un seul cortège. Le
Client Satisfait, sans doute par suite d'une collision
avec la surface couverte de pointes de la Lune, disparut, se transformant en une loque de caoutchouc.
Sur les motos il y avait à présent les Diana qui
tiraient la Lune avec les rubans multicolores ; ou
plutôt, leur nombre ayant au moins doublé, il faut
croire que les motocyclistes avaient quitté leur uniforme et leur képi. Les motocyclettes et les voitures
de la suite avaient subi une transformation semblable : on ne distinguait plus les vieilles des neuves, les
roues tordues, les pare-chocs rouillés se mêlaient aux
chromes aussi brillants que des miroirs, aux vernis
émaillés.

Et derrière le cortège les vitrines se recouvraient
de toiles d'araignée et de moisissures, les ascenseurs
des gratte-ciel grinçaient et gémissaient, les affiches
publicitaires jaunissaient, les boîtes à œufs des réfrigé-

rateurs se remplissaient de poussins comme des couveuses, les téléviseurs transmettaient les tourbillons de tempêtes atmosphériques. La ville s'était consommée elle-même d'un seul coup : c'était une ville à jeter qui suivait la Lune dans son dernier voyage.

Au son de la fanfare, qui tambourinait sur des bidons d'essence vides, le cortège arriva au pont de Brooklyn. Diana leva son bâton de majorette : ses camarades firent voltiger les rubans en l'air. La Lune prit un dernier élan, dépassa les grilles arquées du pont, elle se pencha déséquilibrée vers la mer, frappa l'eau comme une brique, s'abîma en soulevant à la surface une myriade de petites bulles.

Les jeunes filles, entre-temps, au lieu de lâcher les rubans, s'y étaient accrochées, et la Lune les avait soulevées en les faisant voler hors du pont, au-delà des parapets : elles tracèrent dans l'air des trajectoires de plongeuses et disparurent parmi les vagues.

Nous restions appuyés sur le pont de Brooklyn et sur les quais des rives, stupéfaits, partagés entre l'envie de plonger derrière elles et la conviction que nous les verrions réapparaître comme les autres fois.

Nous n'eûmes pas longtemps à attendre. La mer commença à vibrer de vagues qui s'élargissaient en cercle. Au centre de ce cercle une île apparut, elle grandit comme une montagne, comme un hémisphère, comme un globe posé sur l'eau ; mieux : soulevé au-dessus de l'eau ; non : comme une nouvelle Lune qui montait dans le ciel. Je dis « une Lune » bien qu'elle ne ressemblât pas plus à une Lune que celle que nous avions vue s'abîmer peu auparavant :

mais cette nouvelle Lune avait une façon tout à fait différente d'être différente. Elle sortait de la mer en soulevant une traîne d'algues vertes et scintillantes ; des jets d'eau jaillissaient de fontaines serties sur les pelouses qui leur donnaient un éclat d'émeraude ; une végétation vaporeuse la recouvrait, mais elle semblait être faite de plumes de paon ocellées et changeantes plus que de plantes.

Tel fut le paysage que nous réussîmes tout juste à entrevoir parce que le disque qui le contenait s'éloignait rapidement dans le ciel et que les détails les plus menus se perdaient dans une impression générale de fraîcheur et de luxuriance. C'était la tombée du jour : les contrastes s'estompaient progressivement en un clair-obscur vibrant ; les prés et les bois lunaires n'étaient plus désormais que des reliefs à peine visibles sur la surface tendue du disque resplendissant. Mais nous eûmes le temps de voir des hamacs suspendus aux branches, agités par le vent, et je vis, étendues là, les jeunes filles qui nous avaient amenés jusqu'ici, je reconnus Diana, tranquille enfin, qui s'éventait avec un flabellum de plumes et m'adressait peut-être un signe de salutation.

— Les voilà ! La voilà ! criai-je.

Nous criâmes tous, et le bonheur de les avoir retrouvées vibrait déjà du déchirement de les avoir désormais perdues, parce que la Lune, en montant dans le ciel noir, ne nous renvoyait que le reflet du soleil sur ses lacs et ses prés.

Nous fûmes saisis de fureur : nous nous mîmes à

galoper à travers le continent, à travers les savanes et les forêts qui avaient recouvert la Terre et enseveli villes et routes, et effacé tout signe de ce qui avait été. Et nous barrissions, en levant vers le ciel nos trompes, nos défenses longues et fines, en secouant les longs poils de nos croupes avec l'angoisse violente qui nous saisit, nous, jeunes mammouths, quand nous comprenons que la vie commence maintenant et que pourtant il est clair que nous n'aurons pas ce que nous désirons.

Les météorites

Selon les théories les plus récentes, la Terre aurait été, à l'origine, un tout petit corps froid qui aurait grandi ensuite en englobant des météorites et de la poussière météoritique.

Au début, nous avions l'illusion de pouvoir la tenir propre — *raconta le vieux Qfwfq* —, puisque justement elle était petite et qu'on pouvait balayer et dépoussiérer tous les jours. Certes, il tombait d'en haut une grande quantité de poussière : on aurait dit que la Terre, en tournant, n'avait d'autre but que de recueillir toutes les poussières et les balayures qui planaient dans l'espace. Maintenant c'est différent, il y a l'atmosphère. Vous regardez le ciel et vous dites : « Oh, comme il est transparent, oh, comme il est pur » ; mais si vous aviez vu ce qui volait au-dessus de nos têtes quand la planète, en suivant son orbite, tombait sur un des nuages de météorites et ne parvenait pas à en sortir ! C'était une poussière blanche comme la naphtaline, qui se déposait sous forme de petits grains, et parfois d'éclats plus grands, cristallins, comme si un lustre de verre était venu du ciel et que ses débris étaient tombés ; au milieu on trouvait aussi des galets plus gros, des morceaux épars d'autres systèmes planétaires, des trognons de poires, des robinets, des chapiteaux ioniens, de vieux numéros du *Herald Tribune* et de *Paese Sera* : on sait que les univers se font et se défont, mais c'est toujours le même matériel qui tourne. Comme la Terre était petite et en même temps rapide (car elle tournait bien plus vite que maintenant), elle parvenait à éviter beaucoup de choses. Nous voyions un objet venu des profondeurs de l'espace s'approcher, voletant comme un oiseau — mais parfois ce n'était qu'une chaussette — ou naviguant avec un léger tangage — comme une fois un piano à queue —, arriver jusqu'à cinquante centimètres de nous et, rien, il poursuivait sa trajectoire sans nous avoir atteints : il se perdait, pour toujours peut-être, dans les obscurités vides que nous laissions derrière nous. Mais la plupart du temps la vague des météorites se déversait sur nous en soulevant une grande poussière épaisse dans un fracas de boîtes vides ; à ce moment-là, une vive agitation s'emparait de ma première femme, Xha.

Xha voulait tout tenir propre et en ordre ; et elle y parvenait. Certes, elle devait se donner beaucoup de mal, mais les dimensions de la planète permettaient encore un contrôle quotidien, et le fait que nous fussions les seuls à l'habiter — s'il présentait le désavantage qu'il n'y avait personne pour nous donner un coup de main — présentait aussi un avantage, car deux personnes tranquilles et ordonnées comme nous ne créent pas de désordre, quand elles prennent une chose elles la remettent toujours à sa place : quand nous avions réparé les dégâts des gravats des météorites, tout dépoussiéré soigneusement, lavé et étendu le linge qui se salissait continuellement, il ne nous restait plus rien à faire.

Xha, au début, faisait des petits paquets d'ordures que je renvoyais dans le vide en les expédiant le plus haut possible : comme la Terre avait alors peu de force d'attraction, et moi par ailleurs de la force dans les bras et de l'habileté au lancer, nous nous délivrions même de corps d'une masse et d'un poids importants, en les renvoyant dans l'espace d'où ils étaient venus. Cette opération était impossible avec les grains de poussière : même si on en remplissait des cornets, on ne parvenait pas à les jeter suffisamment au loin pour qu'ils ne reviennent pas ; ils se défaisaient presque toujours en l'air et nous nous retrouvions pleins de poussière de la tête aux pieds.

Tant que cela lui fut possible, Xha préféra faire disparaître la poussière dans certaines crevasses du sol ; puis les crevasses s'emplirent, ou même s'élargirent en des cratères envahissants. Le fait est que la grande quantité de matériel accumulé gonflait la Terre de l'intérieur, et ces crevasses étaient provoquées justement par l'augmentation de volume ; autant alors étaler la poussière en strates uniformes sur la surface de la planète et faire en sorte qu'elle se fige en une croûte lisse et continue, pour ne pas donner l'impression d'un aménagement fait seulement à moitié ou négligé.

L'habileté et la ténacité que Xha avait montrées en essayant d'ôter tous les grains qui venaient troubler l'harmonie lisse de notre monde s'appliquaient maintenant à ce que les miettes des météorites constituent la base de ce même ordre harmonieux, en les accumulant en strates régulières, en les cachant sous une surface qu'on pouvait faire briller. Mais tous les jours de la poussière nouvelle se déposait sur le sol terrestre en un voile tantôt mince tantôt épaissi par des bosses et des monticules épars ; nous nous remettions aussitôt au travail pour la disposer en une nouvelle stratification.

La taille de notre planète croissait, mais elle gardait, grâce aux soins que ma femme et moi-même — sous sa direction — nous lui prodiguions, une forme sans irrégularités, sans saillies ou scories, et ni ombre ni tache ne troublait sa pureté blanc naphtaline. Les couches externes cachaient aussi les objets qui pleuvaient sur nous mêlés à la poussière et que nous ne pouvions désormais plus restituer aux courants du cosmos parce que la masse de la Terre, en augmentant, avait étendu autour d'elle un champ gravitationnel trop vaste pour qu'il fût surmonté par la force de mes bras. Quand les déchets étaient plus volumineux, nous les enterrions sous des tumulus de poussière en forme de pyramides aux angles bien taillés, pas trop hautes, placées en files symétriques, si bien que toute intrusion de l'informe et de l'arbitraire était effacée de notre vue.

En décrivant l'entrain de ma première femme, je ne voudrais pas vous avoir donné l'impression que dans son empressement entrait une composante de nervosité, d'inquiétude presque alarmiste. Non, Xha était sûre que ces pluies de météorites étaient un phénomène accidentel et provisoire d'un univers encore en phase de stabilisation. Elle n'avait pas de doutes sur le fait que notre planète et les autres corps célestes et tout ce qu'il y avait en dedans et en dehors d'eux devaient suivre une géométrie régulière et exacte de lignes droites, de courbes et de surfaces ; selon elle, tout ce qui n'entrait pas dans ce dessein était un résidu insignifiant, et essayer de le balayer tout de suite ou de l'ensevelir était sa façon de le minimiser, d'en nier jusqu'à l'existence. Ce n'est là que mon interprétation de ses idées : Xha était une femme pratique, qui ne se perdait pas en énonciations générales mais qui essayait de bien faire ce qu'elle croyait qu'il était bien de faire, et le faisait volontiers.

Xha et moi, nous nous promenions tous les soirs, avant de nous coucher, à travers ce paysage terrestre défendu avec tant d'acharnement méticuleux. C'était une étendue lisse, polie, interrompue seulement à intervalles réguliers par les arêtes nettes des reliefs pyramidaux. Au-dessus de nous, dans le ciel, les planètes et les étoiles tournaient aux justes vitesse et distance, en se renvoyant des rayons de lumière qui répandaient sur notre sol un scintillement uniforme. Ma femme agitait les facettes de son éventail pour faire bouger l'air toujours un peu poussiéreux autour de nos visages ; moi, je portais un parapluie pour nous protéger d'éventuelles rafales de pluie météoritique. Un léger amidonnage donnait aux vêtements toujours plissés de Xha une fraîcheur soutenue ; un ruban blanc gardait ses cheveux tirés.

Tels étaient les moments de contemplation recueillie que nous nous accordions ; mais ils ne duraient guère. Le matin, nous nous levions tôt, et nos quelques heures de sommeil avaient permis à la Terre d'être recouverte de déchets. « Vite, Qfwfq, il n'y a pas de temps à perdre ! » disait Xha en mettant le balai entre mes mains, et je partais pour mon tour habituel tandis que l'aube blanchissait l'horizon restreint et nu de la plaine. En chemin, je repérais çà et là des tas de débris et de choses de rebut ; au fur et à mesure que la lumière croissait, j'appréciais le nuage de poussière opaque qui voilait le sol brillant de la planète. Je fourrais à coups de balai tout ce que je pouvais dans une poubelle ou dans un sac que je tirais derrière moi, mais je m'arrêtais d'abord pour observer les objets étrangers que la nuit nous avait apportés : un bucrane, un cactus, une roue de charrette, une pépite d'or, un projecteur de Cinérama. Je les soupesais et les retournais dans mes mains, je suçais un de mes doigts piqué par le cactus, et je m'amusais à imaginer qu'entre ces objets si incongrus passait un lien mystérieux, que j'aurais dû deviner. Des rêveries auxquelles je pouvais m'abandonner quand j'étais seul :

car, avec Xha, la passion de débarrasser, d'effacer, de faire disparaître était si dévorante que nous ne nous arrêtions jamais pour regarder ce que nous étions en train de balayer. Moi, au contraire, c'était à présent la curiosité qui me poussait le plus fortement dans mes inspections quotidiennes, et je partais tous les matins presque gaiement, en sifflant.

Xha et moi, nous avions un peu partagé nos tâches, les hémisphères qu'il fallait tenir en ordre. Dans l'hémisphère qui me revenait, parfois je n'emportais pas tout de suite les choses, surtout lorsqu'elles étaient très lourdes ; je les entassais alors dans un coin pour les ramasser plus tard à l'aide d'une carriole. Il se formait ainsi des sortes d'agglomérats ou de monceaux : tapis, dunes de sable, éditions du Coran, puits de pétrole, un ramassis absurde de choses de rebut disparates. Naturellement, Xha n'aurait pas approuvé mon système, mais moi, à vrai dire, j'éprouvais un certain plaisir quand je voyais trôner à l'horizon ces ombres composites. Il m'arrivait aussi de laisser des affaires entassées d'un jour à l'autre — la Terre commençait à devenir si grande que Xha n'avait pas le temps d'en faire tous les jours le tour entier — et c'était une surprise, au matin, de trouver toutes les nouvelles choses qui étaient venues s'ajouter aux autres.

Un jour, je contemplais un tas de caisses défoncées et de bidons rouillés, surmonté par une grue qui tenait une épave tordue d'automobile, lorsque, en baissant les yeux, je vis, sur le seuil d'une cabane bâtie avec des morceaux de tôle et d'aggloméré, une jeune fille en train de peler des pommes de terre. Elle était habillée, me sembla-t-il, de haillons : lambeaux de cellophane, bouts de foulards effilochés ; dans ses longs cheveux, elle avait des brins de foin et des copeaux. Elle prenait les pommes de terre dans un sac et, en les épluchant avec un canif, déroulait des rubans de peau qui s'accumulaient en un petit tas gris.

J'éprouvai le besoin de m'excuser :

— Pardonnez-moi, vous avez trouvé un grand désordre, je vais ranger tout de suite, je déblaie tout…

La jeune fille jeta une pomme de terre épluchée dans une bassine et dit :

— Mais allez…

— Peut-être, si vous pouviez m'aider…, dis-je (ou plutôt dit cette partie de moi-même qui continuait à raisonner comme elle avait toujours raisonné).

(Juste le soir précédent, nous nous étions dit, Xha et moi : « Certes, si nous trouvions quelqu'un pour nous aider, ce serait bien différent ! »)

— Toi, plutôt, dit la jeune fille en bâillant et en s'étirant, aide-moi à éplucher.

— On ne sait plus comment se débarrasser de ces affaires qui pleuvent sur nous… lui expliquai-je. Regardez là… (Et je soulevai un tonneau sans couvercle que je venais de voir à cet instant.) Qui sait ce qu'il y a dedans…

La fille huma et dit :

— Des anchois. Nous mangerons des *fish and chips.*

Elle voulut que je m'assoie avec elle pour couper les pommes de terre en tranches fines. Elle trouva, au milieu de ce tas d'ordures, une boîte noirâtre pleine d'huile. Elle alluma un feu par terre, avec du matériel d'emballage, et se mit à faire frire des petits poissons et des tranches de pommes de terre dans une bassine rouillée.

— On ne peut pas ici, c'est sale…, dis-je en pensant aux ustensiles de cuisine de Xha, aussi brillants que des miroirs.

— Mais allez, prends…, dit-elle, servant la friture bouillante dans des cornets de papier journal.

Souvent par la suite je me suis demandé si j'avais eu tort de ne pas dire ce jour-là à Xha que sur la Terre était tombée du ciel une autre personne. Mais j'aurais dû alors avouer ma paresse qui laissait s'accumuler tant d'affaires. « Je ferai d'abord soigneusement le ménage », pensai-je, sachant pourtant déjà que tout était devenu plus difficile.

J'allais voir la jeune fille, Wha, tous les jours, dans l'avalanche de nouveaux objets qui envahissait désormais tout l'hémisphère. Je ne comprenais pas comment Wha faisait pour vivre dans ce désordre, laissant les choses s'entasser les unes sur les autres : les lianes au-dessus des baobabs, les cathédrales romanes au-dessus des cryptes, les monte-charges au-dessus des gisements carbonifères, et d'autres choses encore qui y étaient posées, des chimpanzés accrochés aux lianes, des autocars du *sight-seeing-tour* parqués sur l'esplanade des cathédrales romanes, des exhalaisons de grisou dans les galeries des mines.

Je me mettais chaque fois en colère contre elle : bon Dieu de fille, elle avait une mentalité vraiment opposée à la mienne !

Mais, à certains moments, j'étais obligé d'admettre que j'aimais la voir bouger au milieu de tout ça, avec ses gestes étourdis, comme si tout ce qu'elle faisait, c'était par hasard ; et c'était une surprise de voir que cela lui réussissait bien, de façon inespérée. Wha faisait cuire dans la même casserole tout ce qui lui tombait entre les mains, comme par exemple des haricots et des couennes de porc : qui aurait pu le prévoir ? Il en sortait une soupe excellente. Elle entassait des bouts de monuments égyptiens l'un sur l'autre comme s'il s'était agi de vaisselle à laver — une tête de femme, deux ailes d'ibis, un corps de lion —, et il en sortait un très beau sphinx. En somme, je me surpris à penser qu'avec elle — quand je me serais habitué — je finirais par me trouver à mon aise.

Ce que je ne parvenais pas à lui pardonner, c'était sa distraction, son désordre, le fait de ne jamais savoir où elle laissait les choses. Elle oubliait le volcan mexicain Paricutín dans les sillons d'un champ labouré et le théâtre romain de Luni au milieu des rangées d'un vignoble. Bien qu'elle arrivât toujours à les retrouver au moment opportun, cela ne suffisait pas à calmer mon irritation, car c'était une nouvelle circonstance due au hasard qui s'ajoutait aux autres, comme s'il n'y en avait pas suffisamment.

Ma vraie vie, certes, n'était pas celle-là, mais

l'autre, celle que je passais aux côtés de Xha, occupée à aplanir et à nettoyer la surface de l'autre hémisphère. Sur cette affaire, je partageais les mêmes idées que Xha, cela ne faisait pas de doute : je travaillais pour que la Terre garde son état parfait, je pouvais passer des heures avec Wha uniquement parce que j'étais sûr de pouvoir ensuite revenir dans le monde de Xha, où tout allait comme il fallait que ça aille, où l'on comprenait tout ce que l'on devait comprendre. Je dirais que, avec Xha, je parvenais à une tranquillité intérieure dans une activité extérieure continue ; avec Wha, au contraire, je pouvais garder une tranquillité extérieure, ne faire que ce que j'avais envie de faire à ce moment-là, mais je payais cette paix par une obsession rageuse, parce que j'étais sûr que cet état de choses ne pouvait pas durer.

Je me trompais. Au contraire, les fragments de météorites les plus disparates finissaient, quoique de façon approximative, par se relier les uns aux autres et composer une mosaïque, bien que pleine de lacunes. Les anguilles de Comacchio, une source sur le mont Viso, une série de palais ducaux, plusieurs hectares de rizières, les traditions syndicales des salariés agricoles, quelques suffixes celtes et lombards, un certain indice d'accroissement de la productivité industrielle étaient des matériaux épars et isolés qui se fondirent ensemble en un tissu très serré de rapports réciproques au moment même où, tout à coup, un fleuve tomba sur la Terre — c'était le Pô.

Aussi, tout nouvel objet qui pleuvait sur notre planète finissait par trouver sa place comme s'il avait toujours été là, son interdépendance par rapport aux autres objets, et la présence déraisonnable de l'un avait sa raison d'être dans la présence déraisonnable des autres, au point que le désordre général commençait à pouvoir être considéré comme l'ordre naturel des choses. C'est à l'intérieur de ce cadre que doivent aussi être envisagés d'autres faits sur lesquels je m'arrête à peine parce qu'ils appartiennent à ma vie privée : vous aurez compris que je fais allusion à mon divorce avec Xha et à mon second mariage avec Wha.

La vie avec Wha, à bien y regarder, avait elle aussi son harmonie. Les choses, autour d'elle, semblaient suivre exactement son style dans leur manière de se disposer et s'additionner et se mettre en place : exactement le même manque de méthode et la même indifférence pour les matériaux et la même incertitude dans les gestes culminant à la fin en un choix instantané et net sur lequel il n'y avait plus rien à dire. Dans le ciel volait l'Érechthéion tout ébréché à cause des naufrages cosmiques, perdant des morceaux, il s'élevait un instant au-dessus du Lycabette, recommençait à planer, effleurait l'emplacement de l'Acropole où devait descendre plus tard le Parthénon, et il se posait avec légèreté un peu à l'écart.

Parfois, une petite intervention de notre part était nécessaire pour mettre ensemble des pièces détachées, pour que des éléments superposés se rejoignent, et dans ces cas-là Wha, tout en ayant l'air de ne vouloir que traînasser, démontrait qu'elle avait toujours la main heureuse. Comme en jouant, elle chiffonnait les couches des roches sédimentaires en synclinaux et anticlinaux, changeait l'orientation des faces des cristaux et obtenait des parois de feldspath ou de quartz ou de mica ou d'ardoise, cachait entre une couche et l'autre des fossiles marins à différentes hauteurs ordonnées chronologiquement.

Ainsi la Terre prenait-elle peu à peu les formes que vous connaissez. La pluie de débris de météorites continue, apportant de nouveaux détails au tableau — l'encadrement d'une fenêtre, un rideau, un réseau de fils du téléphone —, remplissant les espaces vides avec des pièces qui s'assemblent tant bien que mal — feux de circulation, obélisques, barstabacs, absides, alluvions, un cabinet de dentiste, une couverture de la *Domenica del Corriere* avec un chasseur qui mord un lion —, et quelques excès dans l'exécution de détails superflus s'ajoutent toujours, par exemple dans la pigmentation des ailes des papillons, ou quelques éléments incongrus, comme une guerre au Cachemire, et j'ai toujours l'impression qu'il manque encore quelque chose qui va arriver, peut-être seulement deux vers saturniens de Nævius pour remplir l'intervalle entre deux fragments de poème, ou la formule qui règle les transformations de l'acide désoxyribonucléique dans les chromosomes, et alors le tableau sera complet, j'aurai devant moi un monde précis et dense, j'aurai de nouveau Xha et Wha ensemble.

À présent que je les ai toutes les deux perdues depuis si longtemps — Xha vaincue par la pluie des poussières, disparue en même temps que son royaume précis, Wha peut-être encore blottie par jeu dans une cachette du magasin rempli d'objets trouvés, et désormais introuvable —, j'attends encore qu'elles reviennent, qu'elles réapparaissent en une pensée qui traverse mon esprit, en un regard les yeux fermés ou les yeux ouverts, mais toutes les deux ensemble au même moment ; il me suffirait de les ravoir toutes les deux ensemble un seul instant pour comprendre.

Le ciel de pierre

La vitesse de propagation des ondes sismiques à l'intérieur du globe terrestre varie suivant les profondeurs et les discontinuités entre les matériaux qui constituent l'écorce, le manteau et le noyau.

Vous vivez là, dehors, sur l'écorce — *on entendit la voix de Qfwfq du fond du cratère* —, ou presque dehors, car vous avez au-dessus de vous l'autre écorce, faite d'air, mais pourtant toujours dehors quand on vous regarde depuis les sphères concentriques que la Terre contient, comme moi je le fais, en me déplaçant dans les interstices entre une sphère et l'autre. Vous ne vous souciez même pas de savoir que la Terre, en dedans, n'est pas compacte : elle est discontinue, faite de peaux superposées à la densité différente, jusqu'au fond, jusqu'au noyau de fer et de nickel, qui est lui aussi un système de noyaux, l'un à l'intérieur de l'autre, dont chacun roule indépendamment, selon la fluidité plus ou moins grande de l'élément.

Vous vous faites appeler « terrestres », on ne sait pas de quel droit, car votre vrai nom devrait être « extraterrestres », des gens qui habitent dehors : « terrestres » sont ceux qui vivent au-dedans, comme moi et comme Rdix jusqu'au jour où vous me l'avez prise et l'avez emportée, en l'abusant, dans votre dehors désolé.

Moi, j'ai toujours vécu là-dedans, d'abord avec Rdix, puis tout seul, dans une de ces terres intérieures. Un ciel de pierre tournait au-dessus de nos têtes, plus clair que le vôtre et traversé, comme le vôtre, par des nuages, là où s'amassent des suspensions de chrome et de magnésium. Des ombres ailées s'envolent : les cieux internes ont leurs oiseaux, des concrétions de roches légères qui dessinent des spirales et courent vers les hauteurs jusqu'à disparaître à la vue. Le temps change à l'improviste : lorsque des volées pluvieuses de plomb se déversent, ou lorsque des cristaux de zinc tombent comme grêle, il n'y a pas d'autre issue que de s'infiltrer dans les porosités de la roche spongieuse. Par moments, l'obscurité est sillonnée par des zigzags de feu : ce ne sont pas des éclairs, c'est du métal incandescent qui serpente le long d'une veine.

Nous considérions que la sphère qui nous soutenait était une terre et que la sphère qui entourait cette sphère était un ciel : exactement comme vous le faites, vous, en somme, mais, chez nous, ces distinctions étaient toujours provisoires, arbitraires, puisque la consistance des éléments changeait continuellement et que nous nous rendions compte, à un moment donné, que notre ciel était dur et compact, une meule qui nous écrasait, alors que la terre était une colle visqueuse, agitée par des remous, où pullulaient de petites bulles qui éclataient. J'essayais de profiter des coulées d'éléments plus lourds pour m'approcher du véritable centre de la Terre, du noyau qui forme le noyau de tout noyau, et je guidais Rdix dans la descente en la tenant par la main. Mais toute infiltration qui se dirigeait vers le noyau sapait d'autres matériaux ou les obligeait à remonter vers la surface : parfois, quand nous nous enfoncions, nous étions enveloppés par le flot qui jaillissait vers les couches supérieures et qui se lovait dans sa boucle. Ainsi, nous parcourions de nouveau en sens inverse le rayon terrestre ; dans les couches minérales s'ouvraient des conduits qui nous aspiraient et la roche en dessous de nous recommençait à se solidifier. Jusqu'au moment où nous nous retrouvions soutenus par un autre sol et dominés par un autre ciel de pierre, sans savoir si nous étions plus haut ou plus bas que l'endroit d'où nous étions partis.

Dès qu'elle voyait au-dessus de nous le métal d'un nouveau ciel devenir fluide, la fantaisie de voler s'emparait de Rdix. Elle plongeait vers le haut, traversait à la nage la coupole d'un premier ciel, d'un autre, d'un troisième, s'accrochait aux stalactites qui pendaient des voûtes les plus élevées. Moi, je me tenais derrière elle, un peu pour seconder son jeu, un peu pour lui rappeler qu'il fallait reprendre notre chemin dans le sens opposé. Certes, tout autant que moi, Rdix était convaincue que le point vers lequel nous devions tendre était le centre de la Terre. Nous pourrions dire que toute la planète était à nous seulement quand nous serions parvenus au centre. Nous étions les souches de la vie terrestre et c'est pourquoi nous devions commencer à rendre la Terre vivante à partir de son noyau, en faisant irradier peu à peu notre condition vers tout le globe. Nous tendions à la vie *terrestre*, c'est-à-dire à la vie *de la* Terre et *dans la* Terre ; non à ce qui pousse à la surface et que vous croyez pouvoir appeler « vie terrestre », alors qu'il s'agit seulement d'une moisissure qui dilate ses taches sur la peau rugueuse de la pomme.

C'est la mauvaise voie que vous avez suivie, la vie condamnée à rester partielle, superficielle, insignifiante. Rdix le savait bien elle aussi ; cependant, son naturel magique l'amenait à préférer tous les états de suspension, et dès que lui était donné la possibilité de planer, de bondir, d'escalader des cheminées plutoniques, on la voyait chercher les positions les plus insolites, les perspectives les plus tordues.

Les lieux de frontière, les passages d'une couche terrestre à l'autre lui donnaient un vertige subtil. Nous savions que la Terre était faite de toits superposés, comme les enveloppes d'un oignon immensément gros, et que chaque toit renvoyait à un toit supérieur, et que tous ensemble annonçaient le toit suprême, là où la Terre cesse d'être Terre, où tout le dedans reste en deçà et où, au-delà, il n'y a que le dehors. Pour vous, ces confins de la Terre s'iden-

tifient avec la Terre elle-même ; vous croyez que
la sphère n'est pas le volume mais la surface qui
l'entoure ; vous avez toujours vécu dans cette dimension complètement plate et vous ne supposez même
pas que l'on puisse exister ailleurs et différemment.
Ces confins étaient alors pour nous une chose dont
on connaissait l'existence mais nous n'imaginions
pas qu'il fût possible de les voir, à moins de sortir
de la Terre, et cette perspective nous semblait, bien
plus qu'effrayante, absurde. C'était là que tout ce
que la Terre expulsait de ses viscères était projeté
sous forme d'éruptions et de jaillissements bitumineux et de soufflards : gaz, mélanges liquides, éléments volatils, matériaux de peu de prix, déchets en
tout genre. C'était le négatif du monde, quelque
chose que nous ne pouvions pas nous représenter, pas
même en pensée, et dont l'idée abstraite suffisait
à provoquer en nous un frisson de dégoût, non :
d'angoisse, ou plutôt un étourdissement — plus justement un vertige (voilà, nos réactions étaient plus
compliquées que ce que l'on peut croire, surtout
celles de Rdix) —, où s'insinuait une part de fasci-
nation, comme une attraction du vide, de ce qui a
deux faces, de l'extrême.

En suivant Rdix dans ses errances capricieuses,
je me faufilai dans la gorge d'un volcan éteint. Au-
dessus de nous, en traversant ce qui ressemblait à
l'étranglement d'une clepsydre, s'ouvrit la cavité
du cratère, grumeleuse et grise, pas très différente,
par sa forme et sa substance, des paysages habituels
de nos profondeurs ; mais ce qui nous laissa stupé-

faits, ce fut que la Terre s'arrêtait là, qu'elle ne recommençait pas à peser sur elle-même sous un autre aspect, et que, à partir de là, commençait le vide ou une substance, en tout état de cause, incomparablement plus légère que celles que nous avions traversées jusque-là, une substance transparente et vibrante, l'air bleu.

Quant aux vibrations, nous étions prompts à saisir celles qui se propagent lentement à travers le granit et le basalte, les claquements, les fracas, les grondements sourds qui parcourent paresseusement les masses des métaux fondus ou les murailles cristallines. À cet instant, les vibrations de l'air vinrent à notre rencontre comme un jet de menues étincelles sonores et punctiformes qui se succédaient à une vitesse insupportable pour nous de tous les points de l'espace : c'était comme une sorte de titillation qui faisait naître une agitation désordonnée. Nous fûmes pris — ou, du moins, je fus pris : à partir de là, je suis obligé de distinguer mes états d'âme de ceux de Rdix — du désir de nous retirer dans le fond noir de silence sur lequel l'écho des tremblements de terre passe moelleusement et se perd au loin. Mais chez Rdix, attirée comme toujours par ce qui est rare et imprudent, il y avait l'impatience de s'approprier quelque chose d'unique, que ce fût bon ou mauvais.

C'est à ce moment-là que le piège se déclencha : l'air, au-delà du cratère, vibra de façon continue, ou, mieux, d'une façon continue qui contenait plusieurs façons discontinues de vibrer. C'était un son qui s'élevait dans sa plénitude, s'atténuait, reprenait du volume et, au cours de cette modulation, suivait un dessin invisible étendu dans le temps comme une succession de pleins et de vides. D'autres vibrations se superposaient à la première, qui étaient aiguës et bien détachées l'une de l'autre, mais elles s'estompaient en un halo tantôt doux, tantôt triste, et en contrepoint ou en accompagnant le cours du son le plus profond elles imposaient comme un cercle ou un champ ou un domaine sonore.

Ma première impulsion fut de me soustraire aussitôt à ce cercle, de revenir dans la densité ouatée, et je me glissai à l'intérieur du cratère. Mais Rdix, au même instant, avait commencé à courir le long des escarpements dans la direction d'où venait le son, et avant que je parvienne à la retenir elle avait dépassé le bord du cratère ; ou bien ce fut un bras qui la happa, quelque chose dont je pus penser qu'il s'agissait d'un bras, comme un serpent, et qui l'entraîna dehors. Je parvins à entendre un cri, son cri à elle, qui s'unissait au son d'auparavant, en harmonie avec lui, en un chant unique qu'elle et le chanteur inconnu entonnèrent, scandé sur les cordes d'un instrument, en dévalant les pentes extérieures du volcan.

Je ne sais pas si cette image correspond à ce que j'ai vu ou à ce que j'imaginai : j'étais déjà en train de plonger dans mon obscurité, les cieux internes se refermaient les uns après les autres au-dessus de moi — voûtes de silice, toits d'aluminium, atmosphères de soufre visqueux ; et le silence souterrain, bigarré, retentissait tout autour avec ses grondements retenus, ses tonnerres étouffés. Je fus saisi en même temps par le soulagement de me retrouver loin de la lisière nauséabonde de l'air et du supplice des ondes sonores et par le désespoir d'avoir perdu Rdix. Voilà : j'étais seul ; je n'avais pas su la sauver du tourment d'être arrachée à la Terre, exposée à la percussion continuelle de cordes tendues dans l'air par lequel le monde du vide a l'illusion d'exister. Mon rêve de rendre la Terre vivante en parvenant avec Rdix à son centre ultime avait failli. Rdix était prisonnière, exilée dans les landes découvertes du dehors.

Un temps d'attente suivit. Mes yeux contemplaient les paysages étroitement pressés l'un sur l'autre qui emplissent le volume du globe : cavernes filiformes, chaînes de montagnes adossées et étagées en plaques, océans essorés comme des éponges ; plus je reconnaissais avec émotion notre monde entassé, concentré, compact, plus je souffrais que Rdix ne fût pas là pour l'habiter.

Délivrer Rdix devint mon unique pensée : forcer les portes du dehors, envahir l'extérieur avec l'intérieur, attacher de nouveau Rdix à la matière terrestre, construire au-dessus d'elle une nouvelle voûte, un nouveau ciel minéral, la sauver de l'enfer de cet air vibrant, de ce son, de ce chant. J'épiais la lave que recueillaient les cavernes volcaniques, sa pression vers le haut le long des conduits verticaux de l'écorce terrestre : c'était là le chemin.

Vint le jour de l'éruption. Une tour de lapilli

s'éleva, noire, dans l'air au-dessus du Vésuve déca-
pité : la lave galopait sur les vignes du golfe, forçait
les portes d'Herculanum, écrasait le muletier et son
animal contre la paroi, arrachait l'avare à ses pièces, l'esclave à ses fers, le chien serré par le collier
se dégageait de sa chaîne et cherchait à se sauver
dans le grenier. Moi, j'étais là, au milieu : j'avançais avec la lave, l'avalanche de feu se découpait en
langues, en petits ruisseaux, en serpents, moi j'étais
dans la pointe qui s'infiltrait plus avant et je courais à la recherche de Rdix. Je savais — quelque
chose m'en avertissait — que Rdix était encore prisonnière du chanteur inconnu : quand j'entendrais
de nouveau la musique de cet instrument et le tim-
bre de cette voix, elle serait là, elle aussi.

Je courais, transporté par la coulée de lave, au
milieu de potagers isolés et de temples de marbre.
J'entendis le chant et un trait de harpe ; deux voix
alternaient ; je reconnus celle de Rdix — mais
combien changée ! — qui suivait la voix inconnue.
Une inscription sur l'archivolte, en caractères grecs :
Orpheos. J'enfonçai la porte, passai le seuil et fis
irruption. Je la vis, rien qu'un instant, près de la
harpe. L'endroit était clos et creux, fait exprès —
aurait-on dit — pour que la musique s'y recueille,
comme dans un coquillage. Un lourd rideau — de
cuir, me sembla-t-il, et même rembourré comme une
courtepointe — fermait une fenêtre, de manière à
isoler leur musique du monde alentour. Dès que
j'entrai, Rdix tira le rideau d'un seul coup et ouvrit
grande la fenêtre : dehors s'étalaient le golfe éblouis-

sant de reflets et la ville et les rues. La lumière de
midi envahit la chambre, la lumière et les sons : un
raclement de guitares s'élevait de tous côtés ainsi
que le mugissement roulant de cent haut-parleurs,
et ils se mélangeaient aux petites explosions sacca-
dées de moteurs et au bruit de klaxons. Le blindage
du bruit s'étendait à partir de là sur la surface du
globe : la bande qui délimite votre vie extraterres-
tre, avec les antennes dressées sur les toits pour transformer en son les ondes qui parcourent invisibles et
inaudibles l'espace, avec les transistors sur les oreilles
pour les remplir à chaque instant de la colle acous-
tique sans laquelle vous ne savez pas si vous êtes
vivants ou morts, avec les juke-box qui emmagasi-
nent et déversent des sons, et la sirène ininterrompue de l'ambulance qui recueille d'heure en heure
les blessés de votre carnage ininterrompu. C'est
contre ce mur sonore que s'arrêta la lave. Trans-
percé par les vibrations du vacarme comme par des
pointes de barbelés, je fis encore un mouvement en
avant vers le point où un instant j'avais vu Rdix,
mais Rdix avait disparu, de même que son ravis-
seur : le chant d'où et dont ils vivaient était sub-
mergé par l'irruption de l'avalanche du bruit, je ne
parvenais plus à les distinguer, ni elle ni son chant.

Je me retirai à reculons dans la coulée de lave, je
remontai les pentes du volcan, je recommençai à
habiter le silence, à m'enterrer.

Et maintenant, vous qui vivez dehors, dites-moi,
s'il vous arrive de saisir par hasard dans la dense
pâte de sons qui vous entoure le chant de Rdix, le

chant qui la tient prisonnière et qui est à son tour prisonnier du non-chant qui englobe tous les chants, si vous réussissez à reconnaître la voix de Rdix, dans laquelle résonne encore l'écho lointain du silence, dites-le-moi, donnez-moi de ses nouvelles, vous les extraterrestres, vous provisoirement gagnants, afin que je puisse refaire mes plans pour retrouver Rdix et descendre avec elle au centre de la vie terrestre, pour rendre terrestre la vie depuis le centre jusqu'au dehors, maintenant qu'il est clair que votre victoire est une défaite.

Tant que le Soleil durera

Les étoiles, suivant leur grandeur, leur luminosité et leurs couleurs, ont une évolution différente, que l'on peut classer grâce au diagramme de Hertzsprung-Russell. Leur vie peut être très courte (quelques millions d'années seulement, pour les grosses étoiles bleues) ou suivre un cours tellement lent (une dizaine de milliards d'années, pour les jaunes) que, avant d'arriver à la vieillesse, cette vie peut se prolonger (pour les plus rouges et les plus petites) jusqu'à des milliards de millénaires. Pour toutes vient le moment où, après avoir brûlé tout l'hydrogène dont elles disposaient, il ne leur reste qu'à se dilater et à se refroidir (en se transformant en « géantes rouges ») et, de là, à commencer une série de réactions thermonucléaires qui les conduiront rapidement à la mort. Avant d'en arriver là, le Soleil, étoile jaune de puissance moyenne qui resplendit déjà depuis quatre ou cinq milliards d'années, a devant lui un temps au moins aussi long.

C'est justement pour être un peu tranquille que mon grand-père vint s'installer ici — *raconta Qfwfq* —, après que la dernière explosion de supernova les eut projetés encore une fois dans l'espace, lui, ma grand-mère, leurs enfants, leurs petits-enfants et leurs arrière-petits-enfants. Le Soleil venait juste de se condenser, s'arrondissant, à peine jaune, sur l'un des bras de la Galaxie, et il lui fit bonne impression, au milieu de toutes les autres étoiles qui tournaient là autour.

— Essayons avec une jaune, cette fois, dit-il à sa femme. Si j'ai bien compris, les jaunes sont celles qui se maintiennent le plus longtemps sans changement. Et peut-être aussi que, d'ici quelque temps, il va même se former autour d'elle un système planétaire...

Cette histoire de s'installer avec toute la famille sur une planète, si possible sur celles avec atmosphère et petits animaux et plantes, était une vieille idée du colonel Eggg pour le moment où il serait à la retraite, après tous ses va-et-vient au milieu de la matière incandescente. Non que mon grand-père souffrît de la chaleur — et, pour ce qui était des sautes de température, il avait dû s'y habituer depuis longtemps, au cours de tant d'années de service —, mais tout le monde, arrivé à un certain âge, aime sentir autour de soi un climat tempéré.

Ma grand-mère lui coupa tout de suite la parole :

— Et pourquoi pas sur cette autre ? (Et elle indiqua une « géante bleue ».) Plus elle est grosse et plus elle m'inspire confiance !

— Tu es folle ! Tu ne sais pas ce que c'est que celle-là ? Tu ne les connais pas, les bleues ? Elles brûlent rapidement : on n'a même pas le temps de s'en rendre compte, et deux ou trois milliers de millénaires ne se sont pas écoulés qu'on doit faire sa malle !

Mais vous savez comment est grand-mère Ggge, qui est restée juvénile non seulement dans son aspect mais aussi dans ses jugements, jamais contente de ce qu'elle a, toujours impatiente de changer — peu importe si c'est en mieux ou en pire —, attirée par tout ce qui est différent. Il faut dire que le remue-ménage, dans ces déménagements rapides, en toute hâte, d'un corps céleste à l'autre, retombait toujours sur ses épaules, surtout lorsqu'il y avait des enfants en bas âge.

— Il semble qu'elle ne s'en souvienne pas d'une fois sur l'autre, dit grand-père Eggg en s'épanchant auprès de nous, ses petits-enfants, elle ne parvient jamais à rester tranquille. Ici, dans le Système solaire, moi je dis : De quoi peut-elle se plaindre ? Ça fait longtemps que j'ai fait le tour des galaxies en long et en large : j'ai bien un peu d'expérience, n'est-ce pas ? Eh bien, ma femme ne le reconnaît jamais...

C'est là l'idée fixe du colonel. Il a eu beaucoup de satisfactions dans sa carrière, mais il ne réussit pas à avoir celle à laquelle il tient à présent plus qu'à toute autre, entendre enfin sa femme dire : « Oui, Eggg, tu as bien su voir, pour ce Soleil je n'en aurais pas donné un sou alors que toi tu as su évaluer tout de suite qu'il s'agissait d'un astre des plus fiables et des plus stables, de ceux qui ne se mettent pas d'un moment à l'autre à faire des farces, et tu as même su te mettre dans la position juste pour prendre pied sur la Terre, lorsque ensuite elle s'est formée... la Terre qui, avec toutes ses limites et ses défauts, offre encore de bonnes zones de résidence, et les enfants ont de l'espace pour jouer et les écoles ne sont pas trop éloignées... » C'est ce que le vieux colonel aimerait que sa femme lui dise — qu'elle lui donne cette satisfaction, une fois au moins. Eh bien, non. Au contraire, dès qu'elle entend parler de quelque système stellaire qui fonctionne de tout autre manière, par exemple les oscillations de luminosité des « RR Lyrae », elle commence alors à s'agiter :

— On a peut-être là-bas une vie plus variée, on est davantage dans le coup, alors que nous restons confinés dans ce coin, à un endroit mort où il ne se passe jamais rien.

— Mais que veux-tu qu'il arrive ? demande Eggg en nous prenant tous à témoin. Comme si on ne savait pas désormais que c'est partout la même chose : l'hydrogène qui se transforme en hélium, puis toujours les mêmes jeux avec le béryllium et le lithium, les strates incandescentes qui s'écroulent les unes sur les autres, puis enflent comme des ballons en blanchissant de plus en plus et s'écroulent encore... Si au moins on parvenait, en étant là, au milieu, à jouir du spectacle ! Au contraire, chaque fois, le grand souci c'est de ne pas perdre de vue les caisses et les paquets dans les déménagements, et les enfants qui pleurent, et la fille qui a les yeux qui piquent, et le gendre dont le dentier se met à fondre... La première qui en souffre, on le sait, c'est elle, justement, Ggge ; elle parle, elle parle, mais il faut la voir dans la pratique...

Même pour le vieil Eggg (il nous l'a raconté tant de fois) les premiers temps étaient pleins de surprises : la condensation des nuages de gaz, le choc des atomes, la coagulation de matière qui ne cesse de grossir jusqu'au moment où elle s'enflamme, et le ciel qui se remplit de corps incandescents de toutes les couleurs, chacun semblant être différent de tous les autres, en diamètre température densité, façon de se contracter et se dilater, et tous ces isotopes dont personne n'imaginait qu'ils puissent exister, et ces bouffées, ces explosions, ces champs magnétiques : une suite d'imprévus. Mais à présent... un coup d'œil lui suffit pour tout comprendre : de quelle étoile il s'agit, de quel calibre, combien elle pèse, qu'est-ce qu'elle brûle, si elle sert d'aimant ou si elle expulse des matières, et à quelle distance s'arrête ce qu'elle expulse, et à combien d'années-lumière il peut y en avoir une autre.

Pour lui, l'étendue du vide est comme un faisceau de rails à un embranchement ferroviaire : écartements aiguillages déviations sont ceux-là et non pas d'autres, on peut prendre ce parcours-ci ou celui-là, mais il ne faut pas courir au milieu ni sauter sur le ballast. De même pour l'écoulement du temps : chaque mouvement est classé dans un horaire qu'il sait par cœur ; il connaît tous les arrêts, les retards, les correspondances, les cadences, les variations saisonnières. Il a toujours eu ce rêve, pour le moment où il quitterait le service : contempler le trafic ordonné et régulier qui parcourt l'univers, comme ces retraités qui vont tous les jours à la gare voir les trains qui arrivent et qui partent, et se réjouir car ce n'est plus à lui d'être ballotté, chargé de bagages et d'enfants, au milieu du va-et-vient indifférent de ces engins roulant chacun pour leur compte...

Un endroit idéal, donc, à tout point de vue. Depuis quatre milliards d'années qu'ils sont là, ils se sont suffisamment acclimatés, ils ont fait quelques connaissances : des gens qui vont et qui viennent, évidemment — c'est l'usage de l'endroit —, mais pour Mme Ggge, qui aime tant la variété, cela devrait être un avantage. À présent ils ont des voisins, sur le même palier, les Cavicchia, qui sont vraiment de braves gens : des voisins avec lesquels on s'entraide, on échange des services.

— J'aurais bien voulu voir, dit Eggg à sa femme, si tu aurais pu trouver des gens aussi courtois dans les Nuages de Magellan !

(Car Ggge, dans son regret d'autres résidences, revient aussi sur les constellations extragalactiques.)

Mais lorsqu'une personne a un certain âge, on ne peut vraiment pas la changer : s'il n'y est pas parvenu en tant d'années de mariage, le colonel n'y arrivera certainement pas maintenant.

Par exemple : Ggge entend que leurs voisins partent pour Teramo — les Cavicchia, ce sont des gens des Abruzzes et ils vont tous les ans rendre visite à leurs parents.

— Tu vois, dit Ggge, tout le monde part et nous, nous restons toujours là. Moi, ma mère, ça fait des milliards d'années que je ne suis pas allée la voir !

— Mais tu ne comprends donc pas que ce n'est pas la même chose ? proteste le vieil Eggg.

Il faut savoir que mon arrière-grand-mère habite dans la Galaxie d'Andromède. Oui, il fut un temps où elle voyageait toujours en compagnie de sa fille et de son gendre mais, juste au moment où cet amas de galaxies a commencé à se former, ils se sont perdus de vue, elle a été prise d'un côté et eux d'un autre. (Ggge, aujourd'hui encore, en fait porter la faute au colonel : « Tu aurais dû faire plus attention », soutient-elle. Et lui : « Mais oui ! Comme si je n'avais eu rien d'autre à faire, à ce moment-là ! » se contente-t-il de dire, pour ne pas préciser que sa belle-mère était certes une excellente femme, mais que comme compagne de voyage elle appartenait à cette catégorie d'individus faits exprès pour compliquer les choses, surtout dans les moments de confusion.)

La Galaxie d'Andromède se trouve là, tout droit, au-dessus de notre tête, mais il y a toujours au milieu deux ou trois milliards d'années-lumière. On dirait que pour Ggge les années-lumière sont comme les sauts d'une puce : elle n'a pas compris que l'espace est une pâte qui vous colle comme le temps.

Il y a quelques jours, peut-être pour l'égayer, Eggg lui dit :

— Écoute, Ggge, il n'est pas sûr que nous restions ici à l'infini. Depuis combien de millénaires sommes-nous là ? Quatre millions ? Eh bien : comptons que nous sommes, à peu près, à la moitié de notre séjour. Il ne se passera pas cinq millions de millénaires que le Soleil va tant enfler qu'il engloutira Mercure, Vénus et la Terre, et une série de cataclysmes recommencera, très rapides, les uns à la suite des autres. Qui sait où nous serons chassés ? Essaie donc de jouir de ce peu de tranquillité qui nous reste.

— Ah bon, dit-elle, tout de suite intéressée. Alors il ne faut pas qu'on se laisse prendre au dépourvu. Je vais commencer à mettre de côté tout ce qui ne s'abîme pas et n'est pas trop encombrant, pour que nous l'emportions avec nous lorsque le Soleil explosera.

Et avant que le colonel parvienne à l'arrêter elle court au grenier voir combien il y a de valises, et dans quel état, et si les serrures sont solides. (C'est en cela qu'elle prétend être prévoyante : si l'on est projeté dans l'espace, il n'y a rien de pire que de devoir ramasser le contenu des valises éparpillé au milieu du gaz interstellaire.)

— Mais pourquoi es-tu si pressée ? s'exclame grand-père. Il s'agit de plusieurs milliards d'années que nous avons encore devant nous, je viens de te le dire !

— Oui, mais il y a tant de choses à faire, Eggg, et je ne veux pas être obligée de me limiter au dernier moment. Par exemple : je veux avoir avec moi de la confiture de coings, si nous rencontrons par hasard ma sœur Ddde ; elle en raffole et peut-être qu'elle n'en a pas goûté depuis qui sait combien de temps, la pauvre.

— Ta sœur Ddde ? Mais n'est-ce pas celle qui est sur Sirius ?

Dans la famille de grand-mère Ggge ils sont je ne sais combien, éparpillés un peu à travers toutes les constellations, et à chaque cataclysme elle s'attend à en rencontrer quelques-uns. Le fait est qu'elle n'a pas tort : chaque fois que le colonel saute dans l'espace, il se retrouve au milieu de beaux-frères ou de cousins par alliance.

En conclusion, personne ne peut plus désormais la retenir : tout excitée par les préparatifs, elle ne pense à rien d'autre, laissant à moitié fait le ménage le plus indispensable, parce que, après tout, « dans quelque temps ce sera la fin du Soleil ». Son mari se ronge : il avait tant rêvé de jouir de sa retraite en s'accordant une pause dans la série des déflagrations, en laissant les creusets célestes cuire dans leur combustible multiforme, en se tenant à l'abri pour contempler l'écoulement des siècles comme un cours uniforme sans interruptions ; et voilà que — presque parvenu au beau milieu de ces vacances — Mme Ggge commence à le mettre en état de tension, avec les valises grandes ouvertes sur les lits, les tiroirs sens dessus dessous, les chemises empilées, voilà que tous les milliers de millions de milliards d'heures et de jours et de semaines et de mois dont il aurait pu jouir comme d'un congé sans fin, il devra dorénavant les vivre sur le pied de guerre, comme quand il était en service, toujours dans l'attente d'un déplacement, sans même pouvoir oublier ne serait-ce qu'un instant que tout ce qui l'entoure est provisoire, provisoire mais toujours répété, une mosaïque de protons électrons neutrons à décomposer et recomposer à l'infini, une soupe à remuer afin qu'elle ne se refroidisse ou ne se réchauffe pas. En somme, cette villégiature dans la planète la plus tempérée du système solaire est bel et bien gâchée.

— Qu'en dis-tu, Eggg ? Je crois que nous pourrions emporter avec nous un peu de vaisselle bien emballée sans qu'elle se casse…

— Mais non ! Qu'est-ce qui te passe par la tête, Ggge ? Avec la place que ça occupe ! Pense au nombre de choses que tu dois faire entrer là-dedans…

Et il est obligé de participer lui aussi, de prendre position sur divers problèmes, de partager la longue impatience, de vivre dans une veille perpétuelle…

Moi, je sais maintenant quelle est l'aspiration brûlante de ce vieux retraité (il nous l'a dit clairement tant de fois) : être placé hors jeu une fois pour toutes, laisser les étoiles se défaire et se refaire et recommencer à se défaire cent mille fois, avec Mme Ggge et toutes ses belles-sœurs au milieu qui se poursuivent et s'embrassent ou perdent leurs cartons à chapeau et leurs ombrelles et les retrouvent et de nouveau les perdent, et que lui n'ait rien à faire avec ça, et que lui reste dans le fond de la matière pressée et mâchée et crachée et qui ne sert plus à rien… Les « naines blanches » !

Le vieil Eggg n'est pas quelqu'un qui parle uniquement pour parler : il a un projet bien précis à l'esprit. Vous savez, les « naines blanches », les étoiles très compactes et inertes, résidus des explosions les plus lancinantes, rendues brûlantes par la chaleur blanche des noyaux de métaux écrasés et comprimés l'un dans l'autre, et qui continuent à tourner lentement sur des orbites oubliées, devenant peu à peu des cercueils d'éléments, froids et opaques ?

— Qu'elle y aille, Ggge, qu'elle y aille, ricane Eggg, qu'elle se laisse emporter par les jets des électrons en fuite. Moi, j'attendrai ici, jusqu'à ce que le Soleil et tout ce qui tourne autour de lui soient réduits à une très vieille étoile naine ; je me creuserais une niche dans les atomes les plus durs, je supporterais des flammes de toutes les couleurs, pourvu que je puisse enfin m'engager dans l'impasse, dans le cul-de-sac, pourvu que je puisse aborder le rivage d'où l'on ne repart pas...

Et il regarde vers le haut avec déjà les yeux qu'il aura quand il sera sur la « naine blanche » ; le tournoiement des galaxies, avec leurs feux bleus jaunes rouges qui s'allument et s'éteignent, avec leur condensation et leur dispersion de nuages et de poussières, ne sera plus l'occasion des polémiques conjugales habituelles, mais quelque chose qui existe, qui est là, qui est ce qui est, un point c'est tout.

Et pourtant je crois que, au moins les premiers temps de son séjour sur cet astre désert et oublié, il lui arrivera encore de continuer à discuter mentalement avec Ggge. Ce ne sera pas facile pour lui de s'arrêter. Je crois le voir, seul dans le vide, en train de parcourir l'étendue des années-lumière, mais se disputant toujours avec sa femme. Ces expressions « je te l'avais bien dit » et « la belle découverte ! » qui ont commenté la naissance des étoiles, la course des galaxies, le refroidissement des planètes, ces « maintenant tu vas être contente » et « tu ne sais dire que ça » qui ont marqué les épisodes, les phases et les explosions de leurs disputes et des cataclysmes célestes, et ces « tu crois toujours avoir raison » et « parce que tu ne veux jamais m'écouter » sans lesquels l'histoire de l'univers n'aurait pour lui ni nom ni souvenir ni saveur, cette querelle conjugale ininterrompue, si jamais elle finissait un jour, quelle désolation, quel vide !

Tempête solaire

*Le Soleil est soumis à des perturbations internes
continues de sa matière gazeuse et incandescente, qui
se manifestent par des bouleversements visibles à sa
surface : des protubérances qui éclatent comme des
bulles, des taches à la luminosité atténuée, d'intenses
éruptions d'où s'élèvent dans l'espace des jets sou-
dains. Quand un nuage de gaz électrisé émis par le
Soleil heurte la Terre en traversant les ceintures de
Van Allen, on enregistre des tempêtes magnétiques et
des aurores boréales.*

Il y a des gens auxquels le Soleil donne un sentiment de sécurité — *dit Qfwfq* —, de stabilité, de
protection. Pas à moi.

Ils disent : « Le voilà, le Soleil, il a toujours été
là, il nous nourrit, il nous réchauffe, il est haut, il
domine les nuages et les vents, radieux, toujours
égal, la Terre tourne autour de lui, en proie à des
cataclysmes et des tempêtes, et lui : lui, il est calme,

impassible, toujours là, à sa place. » N'en croyez rien. Ce que nous appelons Soleil n'est rien d'autre qu'une explosion continuelle de gaz qui dure depuis cinq milliards d'années et n'en finit plus de jeter des matières, c'est un typhon de feu sans forme ni loi, une menace, un écrasement perpétuel, imprévisible. Et nous sommes à l'intérieur : il n'est pas vrai que nous sommes ici et que le Soleil est là-bas ; c'est tout un tourbillon de courants concentriques sans intervalles, un tissu unique de matière, tantôt moins épais tantôt plus, issu du même nuage originaire qui s'est contracté et a pris feu.

Certes, la quantité de matière justement que le Soleil lance jusqu'ici — fragments de particules, atomes brisés —, en se disposant le long des lignes de force de l'aimant qui passe d'un pôle à l'autre, a formé comme une sorte de coquille invisible qui enveloppe la Terre, et nous pouvons même faire semblant de croire que notre monde est séparé, un monde où les causes et les effets se répondent selon certaines règles que, les connaissant, nous pouvons maîtriser, à l'abri des remous d'éléments en désordre qui tourbillonnent autour de nous.

Moi, par exemple, j'ai passé un brevet de capitaine au long cours, j'ai pris le commandement du steamer *Halley :* je note dans le journal de bord la latitude, la longitude, les vents, les données des instruments météorologiques, les messages de la radio ; j'ai appris à partager votre confiance dans les conventions fragiles qui régissent la vie terrestre. Que pourrais-je désirer de plus ? La route est sûre, la mer est calme, demain nous serons en vue des côtes familières du pays de Galles, dans deux jours nous nous engagerons dans l'estuaire bitumineux de la Mersey, nous jetterons l'ancre dans le port de Liverpool, terme de notre voyage. Ma vie est réglée selon un calendrier fixé dans ses moindres détails : je compte les jours qui me séparent du prochain embarquement et que je passerai dans ma tranquille maison de campagne du Lancashire.

Mr. Evans, le second, apparaît dans l'encadrement de la porte de la salle de navigation ; il dit :

— *Lovely sun, sir.*

Et il sourit. J'acquiesce : le Soleil est vraiment d'une pureté extraordinaire pour la saison et la latitude ; si j'aiguise mon regard (moi qui ai le don de regarder fixement le Soleil sans être aveuglé), je distingue nettement la couronne et la chromosphère et la disposition des taches, et je vois... je vois des choses qu'il est inutile de vous communiquer : des cataclysmes qui sont en train en ce moment de bouleverser les profondeurs brûlantes, des continents en flammes qui s'écroulent, des océans incandescents qui enflent et débordent du creuset en se transformant en courants de radiations invisibles projetées vers la Terre, presque aussi rapides que la lumière.

La voix étranglée du timonier Adams résonne dans le porte-voix :

— L'aiguille de la boussole, monsieur, l'aiguille de la boussole ! Que diable se passe-t-il ? Elle tourne, elle tourne comme une roulette !

— Il est saoul ? ! s'exclame Evans.

Mais, moi, je sais que tout est régulier, que *tout commence maintenant à être régulier*, je sais que Simmons, le radiotélégraphiste, va d'ici peu se précipiter ici.

Le voilà qui arrive, les yeux exorbités : il s'en faut de peu qu'il ne renverse Evans sur le seuil.

— Tout est mort, monsieur ! J'écoutais la demi-finale de boxe, et tout est mort ! Je ne parviens plus à établir un contact radio avec aucune station !

— Qu'est-ce que je dois faire, capitaine ? hurle Adams dans l'embouchure du porte-voix. La boussole est affolée !

Evans est blanc comme un linge.

C'est le moment de faire sentir ma supériorité :

— Du calme, messieurs, nous sommes tombés sur une tempête magnétique. Il n'y a rien à faire. Recommandez vos âmes à ce en quoi vous croyez, et gardez votre calme.

Je sors sur le gaillard d'avant. La mer est immobile, émaillée par le reflet du Soleil au zénith. Dans cette tranquillité des éléments, le *Halley* est devenu un amas de ferraille aveugle, que tous les arts et les talents de l'homme sont impuissants à diriger. Nous sommes en train de naviguer dans le Soleil, à l'intérieur de l'explosion solaire où ni les boussoles ni les radars ne comptent. Nous avons toujours été à la merci du Soleil, même si nous parvenions presque toujours à l'oublier, à nous croire à l'abri de son bon plaisir.

C'est alors que je la vois. Je lève les yeux vers le mât de misaine : elle est là-haut. Elle est accrochée

à la vergue, suspendue dans l'air comme un drapeau qui se déploie sur des milles et des milles, ses
cheveux volent dans le vent, et tout son corps flotte
comme ses cheveux parce qu'il a la même légère
consistance poudreuse : ses bras aux fins poignets
et aux épaules généreuses, ses reins cambrés comme
une lune dans son premier quartier, sa poitrine
comme un nuage qui surplombe la passerelle du
bateau et les volutes de son drapé qui se confondent avec la fumée de la cheminée et, plus loin,
avec le ciel.

Je percevais tout cela dans l'électrisation invisible de l'air ; ou bien seulement son visage comme
une figure de proue aérienne, une monumentale tête
de Méduse, aux yeux et à la chevelure crépitants.
Rah avait réussi à me rejoindre.

— Tu es là, Rah, dis-je, tu m'as déniché.

— Pourquoi es-tu venu te cacher ici-bas ?

— Je voulais voir s'il y a une autre façon d'être.

— Et il y en a une ?

— Ici je dirige des navires sur des routes tracées
au compas, je m'oriente avec la boussole, mes appareils captent les ondes radio, chaque chose qui arrive
a une raison.

— Et toi, tu y crois ?

De la cabine radio sortaient les imprécations de
Simmons qui essayait de régler une syntonisation
avec une station quelconque dans le crépitement des
décharges électriques.

— Non, mais j'aime faire comme si c'était ainsi,
suivre le jeu jusqu'au bout, dis-je à Rah.

— Et quand l'on voit que c'est impossible ?

— On va à la dérive ; tout en étant prêt à reprendre le contrôle d'un moment à l'autre.

— Vous parlez tout seul, monsieur ?

C'était Evans qui interposait toujours son visage insignifiant. J'essayai de prendre une contenance :

— Allez donner un coup de main à Adams, *mister* Evans. Les oscillations de l'aiguille magnétique vont avoir tendance à se répéter suivant certaines constantes. Nous pouvons calculer une route approximative, en attendant de nous orienter à l'aide des étoiles, cette nuit.

La nuit, les striures d'une aurore boréale s'arquèrent dans la voûte du ciel au-dessus de nous comme sur le dos d'un tigre. Chevelure flamboyante et draperies somptueuses, Rah se pavanait suspendue aux vergues du bateau. Il était impossible de retrouver l'orientation.

— Nous avons abouti au Pôle, dit Adams, simplement pour prouver qu'il était spirituel (il savait bien que les tempêtes magnétiques peuvent provoquer des aurores boréales sous n'importe quelle latitude).

Je regardais Rah dans la nuit : sa coiffure fastueuse, ses bijoux, sa robe chatoyante.

— Tu as mis ta tenue de gala, dis-je.

— Il faut bien que je fête ta redécouverte, répondit-elle.

Pour moi, il n'y avait rien à fêter. J'étais retombé dans une ancienne sujétion ; mon projet patient avait échoué.

— Tu es de plus en plus belle, admis-je.

— Pourquoi as-tu fui ? Tu t'es fourré dans ce trou, tu t'es laissé prendre au piège, réduire aux dimensions d'un monde où tout est limité.

— Je suis là par ma volonté, répliquai-je.

Mais je savais qu'elle ne me comprendrait pas. Pour elle, notre vie se trouvait dans les espaces libres traversés par les rayons, parmi les coups de vent des explosions solaires qui nous transportaient sans arrêt, hors des dimensions, des formes.

— Tu joues toujours à croire que c'est toi qui choisis, qui décides, qui détermines, dit Rah. C'est ton vice.

— Et toi, comment es-tu arrivée jusqu'ici ? demandai-je. (L'ionosphère n'était-elle pas une barrière inexpugnable ? Tant de fois j'avais senti Rah l'effleurer comme un papillon qui bat des ailes contre la vitre d'une chambre.) Tu ne m'as pas encore dit comment tu es entrée.

Elle haussa les épaules :

— Une rafale de rayons, une brèche dans le plafond, et me voilà. Je suis venue pour te reprendre.

— Me reprendre ? Mais à présent c'est toi qui es dans un piège. Comment vas-tu faire pour sortir ?

— Je reste là. Je reste avec toi, dit-elle.

— Un désastre, monsieur ! (Simmons courait sur le pont dans ma direction.) Toutes les installations électriques à bord ont sauté !

Evans était caché derrière une écoutille, il saisit le radiotélégraphiste par un bras ; il lui dit — je le compris à ses gestes — qu'il était inutile de s'adresser à moi : la tempête magnétique m'avait rendu fou, je parlais tout seul en m'adressant aux mâtures.

J'essayai de rétablir mon prestige :

— L'océan est traversé de violents courants électriques, expliquai-je, la tension augmente dans les fils, les plombs sautent, c'est normal.

Mais ils me regardaient désormais avec des yeux qui ne montraient plus aucun respect pour mon grade.

Le jour suivant les effets de la tempête magnétique avaient cessé sur tout l'océan, sauf à bord de notre bateau, et sur un vaste rayon autour de lui. Le *Halley* continuait à traîner Rah, mollement étendue dans l'air, accrochée par un doigt au radar ou au paratonnerre ou au bord de la cheminée. La boussole ressemblait à un poisson se débattant dans un bassin, la radio continuait à bouillir comme une marmite de pois chiches. Les bateaux envoyés à notre secours ne nous trouvaient pas : leurs instruments tombaient en panne dès qu'ils s'approchaient de nous.

La nuit, des striures lumineuses flottaient au-dessus du *Halley* ; c'était une aurore boréale rien que pour nous, comme si ç'eût été notre drapeau. Cela permit aux embarcations de secours de nous repérer enfin. Sans s'approcher pour ne pas être contaminées par ce qui ressemblait à une mystérieuse maladie magnétique, elles nous conduisirent dans la rade de Liverpool.

La rumeur commença à faire le tour de tous les ports : le capitaine du *Halley*, où qu'il allât, apportait avec lui des perturbations électriques et des aurores boréales. De plus, mes officiers racontèrent autour d'eux que j'entretenais des rapports avec des puissances invisibles. Je perdis le commandement du *Halley*, naturellement, et je ne pus d'aucune manière obtenir d'autres embarquements. Par bonheur, avec les économies de mes années de navigation, j'avais acheté une vieille maison de campagne dans le Lancashire où — comme je l'ai dit — j'avais l'habitude de séjourner entre deux embarquements et de me consacrer à mes expériences préférées de mensuration et de prévision des phénomènes naturels. J'avais rempli la maison d'instruments de précision que j'avais construits, parmi lesquels un héliographe monochromatique, et chaque fois que je remettais le pied sur terre, j'attendais avec impatience le moment de m'enfermer au milieu de tout ça.

Je me retirai donc dans le Lancashire, avec ma femme Rah. Aussitôt les téléviseurs des propriétaires des alentours, sur un rayon de plusieurs miles, commencèrent à tomber en panne. Il n'y avait plus moyen de mettre au point une quelconque transmission : sur l'écran, des bandes noires et blanches s'agitaient comme si un zèbre mordu par des puces était entré dans l'appareil.

Je savais que des bruits couraient sur notre compte mais je ne m'en souciais pas : il semblait qu'on en voulût surtout à mes expériences. Ils en étaient encore aux temps où mes appareils fonctionnaient, ils n'avaient sans doute encore aucun soupçon sur ma femme, ils ne l'avaient jamais vue, ils ne savaient pas qu'aucun mécanisme ne pouvait plus être mis en route chez nous, que nous n'avions même plus de courant électrique.

Et d'ailleurs, de nos fenêtres, la nuit, ne filtrait que la lumière des bougies, et cela donnait à notre maison un aspect sinistre : beaucoup de gens restaient debout la nuit, ces jours-là, pour contempler les lueurs d'aurore boréale, devenues une des caractéristiques de notre région ; il n'y a pas à s'étonner si les soupçons à notre endroit s'aggravèrent. On vit ensuite les oiseaux migrateurs perdre leur sens de l'orientation : des cigognes arrivaient en plein hiver, les albatros descendaient sur les bruyères.

Un jour, je reçus la visite du pasteur, le révérend Collins.

— Je souhaiterais vous parler, monsieur le capitaine (et il toussota), au sujet de certains phénomènes qui se produisent sur le territoire de la paroisse… n'est-ce pas ?… et de certains bruits qui courent…

Il était sur le seuil. Je le fis entrer. Il ne sut cacher son étonnement en voyant que tout, dans notre maison, était en débris : des éclats de verre, des balais de dynamo, des lambeaux de cartes nautiques, tout en désordre.

— Mais ce n'est plus la maison que j'avais visitée aux dernières Pâques… murmura-t-il.

Moi aussi je fus touché un instant par la nostalgie du laboratoire en ordre, fonctionnel, bien équipé que je lui avais fait visiter l'année précédente. (Le révérend Collins avait un grand souci de garder des relations courtoises avec les habitants des alentours, surtout avec ceux qui ne mettaient jamais les pieds à l'église.)

Je me ressaisis :

— Mais si, nous avons juste un peu changé la disposition...

Le pasteur en vint tout de suite à la raison de sa visite. Toutes les choses étranges qui se produisaient depuis que j'étais revenu habiter là, *marié* (il insista sur ce mot), la rumeur publique pensait qu'elles avaient un lien avec ma propre personne, ou avec celle de Mme Qfwfq (je tressaillis), à laquelle pourtant personne n'avait eu la chance — dit-il — d'être présenté. Je ne répondis rien.

— On sait comment sont les gens d'ici, continua le révérend Collins, il y a encore tant d'ignorance, de superstition... On ne peut évidemment écouter tout ce qu'ils disent... (Était-il venu s'excuser de l'hostilité de ses paroissiens à mon égard ou s'assurer de ce qu'il pouvait y avoir de vrai dans leurs racontars, ce n'était pas clair.) Des bruits sans queue ni tête courent. Imaginez ce qu'on m'a raconté : que votre femme a été vue la nuit en train de voler sur les toits et de se balancer aux antennes de télévision. « Comment ça ? ai-je demandé. Et comment serait cette Mme Qfwfq ? Comme un lutin, un elfe ? » Ils m'ont répondu que non, « c'est une géante toujours étendue dans l'air comme un nuage... ».

— Non, ça non, je vous assure, commençai-je à dire sans savoir très bien ce que je me proposais de démentir. Rah reste allongée à cause de son état physique... vous comprenez ?... c'est pour cette raison que nous préférons ne pas fréquenter... mais elle reste à la maison... En ce moment, Rah reste presque toujours à la maison... si vous voulez, je vous la présente...

Certes, le révérend Collins n'attendait rien d'autre. Je dus le conduire dans la remise, une vieille grande remise-entrepôt qui avait servi, à l'époque où cette propriété était une entreprise agricole, pour les batteuses et le séchage du foin. Il n'y avait pas de fenêtres, la lumière filtrait à travers les fentes, on voyait la poussière en suspension. Et, au milieu de cette poussière, on reconnaissait clairement Rah. Elle occupait toute la remise et restait allongée sur le côté, un peu pelotonnée, lovée, tenant d'une main l'un de ses genoux et caressant avec l'autre une bobine de Rutherford comme si c'était un chat angora. Elle gardait la tête baissée parce que le plafond était un peu bas pour elle ; ses yeux s'entrouvraient au jaillissement des étincelles du fil de cuivre de la bobine chaque fois que sa main se soulevait pour empêcher un bâillement.

« La pauvre petite, enfermée ainsi, elle s'ennuie un peu, elle n'en a pas tellement l'habitude » : c'est ce que je crus bon d'expliquer, mais j'aurais voulu exprimer autre chose, et c'était l'orgueil qui emplissait mon cœur à cette vue. Voilà ce que j'aurais dit s'il y avait eu quelqu'un en mesure de me comprendre : « Regardez comme elle a changé : quand elle est arrivée c'était une furie, qui aurait pu dire que je réussirais à vivre avec une tempête, à la contenir, à la dompter ? »

Pris dans ces pensées, j'avais presque oublié le pasteur. Je me retournai. Il n'était plus là. Il s'est échappé ! Le voilà dehors, en train de courir ; il saute les haies, prenant appui sur son parapluie.

Maintenant, je m'attends au pire. Je sais que les voisins se sont unis en bandes, armés, et qu'ils entourent la colline. J'entends les chiens aboyer, des cris d'appel, de temps à autre je vois un avant-poste en train de guetter près d'une haie et qui fait bouger les feuilles. Ils s'apprêtent à donner l'assaut à la maison, peut-être pour y mettre le feu : je vois des torches allumées circuler tout autour. Je ne sais pas s'ils ont l'intention de nous prendre vivants, ou de nous lyncher, ou de nous faire brûler dans les flammes. C'est peut-être ma femme qu'ils veulent brûler comme sorcière ; ou bien ont-ils déjà compris qu'elle ne se laissera jamais prendre ?

Je regarde le Soleil. On dirait qu'il est entré dans une phase d'activité tumultueuse : les taches se rétrécissent, des bulles d'une splendeur centuplée se répandent. J'ouvre maintenant la remise, je laisse la lumière l'envahir. J'attends qu'une explosion plus forte lâche dans l'espace un jet électrique, et alors le Soleil allongera ses bras jusque-là, arrachera le voile qui nous sépare, viendra reprendre sa fille, la rendre à ses courses piaffantes dans les plaines illimitées de l'espace.

Bientôt, tous les téléviseurs des alentours recommenceront à fonctionner, les images de détergents et de belles filles occuperont à nouveau l'écran, les bandes des persécuteurs se disperseront, chacun reviendra à sa ration de rationalité quotidienne. Moi aussi je pourrai remonter mon laboratoire, revenir au mode de vie que j'avais choisi avant cette interruption forcée.

Mais ne croyez pas que, avec Rah sur le dos, j'aie jamais failli à la ligne de conduite que je m'étais fixée, ne croyez pas que, à un certain moment, je me sois rendu, en voyant que je ne pouvais pas échapper à Rah, en voyant qu'elle était la plus forte ; j'avais conçu un plan encore plus difficile pour remplacer celui qui avait été mis en échec par Rah, un plan en fonction de Rah, malgré Rah, et même justement grâce à elle ou, pour mieux dire, par amour de Rah, la seule façon de réaliser l'amour entre nous deux : projeter, dans cet effritement d'instruments, dans cette fine poussière de vibrations, d'autres instruments, d'autres mesures, d'autres calculs qui permettraient de connaître et contrôler la tempête solaire interplanétaire qui nous envahit et secoue et ébranle et conditionne, au-delà de notre illusoire ombrelle ionisée. C'est ça que je voulais. Et maintenant qu'elle monte comme la foudre vers la sphère du feu et que moi je redeviens maître de moi-même, que je commence à ramasser les débris de mes mécanismes, voilà que je me rends compte combien misérables sont les pouvoirs que j'ai reconquis.

Les persécuteurs ne se sont encore aperçus de rien. Les voilà qui arrivent, armés de fourches, de carabines et de bâtons.

— Êtes-vous contents ? Je m'écrie : Elle n'est plus

là ! Retournez à vos boussoles, à vos programmes de télévision ! Tout est en ordre ! Rah est partie. Mais vous ne savez pas ce que vous avez perdu. Vous ne savez pas quel était mon programme, mon programme pour vous, vous ne savez pas ce que pouvait signifier pour nous la présence de Rah, la désastreuse, l'irrésistible Rah, pour moi et pour vous qui allez me lyncher !

Ils se sont arrêtés. Ils ne comprennent pas ce que je dis, ils ne me croient pas, ils ne savent pas s'ils doivent en être effrayés ou encouragés. Moi non plus, d'ailleurs, je ne comprends pas ce que je dis, je ne me crois pas, moi non plus je ne sais pas si je dois me sentir soulagé, moi aussi j'ai peur.

Les coquilles et le temps

La documentation de la vie sur la Terre, très pauvre pour la période précambrienne, devient brusquement très dense voici cinq cent vingt millions d'années environ. En effet, pendant le Cambrien et l'Ordovicien, les organismes vivants commencent à sécréter des coquilles calcaires qui se conserveront comme fossiles dans les couches géologiques.

Qui, pensez-vous, vous a permis d'entrer dans la dimension dans laquelle vous êtes tous plongés, si bien que vous croyez que vous êtes nés en elle et par elle ? Qui, pensez-vous, vous a ouvert la brèche ? Ce fut moi — *entendit-on s'exclamer la voix de Qfwfq, qui sortait de sous un coquillage —*, moi, misérable mollusque condamné à vivre ma vie un moment après l'autre, moi, prisonnier perpétuel d'un présent interminable. Il est inutile que vous fassiez semblant de comprendre, vous ne pouvez pas deviner de quoi je parle. Je parle du temps. N'eussé-je pas été là, le temps n'aurait pas existé.

Car, comprenez-moi bien, moi, je n'avais aucune idée de comment pouvait être le temps, et je n'avais même pas l'idée qu'il pût exister quelque chose comme le temps. Les jours et les nuits se jetaient sur moi comme les vagues, interchangeables, identiques ou bien marqués par des différences fortuites, un haut et un bas où il était impossible d'établir un sens et une norme. Mais en construisant ma coquille mon intention était déjà en quelque sorte liée au temps, une intention de séparer mon présent de la dissolution corrosive de tous les présents, de le tenir en dehors, de le mettre de côté. Le présent arrivait sur moi sous de nombreux aspects entre lesquels je ne parvenais à établir aucune succession : vagues nuits après-midi reflux hivers quartiers de lune marées canicules ; j'avais peur de m'y perdre, de me morceler en autant de moi-mêmes qu'il y avait de petits morceaux de présent lancés sur moi qui se superposaient et qui, pour ce que j'en savais, pouvaient être tous contemporains, chacun d'eux étant habité par un petit morceau de moi-même contemporain des autres.

Il fallait que je commence par fixer des signes dans la continuité non mesurable : établir une série d'intervalles, c'est-à-dire de nombres. La matière calcaire que je sécrétais et faisais tourner en spirale sur elle-même était justement quelque chose qui se poursuivait de façon ininterrompue, mais en même temps, à chaque tour de spirale, elle séparait le bord

d'un tour du bord d'un autre tour, et c'est pourquoi, si je voulais compter quelque chose, je pouvais
commencer à compter ces tours. Ce que je voulais
fabriquer pour moi, en somme, c'était un temps
uniquement à moi, réglé exclusivement par moi, clos :
une horloge qui n'aurait à rendre compte à personne
de ce qu'elle marquait. J'aurais voulu fabriquer un
temps-coquille très long, ininterrompu, continuer ma
spirale sans jamais m'arrêter.

Je me donnais à cela de toutes mes forces, et je
n'étais certes pas le seul : beaucoup d'autres, en
même temps que moi, essayaient de construire leur
coquille sans fin. Que ce soit moi qui y parvienne
ou un autre, cela n'avait pas d'importance : il suffisait que n'importe lequel d'entre nous fasse une
spirale interminable, et le temps existerait, ce serait
cela, le temps. Mais maintenant vient la chose la
plus difficile à dire (la plus difficile aussi à mettre en
accord avec le fait que je suis là en train de vous parler) : le temps qui ne réussit pas à se tenir debout, qui
se défait, qui s'écroule comme un rivage de sable, le
temps taillé comme une cristallisation saline, rami-
fié comme un banc de corail, criblé de trous comme
une éponge (et je ne vous dis pas par quel trou, par
quelle brèche je suis passé pour arriver jusqu'ici).
On ne parvenait pas à construire la spirale sans fin :
la coquille grandissait, grandissait, et à un moment
donné s'arrêtait, un point c'est tout, c'était fini ; une
autre commençait d'un autre côté, des milliers de
coquilles commençaient à chaque moment, des milliers et des milliers continuaient de croître à chaque

phase de l'enroulement de la spirale, et toutes, tôt
ou tard, à un moment ou à un autre, s'arrêtaient, les
vagues emportaient une enveloppe vide.

Pour nous, c'était peine perdue : le temps se
refusait à durer ; il était une substance friable, destinée à tomber en morceaux ; nous avions seulement des illusions de temps qui ne duraient que la
longueur d'une spirale exiguë de coquille, des éclats
de temps détachés et différents les uns des autres,
l'un ici l'autre là-bas, qu'on ne pouvait relier ni
comparer entre eux.

Et sur les dépouilles de notre effort obstiné se
posait le sable que le temps-sable soulevait à la suite
de coups de vent irréguliers et laissait retomber en
enfouissant les coquilles vides sous des couches successives dans le ventre de hauts plateaux émergés et
immergés tour à tour quand les mers recommençaient à envahir les continents et à les recouvrir de
nouvelles pluies de coquilles vides. C'est ainsi que
la substance du monde se pétrissait de notre défaite.

Comment pouvions-nous supposer que ce cimetière de toutes les coquilles était la vraie coquille,
celle que de toutes nos forces nous avions cherché
à construire et que nous avions cru n'avoir pas
réussi à faire ? Il est clair maintenant que la fabrication du temps consistait vraiment en la défaite de
nos efforts pour le fabriquer ; sauf que nous n'avons
pas travaillé pour nous, mais pour vous. Nous les
mollusques, qui avons eu les premiers l'intention de
durer, nous avons fait cadeau de notre royaume, le
temps, à la race la plus inconstante d'habitants du

provisoire : l'humanité, qui, sans nous, n'y aurait jamais pensé. La coupe verticale de l'écorce terrestre a dû faire affleurer de nouveau nos coquilles abandonnées cent, trois cents, cinq cents millions d'années auparavant pour que la dimension verticale du temps s'ouvre à vous et vous délivre du cercle toujours répété de la roue des astres où vous continuiez à enfermer le cours de votre existence fragmentaire.

Je ne dis pas que vous n'avez pas une part de mérite, vous aussi : ce qui était écrit entre les lignes du cahier de Terre, c'est vous qui avez su le lire (me voilà utilisant votre métaphore habituelle : les choses écrites, on n'y échappe pas, c'est la preuve que nous sommes sur votre territoire, et non plus sur le mien), vous avez réussi à épeler les caractères bouleversés de notre alphabet balbutiant éparpillé entre des intervalles millénaires de silence, vous en avez extrait tout un discours bien développé, un discours *sur vous*. Mais dites-moi : comment nous auriez-vous lus, là, en plein milieu, si nous, tout en ne sachant pas quoi, nous n'eussions pas écrit, ou bien si nous, tout en le sachant bien, nous n'eussions pas voulu écrire (je continue avec vos métaphores, puisque j'y suis), marquer, être signe, rapport, relation de nous aux autres, chose qui étant telle en soi et pour soi accepte d'être autre pour d'autres ?...

Quelqu'un devait bien commencer ; non pas tant à faire qu'à se faire, à se faire chose, à se faire en ce qu'il faisait, à faire en sorte que toutes les choses abandonnées, les choses enterrées, fussent des signes de quelque chose d'autre : l'empreinte des arêtes de

poisson dans l'argile, les forêts carbonisées et pétro-
lifères, le coup de patte du dinosaure du Texas dans
la boue du Crétacé, les cailloux éclatés du Paléoli-
thique, la carcasse du mammouth retrouvée dans
la toundra de la Bereskova avec, entre les dents, les
restes des renoncules broutées il y a douze mille ans,
la Vénus de Willendorf, les ruines d'Ur, les rouleaux
des esséniens, la pointe de lance lombarde qui s'est
brisée à Torcello, le temple des Templiers, le trésor
des Incas, le palais d'Hiver et l'institut Smolny, le
cimetière des voitures...

À partir de nos spirales interrompues vous avez
rassemblé une spirale continue que vous appelez
« histoire ». Je ne sais pas si vous avez à vous en
réjouir, je ne sais pas juger cette chose qui n'est pas
la mienne, pour moi cela n'est que le temps-
empreinte, la trace de notre entreprise manquée,
l'envers du temps, une stratification de restes et de
coquilles et de nécropoles et de cadastres, de ce qui
s'est sauvé en se perdant, de ce qui vous a rejoints en
s'arrêtant. Votre histoire est le contraire de la nôtre,
le contraire de l'histoire de ce qui en avançant n'est
pas arrivé, de ce qui pour durer s'est perdu : la main
qui modela le vase, les rayonnages qui brûlèrent à
Alexandrie, la prononciation du scribe, la chair du
mollusque qui sécrétait la coquille...

La mémoire du monde

C'est pour cela que je vous ai fait appeler, Müller. Maintenant que ma démission a été acceptée, vous allez être mon successeur : votre nomination comme directeur est imminente. Ne faites pas semblant de tomber du ciel : il y a longtemps que le bruit court chez nous, et il est certainement parvenu à vos oreilles. D'ailleurs, sans aucun doute, parmi les jeunes cadres de notre organisation, c'est vous, Müller, qui êtes le mieux préparé, celui qui connaît — on peut le dire — tous les secrets de notre travail. En apparence, du moins. Laissez-moi vous dire : je ne vous parle pas de ma propre initiative, mais parce que j'en ai été chargé par nos supérieurs. Il n'y a que quelques questions dont vous n'êtes pas encore au courant, Müller, et le moment est venu, pour vous, d'en savoir plus. Vous croyez, comme tout le monde d'ailleurs, que notre organisation met sur pied depuis longtemps le plus grand centre de documentation qui ait jamais été projeté, un fichier qui rassemble et met en ordre tout ce que l'on sait de chaque personne, animal et chose, en vue d'un inventaire général non seulement du présent mais aussi du passé, de tout ce qu'il y a eu depuis les origines ; en somme, une histoire générale de tout, simultanément, ou plutôt un catalogue de tout, instant par instant. C'est effectivement à cela que nous travaillons, et nous pouvons dire que nous sommes bien avancés : non seulement le contenu des bibliothèques les plus importantes du monde, des archives et des musées, des journaux de tous les pays année par année est déjà entré dans nos cartes perforées, mais aussi une documentation recueillie ad hoc, personne par personne, lieu par lieu ; et tout ce matériel passe à travers un processus de réduction à l'essentiel, de condensation, de miniaturisation, dont nous ne savons pas encore où il va s'arrêter. De même, toutes les images existantes et possibles sont archivées dans de minuscules rouleaux de microfilms, et des bobines microscopiques de bandes magnétiques renferment tous les sons enregistrés et enregistrables. Ce que nous sommes en train de construire, c'est une mémoire centralisée du genre humain, et nous cherchons à l'emmagasiner dans l'espace le plus réduit possible, sur le modèle des mémoires individuelles de nos cerveaux.

Mais il est inutile que je vous répète toutes ces choses, précisément à vous, qui êtes entré chez nous en remportant le concours d'admission grâce au projet « Tout le British Museum dans une châtaigne ». Vous êtes avec nous depuis relativement peu d'années, mais vous connaissez désormais le fonctionnement de nos laboratoires aussi bien que moi

qui occupe le poste de directeur depuis la fondation. Je vous assure que je n'aurais jamais quitté ce
poste si mes forces ne m'avaient pas trahi. Mais,
après la disparition mystérieuse de ma femme, j'ai
été victime d'une dépression dont je ne parviens
pas à me remettre. Il est juste que nos supérieurs —
en accueillant d'ailleurs favorablement ce qui est
aussi un de mes désirs — aient pensé à me remplacer. C'est donc à moi qu'il revient de vous mettre
au courant des secrets du bureau dont on ne vous
a pas parlé jusque-là.

Ce que vous ne connaissez pas, c'est le véritable
but de notre travail. C'est pour la fin du monde,
Müller. Nous travaillons dans l'hypothèse d'une
fin prochaine de la vie sur la Terre. C'est pour que
tout n'ait pas été inutile, pour transmettre tout ce
que nous savons à d'autres dont on ne sait ni qui
ils sont ni ce qu'ils savent.

Puis-je vous offrir un cigare ? La prévision que la
Terre ne demeurera pas habitable pendant longtemps encore — tout au moins pour le genre
humain — ne peut pas beaucoup nous impression-
ner. Nous savons déjà tous que le Soleil est arrivé
à mi-chemin de sa vie : dans le meilleur des cas,
dans quatre ou cinq milliards d'années tout sera
fini. D'ici quelque temps, donc, le problème se pose-
rait de toute façon ; la nouveauté, c'est que les
échéances sont bien plus rapprochées, que nous
n'avons pas de temps à perdre, voilà tout. L'extinction de notre espèce est certainement une triste
perspective, mais pleurer sur son sort n'est qu'une

consolation bien vaine, ce serait comme de récrimi-
ner contre la mort d'un individu. (C'est toujours à
la disparition de ma chère Angela que je pense,
pardonnez mon émotion.) Sur des millions de planètes inconnues vivent certainement des êtres semblables à nous ; peu importe que notre souvenir et
notre continuité soient assurés par leurs descendants plutôt que par les nôtres. L'important est de
leur communiquer notre mémoire, la mémoire
générale mise au point par l'organisation dont vous,
Müller, allez être nommé directeur.

N'ayez pas peur : le cadre de votre travail restera
ce qu'il a été jusque-là. Le système à mettre en
place pour communiquer notre mémoire à d'autres
planètes est étudié par une autre branche de l'organisation ; nous avons assez de choses à faire et
nous ne devons pas nous inquiéter de savoir si l'on
retiendra comme plus appropriés les moyens optiques ou acoustiques. Il se peut très bien qu'il ne
s'agisse pas de les transmettre, ces messages, mais
de les déposer en lieu sûr, sous l'écorce terrestre :
l'épave de notre planète errant dans l'espace pourrait un jour être atteinte et explorée par des archéo-
logues extragalactiques. Le code ou les codes qui
seront choisis ne sont pas non plus notre affaire :
il y a aussi une branche qui ne travaille que sur
cela, sur la façon de rendre intelligible notre stock
d'informations, quel que soit le système linguisti-
que utilisé par les autres. Pour vous, qui maintenant savez, rien n'a changé, je vous l'assure, sauf
en ce qui concerne la responsabilité qui vous attend.

C'est de cela que je voulais m'entretenir un peu avec vous.

Que sera le genre humain au moment de son extinction ? Une certaine quantité d'information sur lui-même et sur le monde, une quantité finie puisqu'elle ne pourra plus se renouveler ni augmenter. Pendant un temps, l'univers a eu une occasion particulière de recueillir et d'élaborer de l'information, d'en créer, d'en faire naître là où il n'y avait rien à informer de rien : cela a été la vie sur la Terre et surtout le genre humain, sa mémoire, ses inventions pour communiquer et se souvenir. Notre organisation garantit que cette quantité d'information ne se perdra pas, indépendamment du fait qu'elle soit ou non reçue par d'autres. C'est au directeur de faire scrupuleusement en sorte que rien ne soit exclu, parce que ce qui est exclu, c'est comme si cela n'avait jamais existé. En même temps vous aurez à faire scrupuleusement comme si tout ce qui finirait par embrouiller ou mettre dans l'ombre d'autres choses plus essentielles, c'est-à-dire tout ce qui, au lieu d'augmenter l'information, créerait un désordre et un vacarme inutile, n'avait jamais existé. L'important, c'est le modèle général constitué par l'ensemble des informations, à partir duquel on pourra obtenir d'autres informations, que nous ne fournissons pas et que, peut-être, nous n'avons pas. En somme, en ne donnant pas certaines informations, on en donne plus que ce que l'on donnerait en les donnant. Le résultat final de notre travail sera un modèle où tout comptera en tant qu'information, même ce qui n'y sera pas. Alors seulement on pourra savoir, de tout ce qui a été, ce qui comptait réellement, c'est-à-dire ce qu'il y a eu vraiment, parce que le résultat final de notre documentation présentera en même temps ce qui est, a été et sera, et tout le reste ne sera rien.

Certes, il y a des moments dans notre travail — vous aussi vous avez dû en avoir, Müller — où l'on est tenté de penser que seul ce qui échappe à notre enregistrement est important, que seul ce qui passe sans laisser de trace existe vraiment, alors que tout ce que retiennent nos fichiers est la partie morte, les copeaux, les scories. Il vient un moment où un bâillement, une mouche qui vole, une démangeaison nous semblent être l'unique trésor parce qu'ils sont justement absolument inutilisables, donnés une fois pour toutes et aussitôt oubliés, soustraits au destin monotone de l'emmagasinement dans la mémoire du monde. Qui peut exclure que l'univers consiste dans le réseau discontinu des instants que l'on ne peut enregistrer, et que notre organisation n'en contrôle rien d'autre que l'empreinte négative, le cadre de vide et d'insignifiance ?

Mais voilà notre déformation professionnelle : dès que nous nous fixons sur quelque chose, nous voudrions aussitôt l'inclure dans nos fichiers ; c'est ainsi qu'il m'est souvent arrivé, je l'avoue, de cataloguer des bâillements, des furoncles, des associations d'idées inconvenantes, des sifflotements, et de les cacher dans le lot des informations de premier choix. Car le poste de directeur auquel vous allez être appelé jouit de ce privilège : donner une empreinte personnelle à la mémoire du monde. Suivez-moi bien, Müller : je ne suis pas en train de vous parler d'arbitraire et d'abus de pouvoirs, mais d'une composante indispensable de notre travail. Une masse d'informations froidement objectives, incontestables, risquerait de fournir une image éloignée de la vérité, de fausser le côté le plus spécifique de chaque situation. Supposons que, d'une autre planète, nous parvienne un message de pures données de fait, d'une clarté tout à fait évidente : nous ne lui prêterions aucune attention, nous ne nous en apercevrions même pas ; seul un message contenant quelque chose d'inexprimé, de douteux, de partiellement indéchiffrable forcerait le seuil de notre conscience, nous imposerait de le recevoir et de l'interpréter. Nous devons tenir compte de cela : le devoir du directeur est de marquer l'ensemble des données recueillies et sélectionnées par nos bureaux de cette légère empreinte subjective, ce tantinet de discutable, de risqué, dont elles ont besoin pour être vraies. C'est de cela que je tenais à vous informer, avant de vous passer les consignes : dans le matériel rassemblé jusqu'à présent, on remarque ici et là l'intervention de ma main — d'une délicatesse extrême, entendons-nous ; il est parsemé de jugements, de réticences et même de mensonges.

Le mensonge n'exclut la vérité qu'en apparence ; vous savez que, dans bien des cas, les mensonges — par exemple, pour le psychanalyste, ceux de son patient — sont indicatifs, autant, sinon plus, que la vérité ; et il en sera ainsi pour ceux qui devront interpréter notre message. Müller, en vous disant maintenant ce que je suis en train de vous dire, je ne vous parle plus sur l'ordre de nos supérieurs, mais sur la base de mon expérience personnelle, de collègue à collègue, d'homme à homme. Écoutez-moi : le mensonge est la véritable information que nous avons à transmettre. C'est la raison pour laquelle je ne me suis pas interdit une utilisation discrète du mensonge dans le cas où celui-ci ne compliquait pas le message, où il le simplifiait même. Surtout dans les informations sur moi-même, je me suis cru autorisé à en rajouter avec des détails qui n'étaient pas vrais (je ne crois pas que cela puisse gêner quiconque). Par exemple, ma vie avec Angela : je l'ai décrite comme j'aurais souhaité qu'elle fût, une grande histoire d'amour, dans laquelle Angela et moi apparaissons comme deux amoureux éternels, heureux au milieu de toutes sortes d'adversités, passionnés, fidèles. Cela ne s'est pas passé exactement ainsi, Müller : Angela m'a épousé par intérêt et s'en est aussitôt repentie ; notre vie ne fut qu'une suite de mesquineries et de subterfuges. Mais en quoi ce que cela a été jour après jour peut-il compter ? Dans la mémoire du monde, l'image d'Angela est définitive, parfaite, rien ne peut la ternir, et je serai pour toujours l'époux le plus digne d'envie qui ait jamais existé.

Au début, je n'avais qu'à réaliser un embellissement des données que notre vie quotidienne me fournissait. À un moment, les données que j'avais sous les yeux en observant Angela jour après jour (puis en l'épiant, en la filant, à la fin) ont commencé à devenir de plus en plus contradictoires, ambiguës, et telles qu'elles justifiaient des soupçons infamants. Que devais-je faire, Müller ? Brouiller, rendre inintelligible cette image d'Angela si claire et transmissible, si aimée et aimable, obscurcir le message le plus resplendissant de tous nos fichiers ? J'éliminai toutes ces données jour après jour, sans hésitation. Mais j'avais toujours peur qu'autour de cette image définitive d'Angela il ne restât quelque indice, quelque sous-entendu, une trace à partir de laquelle on pourrait déduire ce qu'elle — ce que cette Angela de la vie éphémère — était et faisait. Je passais mes journées au laboratoire, à sélectionner, effacer, omettre. J'étais jaloux, Müller : je n'étais pas jaloux de l'Angela éphémère — pour celle-là, désormais, la partie était perdue — mais de cette Angela-information qui survivrait pendant toute la durée de l'univers.

La première condition pour que l'Angela-information ne fût atteinte par aucune tache était que l'Angela vivante ne continuât pas à se superposer à son image. Ce fut alors qu'Angela disparut et que toutes les recherches pour la retrouver furent vaines. Il serait inutile que je vous raconte maintenant, Müller, comment j'ai réussi à me défaire du cadavre, morceau par morceau. Restez donc calme : ces détails n'ont aucune importance pour notre travail, parce que, dans la mémoire du monde, moi, je reste l'époux heureux, puis le veuf inconsolable que vous connaissez tous. Mais je n'ai pas trouvé la paix : l'Angela-information demeurait tout de même une partie d'un système d'informations dont certaines pouvaient être interprétées — à cause de parasites dans la transmission, ou de la malignité du décodeur — comme autant de suppositions équivoques, d'insinuations, de déductions. Je décidai ainsi de détruire dans nos fichiers toute trace des personnes avec qui Angela était susceptible d'avoir eu des rapports intimes. Cela m'a beaucoup dérangé parce qu'il ne restera plus rien dans la mémoire du monde de certains de nos collègues — comme s'ils n'avaient jamais existé.

Vous croyez peut-être que je vous raconte ces choses-là pour solliciter votre complicité, Müller. Non, là n'est pas la question. Je dois vous informer des mesures extrêmes que je suis obligé de prendre pour faire en sorte que l'information sur chaque amant possible de ma femme soit exclue des fichiers. Je ne me soucie pas des conséquences pour moi : les années qui me restent à vivre ne sont pas nombreuses au regard de l'éternité dont j'ai pris l'habitude de tenir compte ; et ce que j'ai été, je l'ai vraiment établi une fois pour toutes et déposé dans les cartes perforées.

Si dans la mémoire du monde il n'y a rien à corriger, la seule chose qui reste à faire, c'est corriger la réalité là où elle ne concorde pas avec la mémoire du monde. De même que j'ai effacé l'existence de l'amant de ma femme des cartes perforées, de même dois-je l'effacer, lui, du monde des personnes vivantes. C'est pour cette raison qu'à présent je sors mon revolver, et je le pointe sur vous, Müller, je presse sur la détente, je vous tue.

NOUVELLES HISTOIRES COSMICOMIQUES

*Traduction de l'italien
par Jean-Paul Manganaro*

Le rien et le peu

« Selon les calculs du physicien Alan Guth, du Stanford Linear Accelerator Center, l'Univers a pris son origine littéralement du néant en une fraction de temps extrêmement courte : une seconde divisée par un milliard de milliards de milliards » (extrait du Washington Post, *3 juin 1984*).

Si je vous dis que je m'en souviens — *commença Qfwfq* —, vous allez objecter que, dans le rien, rien ne peut rappeler rien ni être rappelé par rien, raison pour laquelle vous ne pouvez pas croire un seul mot de ce que je vais vous raconter. Ce sont des arguments difficiles à contester, je l'admets. Tout ce que je peux vous dire c'est que, du moment où il y eut quelque chose — et comme il n'y avait rien d'autre, ce quelque chose fut l'univers, et comme il n'avait jamais été là auparavant il y eut un avant où il n'était pas et un après où il était —, à partir de ce moment, dis-je, il commença à y avoir le temps, et avec le temps le souvenir, et avec le souvenir quelqu'un qui se souvenait, c'est-à-dire moi ou ce quelque chose dont je comprendrais par la suite que c'était moi. Entendons-nous bien : non que je me rappelasse comment j'étais au temps du rien, parce qu'alors il n'y avait pas le temps et moi je n'y étais pas ; mais à présent je me rendais compte que, même si je ne savais pas que j'y étais, j'avais une place où j'aurais pu être, c'est-à-dire l'univers ; alors qu'avant, même en le voulant, je n'aurais pas su où me situer, et cela faisait déjà une grande différence, et c'était justement cette différence entre l'avant et l'après dont je me souvenais. En somme, vous devez bien reconnaître que mon raisonnement se tient lui aussi et que, de plus, il n'est pas entaché de simplisme comme le vôtre.

Permettez-moi donc de vous expliquer. Il n'est même pas dit que ce qu'il y avait alors y fût vraiment : les particules — ou, mieux, les ingrédients dont les particules seraient ensuite faites — avaient une existence virtuelle : ce genre d'existence qui fait que, si vous y êtes, vous y êtes, et que, si vous n'y êtes pas, vous pouvez commencer à penser que vous y êtes et voir ensuite ce qui se passe. Nous croyions déjà que c'était beaucoup, et ce l'était certainement parce que, si vous commencez à exister virtuellement, à flotter dans un champ de probabilités, à emprunter et à restituer des charges d'énergie encore entièrement hypothétiques, il peut vous arriver une fois ou l'autre d'exister de fait, c'est-à-dire de fléchir autour de vous un bout d'espace-temps, même très petit, comme cela arriva à une quantité toujours croissante de je-ne-sais-quoi — appelons-les neutrinos parce que c'est un beau nom, mais à cette époque, les neutrinos, personne n'y avait jamais songé — ondoyant les uns sur les autres dans une soupe bouillante d'une chaleur infinie, épaisse comme une colle de densité infinie, qui s'enflait en un temps si infiniment court qu'il n'avait rien à faire avec le temps — en effet, le temps n'avait pas encore eu le temps de démontrer ce qu'il serait —, et qui, en se gonflant, produisait de l'espace là où on n'avait jamais su ce qu'était l'espace. Ainsi, l'univers, de bourgeon infinitésimal dans le lisse absolu du néant, s'étendit comme un éclair jusqu'aux dimensions d'un proton, puis d'un atome, puis d'une pointe d'épingle, d'une tête de clou, d'une cuillère, d'un chapeau, d'un parapluie…

Non, je raconte trop vite ; ou trop lentement, qui sait : parce que le gonflement de l'univers était infiniment rapide mais partait d'une origine si ensevelie dans le néant que pour affleurer à l'extérieur et se montrer sur le seuil de l'espace et du temps il avait besoin d'un déchirement d'une violence incommensurable en termes d'espace et de temps. Disons que, pour raconter tout ce qui arriva dans la première seconde de l'histoire de l'univers, je devrais faire un compte rendu si long que la durée successive de l'univers, avec ses millions de siècles passés et futurs, n'y suffirait pas, alors que je pourrais expédier toute l'histoire qui s'ensuivit en cinq minutes.

Il est naturel que l'appartenance à cet univers sans précédent ni terme de comparaison soit vite devenue une raison d'orgueil, de vantardise, d'infatuation. L'ouverture foudroyante de distances inimaginables, la profusion de corpuscules qui jaillissaient partout — hadrons, baryons, mésons, quelques quarks —, la rapidité impétueuse du temps, tout cet ensemble nous donnait un sentiment d'invincibilité, de domination, de fierté, et en même temps de suffisance, comme si tout nous était dû. La seule comparaison que nous pussions faire, c'était avec le néant d'avant, et nous en écartions l'idée à l'instar d'une condition infime, mesquine, ne méritant que commisération ou raillerie. Chacune de nos pensées embrassait le tout, en dédaignant les parties ; le tout était notre élément et comprenait aussi le temps, tout le temps, où le futur écrasait le passé en quantité et plénitude. Notre destin était le plus, le toujours plus, et nous ne savions pas penser au moins, ne serait-ce que fugitivement : dorénavant, nous irions du plus à l'encore plus, des sommes aux multiples aux puissances aux factorielles sans jamais nous arrêter ou ralentir.

Qu'il y eût, dans cette exaltation, un fond d'insécurité, comme une rage d'effacer l'ombre de nos origines très récentes, c'est une impression dont j'ignore si elle ne date que de maintenant, à la lumière de ce que j'ai appris par la suite, ou si déjà alors elle me taraudait. Car, malgré la certitude que le tout fût notre milieu naturel, il était tout aussi vrai que nous étions venus du rien, que nous nous étions à peine élevés au-dessus de l'indigence absolue, que seul un fil ténu spatio-temporel nous séparait de notre précédente condition dépourvue de toute substance, extension et durée. C'étaient des sensations de précarité, rapides mais aiguës, qui me prenaient, comme si ce tout qui essayait de se former ne parvenait pas à cacher sa fragilité intrinsèque, le fond de vide auquel nous pouvions revenir avec la même rapidité que celle avec laquelle nous nous en étions détachés. C'est pourquoi je trouvais insupportable l'indécision dont l'univers faisait preuve pour prendre une forme, comme si j'avais hâte que sa vertigineuse expansion s'arrêtât, en me faisant connaître ses limites, pour le meilleur et pour le pire, mais en acquérant aussi de la stabilité dans l'être ; et de là, aussi, la crainte, que je ne parvenais pas à étouffer, que dès qu'il y aurait un arrêt ne commençât aussitôt la phase descendante, un retour au non-être tout aussi précipité.

Je réagissais en me jetant à l'autre extrême : « Totalité ! totalité ! » proclamais-je en long et en large, « Futur ! » affichais-je, « Avenir ! », « À moi l'immensité ! » affirmais-je en me frayant un passage dans ce tourbillon indistinct de forces, « Que les potentialités puissent ! incitais-je. Que l'acte agisse ! Que les probabilités prouvent ! » Il me semblait déjà que les vagues de particules (ou n'étaient-ce que des radiations ?) contenaient toutes les formes et les forces possibles, et plus j'anticipais autour de moi un univers peuplé de présences actives, plus elles me paraissaient affectées d'une inertie coupable, d'une aboulie renonciatrice.

Parmi ces présences il y en avait — disons — de féminines, je veux dire dotées de charges de propulsion complémentaires aux miennes ; l'une d'entre elles, en particulier, attira mon attention : hautaine et réservée, elle délimitait autour d'elle un champ de forces aux contours longilignes et nonchalants. Afin d'être remarqué par elle je redoublais mes exhibitions de complaisance pour la prodigalité de l'univers, j'affichais ma désinvolture en puisant dans les ressources cosmiques comme si j'avais toujours pu en disposer, je me penchais en avant dans l'espace et dans le temps comme si je m'attendais toujours au meilleur. Convaincu que Nugkta (je l'appelle déjà par son nom, que je connus ensuite) était différente de tous parce que plus consciente de ce que signifie être là et faire partie de quelque chose qui est là, j'essayais par tous les moyens de me distinguer de la masse hésitante de ceux qui tardaient à s'habituer à cette idée. Le résultat fut de me rendre importun et antipathique à tous, sans que cela me rapproche d'elle.

Je me trompais complètement. Je ne tardai pas à réaliser que Nugkta n'appréciait pas du tout le fait que j'en fisse trop ; au contraire, elle s'efforça de ne m'accorder aucun signe d'attention, sinon, de temps à autre, un mouvement agacé. Elle continua à garder ses distances, un peu apathique, comme si elle était pelotonnée avec le menton sur ses genoux, tenant entre ses bras aux coudes pointus ses longues jambes repliées (il faut bien me comprendre : je décris la façon de se tenir qui aurait été la sienne si on avait pu parler alors de genoux, de jambes, de coudes) ; ou, mieux encore, c'était l'univers qui était pelotonné sur lui-même, et ceux qui étaient là n'avaient pas d'autre manière de se tenir, certains avec plus de naturel — par exemple, elle. Les trésors de l'univers que je prodiguais à ses pieds, elle les accueillait comme en disant : « Ce n'est que ça ? » Au début, cette indifférence me parut être une affectation, je compris ensuite que Nugkta voulait me donner une leçon, m'inviter à garder une attitude plus contrôlée. Avec mes abandons à l'enthousiasme je devais lui sembler un ingénu, un novice, quelqu'un de superficiel.

Il ne me restait qu'à changer de mentalité, de comportement, de style. Mon rapport avec l'univers devait être un rapport pratique, fondé sur les faits, celui de quelqu'un qui sait calculer l'évolution de chaque chose dans sa valeur objective, tout immense qu'elle soit, sans se monter la tête. J'espérais me présenter ainsi à elle dans la lumière la plus convaincante, la plus prometteuse, la plus digne de confiance. Y ai-je réussi ? Non, moins que jamais. Plus je misais sur le solide, sur le réalisable, sur le quantifiable, plus je sentais que je lui apparaissais comme un hâbleur, un escroc.

À la fin je commençai à y voir clair : il n'y avait pour elle qu'un seul objet d'admiration, une seule valeur, un seul modèle de perfection, c'était le néant. Sa mésestime ne s'adressait pas à moi, mais à l'univers. Tout ce qui existait portait en soi un défaut d'origine : l'être lui paraissait une dégénération avilissante et vulgaire du non-être.

C'est peu de dire que cette découverte me laissa bouleversé : c'était un affront à toutes mes convictions, à mon envie de totalité, à mes attentes immenses. Quelle incompatibilité de caractères plus grande pouvait exister que celle entre moi et une nostalgique du rien ? Non qu'elle manquât de raisons (mon faible pour elle était tel que je m'efforçais de la comprendre) : il était vrai que le rien avait en lui un caractère absolu, une rigueur, une tenue qui faisaient apparaître comme approximatif, limité, chancelant, tout ce qui prétendait posséder les qualités requises de l'existence ; dans ce qui est, si on le compare à ce qui n'est pas, la qualité inférieure, les impuretés, les défauts sautent aux yeux ; en somme, il n'y a qu'avec le néant que l'on peut être sûr de soi. Cela dit, quelle conséquence devais-je en tirer ? Tourner le dos au tout, replonger dans le rien ? Comme si cela eût été possible ! Une fois mis en mouvement, le processus du passage du non-être à l'être ne pouvait plus être arrêté : le néant appartenait à un passé irrémédiablement fini.

Parmi les avantages de l'être il y avait celui aussi qui nous permettait, au sommet de la plénitude atteinte, de nous accorder une pause de regret pour le néant perdu, de contemplation mélancolique de la plénitude négative du vide. Dans ce sens, j'étais prêt à favoriser l'inclination de Nugkta, et, d'ailleurs, personne mieux que moi n'était capable d'exprimer avec tant de conviction ce sentiment poignant. Le penser et me précipiter vers elle en déclamant : « Oh, pussions-nous nous perdre dans les champs illimités du néant… » ne firent qu'un. (C'est-à-dire que je fis quelque chose qui, en quelque sorte, équivalait à déclamer quelque chose de ce genre.) Et elle ? Dégoûtée, elle me laissa en plan. Il me fallut un peu de temps pour comprendre combien j'avais été grossier et apprendre que l'on parle (ou mieux : l'on ne parle pas) du néant avec bien plus de discrétion.

Les crises successives que je traversai à partir de ce moment-là ne me laissèrent plus de répit. Comment avais-je pu me tromper au point de chercher la totalité de la plénitude en la préférant à la perfection du vide ? Certes, le passage du non-être à l'être avait été une grande nouveauté, un fait sensationnel, une trouvaille à l'effet certain. Mais on ne pouvait vraiment pas dire que les choses avaient changé en mieux : d'une situation nette, sans défauts, sans taches, on était passé à une construction bâclée, bloquée, qui s'effondrait de tous les côtés, qui restait unie sur un pari. Qu'est-ce qui avait pu à tel point m'exciter dans ce que l'on nomme les « merveilles de l'univers » ? La pénurie des matériaux à disposition avait déterminé dans nombre de cas des solutions monotones, répétitives, et dans beaucoup d'autres un éparpillement de tentatives désordonnées, incohérentes, dont peu étaient destinées à avoir une suite. Il y avait peut-être eu un faux départ : la prétention de ce qui essayait de se faire prendre pour un univers tomberait vite comme un masque et le rien, unique authentique totalité possible, recommencerait à imposer son caractère absolu et invincible.

J'entrai dans une phase où seuls les lueurs de vide, les absences, les silences, les lacunes, les noyaux manquants, les démaillages dans le tissu du temps me semblaient renfermer un sens et une valeur. J'épiais à travers ces brèches le grand royaume du non-être, j'y reconnaissais ma seule véritable patrie, que je regrettais d'avoir trahie dans une obnubilation temporaire de la conscience et que Nugkta m'avait fait retrouver. Oui, retrouver : avec mon inspiratrice, je m'infiltrerais dans les étroites galeries de vide qui traversaient la compacité de l'univers ; nous rejoindrions ensemble l'annihilation de toute dimension, de toute durée, de toute substance, de toute forme.

À ce point précis, l'entente entre Nugkta et moi aurait enfin dû être sans ombres. Qu'est-ce qui pouvait nous séparer désormais ? Et pourtant, de temps à autre des divergences inattendues ressortaient : j'avais l'impression d'être devenu plus sévère qu'elle à l'égard de l'existant ; je m'étonnais de découvrir chez elle des indulgences — je dirais presque des complicités — pour les efforts que ce tourbillon de poussière faisait afin de se tenir assemblé. (Il y avait déjà des champs électromagnétiques bien formés, des noyaux, les premiers atomes...)

Il faut dire une chose : l'univers, tant qu'on le considérait comme le comble de la totalité de la plénitude, ne pouvait inspirer que banalité et rhétorique, mais si on le considérait comme fait de peu de chose, de quelque chose grappillé aux marges du néant, il suscitait une sympathie encourageante, ou du moins une curiosité bienveillante pour ce qu'il réussirait à faire. Avec surprise, je voyais Nugkta prête à soutenir, à aider cet univers indigent, mal en point, maladif. Moi, au contraire, je tenais ferme : « Que vienne le néant ! Honneur et gloire au néant ! » insistais-je, préoccupé, car cette faiblesse de Nugkta pourrait nous distraire de notre objectif. Et Nugkta, comment répondait-elle ? Par ses habituels mouvements de moquerie, qui se manifestaient comme du temps de mes excès de zèle pour les gloires de l'univers.

Avec retard, comme d'habitude, je finis par comprendre qu'elle avait raison cette fois aussi. Avec le néant nous ne pouvions avoir d'autre contact qu'à travers le peu qu'il avait produit comme quintessence de son inanité ; nous n'avions d'autre image du néant que notre pauvre univers. Tout le néant que nous pouvions trouver était là, dans le caractère relatif de ce qui est, parce que même le néant n'avait été autre qu'un néant relatif, un néant secrètement parcouru par des nuances et des tentations d'être quelque chose, s'il était vrai que dans un moment de crise de sa propre nullité il avait pu donner lieu à l'univers.

Aujourd'hui où le temps a égrené des milliards de minutes et d'années et où l'univers est méconnaissable en comparaison de ce qu'il était en ces premiers instants, depuis que l'espace est devenu tout à coup transparent, que les galaxies enveloppent la nuit dans leurs spirales étincelantes, et que sur les orbites des systèmes solaires des millions de mondes font mûrir leurs Himalaya et leurs océans selon l'alternance des saisons cosmiques, que sur les continents se pressent des foules en fête ou souffrantes ou qui se massacrent mutuellement avec une obstination méticuleuse, que les empires surgissent et s'écroulent dans leurs capitales de marbre, porphyre et béton, que les marchés débordent de bœufs dépecés et de petits pois surgelés et de draps de tulle brocart et nylon, que les transistors et les ordinateurs et tout genre de bricoles palpitent, et que depuis chaque galaxie tout un chacun ne fait que tout observer et tout mesurer, de l'infiniment petit à l'infiniment grand, il y a un secret que seuls Nugkta et moi connaissons : ce qui est contenu dans l'espace et le temps n'est autre chose que ce peu, engendré du rien, ce peu qu'il y a et qui pourrait aussi ne pas y être, ou être encore plus exigu, plus infime et périssable. Si nous préférons ne pas en parler, ni en mal ni en bien, c'est parce que nous ne pourrions dire que cela : pauvre frêle univers fils du néant, tout ce que nous sommes et faisons te ressemble.

L'implosion

« *Les quasars, les galaxies de Seyfert, les objets BL Lacertae, ou, plus généralement, les noyaux galactiques actifs ont attiré l'attention des astronomes au cours des dernières années à cause de l'énorme quantité d'énergie qu'ils émettent, à des vitesses qui vont jusqu'à 10 000 km à la seconde. Il y a de bonnes raisons pour croire que le moteur central des galaxies est un trou noir d'une masse énorme* » (L'Astronomia, n° 36). « *Les noyaux galactiques actifs pourraient être des fragments qui n'ont pas explosé au moment du big bang, dans lesquels serait en cours un processus exactement opposé à celui des trous noirs, avec une expansion explosive et la libération de quantités énormes d'énergie ("trous blancs"). On pourrait les expliquer comme des extrémités de sortie d'un contact entre deux points de l'espace-temps (ponts d'Einstein-Rosen) qui expulsent une matière dévorée par un trou noir situé à l'extrémité d'entrée. Selon cette théorie il est possible qu'une galaxie de Seyfert distante de cent millions d'années-lumière soit en train d'expulser des gaz absorbés d'un autre côté de l'uni-*

vers il y a dix milliards d'années. Et il est même pos-
sible qu'un quasar distant de dix milliards d'années-
lumière ait surgi, tel que nous le voyons aujourd'hui,
avec le matériel qui lui parvint d'une époque future,
provenant d'un trou noir qui, pour nous, ne s'est formé
qu'aujourd'hui » (Paolo Maffei, I mostri del cielo
[Les monstres du ciel]*)*.

Exploser ou imploser — *dit Qfwfq* —, voilà la
question : l'expansion dans l'espace de sa propre
énergie sans frein suppose-t-elle une intention plus
noble que son broyage en une dense concentration
intérieure et sa conservation par engloutissement ?
Se soustraire, disparaître ; rien d'autre ; retenir à
l'intérieur de soi chaque lueur, chaque rayon, chaque explosion, et, étouffant dans les tréfonds de
l'âme les conflits qui l'agitent en désordre, leur donner la paix ; se cacher, s'effacer ; peut-être s'éveiller
ailleurs, différent.

Différent... Différent comment ? La question
« exploser ou imploser » se représenterait-elle à
nouveau ? Absorbé par le tourbillon de cette galaxie,
regarder à nouveau d'autres temps et d'autres cieux ?
Ici, sombrer dans le silence froid ; là, s'exprimer en
hurlements flamboyants d'un autre langage ? Ici,
absorber le mal et le bien comme une éponge dans
l'ombre ; là, jaillir comme un jet éblouissant, se
répandre, se dépenser, se perdre ? Pourquoi donc,
alors, le cycle reviendrait-il pour se répéter ? Je ne

sais rien, je ne veux pas savoir, je ne veux pas y penser ; ici, maintenant, mon choix est fait : j'implose, comme si la précipitation centripète me sauvait pour toujours des doutes et des erreurs, du temps des changements éphémères, de la descente glissante de l'avant et de l'ensuite, pour me faire accéder à un temps stable, ferme, lisse, et parvenir à la seule condition définitive, compacte, homogène. Explosez, si cela vous dit, irradiez-vous en des flèches infinies, dépensez-vous, prodiguez-vous, gaspillez-vous : moi, j'implose, je m'écroule dans l'abîme de moi-même, vers mon centre enseveli, infiniment.

Depuis combien de temps aucun de vous ne sait-il plus imaginer la force vitale sinon sous forme d'explosion ? Les raisons ne vous manquent pas, je le reconnais : votre modèle est l'univers né d'une explosion forcenée dont les premiers éclats volent encore, effrénés et incandescents, aux limites de l'espace ; votre emblème est l'exubérance des supernovae qui s'enflamment et exhibent leur insolente jeunesse d'étoiles surchargées d'énergie ; votre métaphore préférée est le volcan, afin de démontrer que même une planète parfaitement adulte et ordonnée est toujours prête à se déchaîner et à déborder. Et voilà que, à présent, les cheminées qui resplendissent dans les régions les plus lointaines du ciel confirment votre culte de la déflagration générale ; gaz et particules presque aussi rapides que la lumière s'élancent d'un tourbillon au centre des galaxies en spirale, débordent dans les lobes des galaxies elliptiques, proclament que le big bang dure encore, que le grand Pan n'est pas mort. Non, je ne suis pas sourd à vos raisons ; je pourrais moi aussi m'unir à vous. Allez ! Éclate ! Fracasse ! Le monde nouveau commence encore, il répète ses commencements toujours renouvelés en un grondement de canonnades, comme au temps de Napoléon... N'est-ce pas depuis cette époque d'exaltation pour la puissance révolutionnaire des artilleries que l'explosion est perçue non seulement comme un dommage aux biens et aux personnes, mais aussi comme un signe de naissance, de genèse ? N'est-ce pas depuis ce temps-là que les passions, le moi, la poésie sont vus comme une explosion perpétuelle ? Mais, s'il en est ainsi, les raisons opposées sont aussi valables : depuis ce mois d'août où le champignon s'est dressé au-dessus de villes réduites à une couche de cendres, a commencé une époque où l'explosion n'est qu'un symbole de négation absolue. Ce que, d'ailleurs, nous savions déjà depuis le moment où, en nous élevant du calendrier des chroniques terrestres, nous interrogions le destin de l'univers et où les oracles de la thermodynamique nous répondaient : toute forme existante se défera en une bouffée de chaleur ; il n'y a pas de présence qui puisse se sauver du désordre sans retour des corpuscules ; le temps est une catastrophe perpétuelle, irréversible.

Il n'y a que quelques vieilles étoiles qui savent sortir du temps ; ce sont elles les portières ouvertes pour sauter du train qui court vers l'anéantissement. Parvenues à l'extrême de leur décrépitude, recroquevillées dans les dimensions de « naines rouges » ou

« naines blanches », haletantes dans le dernier sanglot scintillant des « pulsars », comprimées jusqu'au
stade d'« étoiles à neutrons » et enfin, ayant sous-
trait leur lumière au gaspillage du firmament, devenues le sombre effacement d'elles-mêmes, les voilà
mûres pour le collapsus inévitable où tout, y compris les rayons lumineux, retombe à l'intérieur pour
ne plus en sortir.

Que les étoiles qui implosent soient louées ! Une
liberté nouvelle s'ouvre en elles : annulées de l'espace,
exemptées du temps, elles existent pour elles-mêmes,
enfin, et non plus en fonction de tout le reste ;
peut-être sont-elles les seules à être sûres d'y être
vraiment. « Trous noirs » est un surnom dénigrant,
dicté par l'envie : elles sont tout le contraire de
trous, il n'y a rien de plus plein et plus lourd et plus
dense et plus compact, avec une obstination à
maintenir la gravité qu'elles portent en elles, comme
en serrant les poings, en serrant les dents, en arquant
le dos. Ce n'est qu'à ces conditions qu'on se sauve de
la dissolution dans l'expansivité débordante, dans les
girouettes des effusions, de l'extraversion exclama-
tive, des effervescences et des emportements. C'est
ainsi seulement que l'on pénètre dans un espace-
temps où l'implicite, l'inexprimé ne perdent pas leur
force, où la prégnance des significations ne se dilue
pas, où la réserve, la prise de distance multiplient
l'efficacité de chaque acte.

Ne vous distrayez pas en usant d'arguties sur les
comportements inconsidérés d'hypothétiques objets
presque stellaires aux confins incertains de l'univers :

c'est ici que vous devez regarder, au centre de notre galaxie, où tous les calculs et les instruments indiquent la présence d'un corps à la masse énorme mais que l'on ne voit pas. Des toiles d'araignée de radiations et de gaz, restées accrochées peut-être depuis le temps des derniers éclatements, prouvent que là, au milieu, gît l'un de ceux que l'on nomme « trous », désormais éteint comme un vieux cratère. Tout ce qui nous entoure, la roue de systèmes planétaires et constellations et ramifications de la Voie lactée, toute chose dans notre galaxie est soutenue par le pivot de cette implosion effondrée en elle-même. C'est là mon pôle, mon miroir, ma patrie secrète. Elle n'a rien à envier aux galaxies les plus lointaines, dont le noyau semble explosif : là aussi, ce qui compte est ce qui ne se voit pas. Même de là, il ne sort plus rien, croyez-moi : ce qui étincelle et tourbillonne à une vitesse impossible n'est que l'aliment qui va être broyé dans le mortier centripète, assimilé à l'autre façon d'être, la mienne.

Certes, il me semble entendre parfois une voix venue des ultimes galaxies : « Je suis Qfwfq, je suis ce toi-même qui explose pendant que tu imploses : moi, je me dépense, je m'exprime, je me diffuse, je communique, je réalise toutes mes potentialités, moi, j'existe vraiment, pas toi, introverti, réticent, égocentrique, qui t'identifies à un toi-même immuable... »

Je suis alors saisi par l'angoisse que, même au-delà de la barrière de l'effondrement gravitationnel, le temps continue à s'écouler : un temps différent, sans rapport avec celui qui est resté en deçà, mais également lancé dans une course sans retour. En ce cas, l'implosion dans laquelle je me jette ne serait qu'une pause qui m'est accordée, un retard opposé à la fatalité à laquelle je ne peux échapper.

Quelque chose comme un rêve, ou un souvenir, me traverse l'esprit : Qfwfq est en train de fuir la catastrophe du temps, il trouve un passage pour se soustraire à sa condamnation, il se lance à travers la brèche, il est sûr de s'être mis à l'abri, par une fente de son refuge il contemple les événements dont il est rescapé qui se précipitent, il plaint avec détachement ceux qu'ils emportent, et voici qu'il croit reconnaître quelqu'un, oui, c'est Qfwfq, c'est Qfwfq qui sous les yeux de Qfwfq parcourt de nouveau la même catastrophe qu'avant ou qu'après, Qfwfq qui, au moment de se perdre, voit Qfwfq se sauver mais sans le sauver. « Qfwfq, sauve-toi ! » crie Qfwfq, mais est-ce Qfwfq qui, en implosant, veut sauver Qfwfq qui explose, ou le contraire ? Aucun Qfwfq ne sauve de la déflagration les Qfwfq qui explosent, lesquels ne parviennent à retenir aucun Qfwfq de leur implosion impossible à arrêter. Tout parcours du temps avance vers le désastre en un sens ou dans le sens contraire, et leur intersection forme non pas un réseau ferré réglé par des aiguillages et des voies de triage, mais un enchevêtrement, un fouillis…

Je sais que je ne dois pas écouter les voix, ni croire aux visions ou aux cauchemars. Je continue à creuser mon trou, dans mon terrier de taupe.

Chronologie biographique

Les citations sont toutes d'Italo Calvino.

1923. Naissance le 15 octobre d'Italo Calvino à Santiago de Las Vegas près de La Havane. Son père, Mario, d'une vieille famille de San Remo, est agronome, sa mère, Evelina Mameli, est professeur de botanique.

1925. Retour de la famille Calvino en Italie, à San Remo.

1927-1940. Naissance de Floriano Calvino. Les deux garçons reçoivent une éducation laïque et antifasciste.

1941-1942. Études en agronomie à l'Université de Turin. Italo Calvino soumet aux Éditions Einaudi un premier manuscrit (« *Pazzo io o pazzi gli altri* ») qui sera refusé.

1943-1944. Il poursuit ses études en agronomie à Florence. Il rejoint San Remo en août 1943 et, à l'avènement de la République de Salò, entre en dissidence avant d'intégrer début 1944 les Brigades garibaldiennes.

1945. Après la Libération, il participe à la vie politique dans le Parti communiste italien. Il entreprend des études littéraires à l'Université de Turin et fait la connaissance de Cesare Pavese.

1946. Début d'une collaboration avec *l'Unità*, qui publie régulièrement ses récits dont *Champ de mines* qui remporte en décembre un premier prix littéraire lancé par le même journal.

1947. Fin de ses études littéraires par un mémoire sur Joseph Conrad. Encouragé par Pavese, son premier lecteur et mentor, Italo Calvino fait paraître chez Einaudi, désormais son éditeur et employeur, *Le sentier des nids d'araignée* (prix Riccione) qui s'inspire de son expérience de résistant. Il se rend au Festival de la jeunesse à Prague.

1948. Visite à Ernest Hemingway, en villégiature à Stresa, en compagnie de Natalia Ginzburg.

1949. Il participe au Congrès mondial des partisans de la paix à Paris. Parution du recueil *Le corbeau vient le dernier* dont les nouvelles développent trois axes thématiques : « le récit de la Résistance », « le récit picaresque de l'après-guerre » et « le paysage de la Riviera ».

1950. Suicide de Cesare Pavese.

1951. Voyage en URSS à l'automne. Le 25 octobre, décès de son père.

1952. Parution du *Vicomte pourfendu*, récit fantastique d'un homme fendu en deux dans un XVIIIᵉ siècle fabuleux. *Botteghe Oscure*, revue dont le rédacteur en chef est Giorgio Bassani, publie *La fourmi argentine*.

1954. Parution de *L'entrée en guerre*, trois récits d'inspiration autobiographique.

1956. *Contes populaires italiens*, deux cents contes issus

de toutes les régions d'Italie, sélectionnés et entièrement retranscrits par Italo Calvino, paraît en novembre.

1957. Parution en volume du *Baron perché*, où le héros, vivant au siècle des Lumières, refuse de marcher comme tous sur terre, et impose sa singularité pour « être *vraiment* avec les autres ». Parution en revue de *La grande bonace des Antilles*, qui fustige l'immobilisme du Parti communiste italien, et de *La spéculation immobilière*, qui met en scène un intellectuel aux prises avec la réalité entrepreneuriale de la construction. Italo Calvino présente sa démission au parti communiste suite aux événements de 1956 en Pologne et en Hongrie.

1958. Publication en revue du *Nuage de Smog*. Parution d'une anthologie personnelle, *I Racconti*, qui remporte l'année suivante le prix Bagutta.

1959. Parution du *Chevalier inexistant*, l'histoire, dans un Moyen Âge légendaire, d'« une armure qui marche et qui, à l'intérieur, est vide ». La fondation Ford permet à Italo Calvino de passer six mois aux États-Unis dont quatre à New York.

1960. Parution de *Nos ancêtres* qui rassemble *Le vicomte pourfendu*, *Le baron perché* et *Le chevalier inexistant* : « une trilogie d'expériences sur la manière de se réaliser en tant qu'êtres humains, [...] trois niveaux d'approche donc de la liberté ».

1961. En avril, Italo Calvino se rend à Copenhague, Oslo et Stockholm pour y donner des conférences. Il participe à la Foire du livre de Francfort en octobre.

1962. Il fait la connaissance d'Esther Judith Singer, dite

Chichita, traductrice argentine qui travaille pour l'Unesco et l'Agence internationale pour l'énergie atomique. Parution en revue du récit *La route de San Giovanni*.

1963. Parution de *Marcovaldo ou Les saisons en ville*, l'histoire d'un manœuvre devenu citadin « toujours prêt à redécouvrir un petit bout de monde fait à sa mesure », et de *La journée d'un scrutateur*, qui dénonce les failles d'un système se fourvoyant sous couvert d'égalité et de charité. Italo Calvino est juré du prix Formentor.

1964. Il épouse Chichita à La Havane en février. Il revient sur les lieux de sa petite enfance et rencontre Ernesto « Che » Guevara. Les Calvino s'installent à Rome.

1965. En avril, naissance de sa fille Giovanna. Parution en volume de *Cosmicomics*, qui témoigne de l'intérêt d'Italo Calvino pour les sciences et la cosmogonie, et du diptyque *Le nuage de Smog — La fourmi argentine*, dans lesquels il questionne les relations entre l'homme contemporain et la nature.

1966. Mort de l'écrivain Elio Vittorini, avec lequel Calvino entretenait depuis 1945 des rapports amicaux et professionnels. Ensemble ils avaient dirigé le magazine *Il Menabò di letteratura* (1959-1966).

1967. La famille s'établit à Paris. Italo Calvino traduit *Les fleurs bleues* de Raymond Queneau. Parution de *Temps zéro*, nouveau recueil de « cosmicomics », dont le titre fait référence au commencement du monde.

1968. Il participe au séminaire de Roland Barthes à la Sorbonne, fréquente Raymond Queneau et les membres de l'Oulipo. Il refuse le prix Viareggio qui récompense *Temps zéro*. Parution de *La mémoire du monde et autres cosmicomics*.

1970. Parution du recueil *Les amours difficiles* dont la plupart des histoires sont fondées sur « une difficulté de communication, une zone de silence au fond des rapports humains ». Dans le cadre d'un cycle d'émissions radiophoniques, Italo Calvino s'attelle à l'étude de passages du poème de l'Arioste *Roland furieux*.

1972. Il remporte le prix Antonio Feltrinelli pour ses œuvres de fiction. Parution des *Villes invisibles*, où, à travers un dialogue imaginaire entre Marco Polo et Kublai Khan, s'élabore une réflexion subtile sur la ville, les constructions utopiques et le langage.

1973. Il devient membre étranger de l'Oulipo. Parution du *Château des destins croisés* dont la narration se fonde sur le tirage de cartes de tarot.

1974. Début d'une collaboration avec le quotidien *Corriere della sera*, dans lequel Italo Calvino publie fictions, récits de voyage et réflexions sur le contexte politique et social de l'Italie.

1975-1976. Séjours en Iran, aux États-Unis, dans le cadre notamment des séminaires d'écriture de la Johns Hopkins University, au Mexique et au Japon.

1977. Il reçoit du ministre autrichien des Arts et de l'Éducation, à Vienne, le Staatspreis für Europäische Literatur.

1978. En avril, mort de sa mère.

1979. Parution de *Si par une nuit d'hiver un voyageur*, roman qui met en scène sa propre écriture, à partir de dix débuts de romans toujours laissés en suspens. Début d'une collaboration avec *la Repubblica*.

1980. Parution d'*Una pietra sopra*, dans lequel Italo Calvino regroupe ses interventions critiques les plus importantes. Les Calvino s'installent à Rome.

1981. Italo Calvino reçoit la Légion d'honneur et s'attelle à la traduction de *Bâtons, chiffres et lettres* de Queneau. Il préside le jury de la 38e édition de la Mostra Internazionale del Cinema à Venise.

1982. *La vera storia*, opéra en deux actes de Luciano Berio d'après une œuvre d'Italo Calvino, est créé à la Scala de Milan.

1983. Italo Calvino est nommé directeur d'études à l'École des hautes études à Paris et donne une série de conférences à New York. Parution en novembre de *Palomar*, dont l'histoire « peut se résumer en deux phrases : *Un homme se met en marche pour atteindre, pas à pas, la sagesse. Il n'est pas encore arrivé* ».

1984. Il se rend en avril à la Foire internationale du livre de Buenos Aires avec sa femme, Chichita. *Un re in ascolto*, opéra conçu avec Luciano Berio, est créé à Salzbourg. Il participe à Séville avec Jorge Luis Borges à un congrès sur la littérature fantastique. L'éditeur Garzanti publie à l'automne *Collection de sable*, dans lequel Italo Calvino regroupe des textes sur la réalité changeante qu'est le monde, inspirés en partie par ses voyages au Japon, au Mexique et en Iran, et *Cosmicomics anciens et nouveaux*. Tout en défendant toujours les valeurs issues de la Résistance, il prend ses distances avec la politique.

1985. Il travaille à un cycle de conférences pour l'université Harvard, regroupées dans un recueil posthume, *Leçons américaines* (1988). Décédé dans la nuit du 18 au 19 septembre à l'hôpital à Sienne, il laisse notamment derrière lui un recueil inachevé, *Sous le soleil jaguar* (1988), qui devait être constitué de nouvelles sur les cinq sens, *La route de San Giovanni* (1990), projet d'un volume rassemblant des « exercices de mémoire », *Pourquoi lire les classiques* (1991), regroupant des analyses des œuvres majeures de la littérature passée et contemporaine, et *Ermite à Paris* (1994), recueil de pages autobiographiques.

TEMPS ZÉRO

PREMIÈRE PARTIE
Autres QFWFQ

DEUXIÈME PARTIE
Priscilla

TROISIÈME PARTIE
Temps zéro

Table 535

AUTRES HISTOIRES
COSMICOMIQUES

NOUVELLES HISTOIRES
COSMICOMIQUES

DU MÊME AUTEUR

Aux Éditions Gallimard

LE SENTIER DES NIDS D'ARAIGNÉE (Folio n° 5456)

LE VICOMTE POURFENDU (Folio n° 5457)

LE BARON PERCHÉ (Folio n° 5458)

LE CHEVALIER INEXISTANT (Folio n° 5459)

LES VILLES INVISIBLES (Folio n° 5460)

SOUS LE SOLEIL JAGUAR (Folio n° 5461)

LA JOURNÉE D'UN SCRUTATEUR (Folio n° 5668)

LA SPÉCULATION IMMOBILIÈRE (Folio n° 5669)

COSMICOMICS, RÉCITS ANCIENS ET NOUVEAUX (Folio n° 5666)

LE CHÂTEAU DES DESTINS CROISÉS (Folio n° 5667)

COLLECTION FOLIO